D0386692

ВЫДАЮЩИЕСЯ МАСТЕРА
ВМ
ТЕАТР

# Звезды

Ольга Антонова
Олег Басилашвили
Сергей Бехтерев
Сергей Дрейден
Галина Короткевич
Сергей Курышев
Кирилл Лавров
Анвар Либабов
Ульяна Лопаткина
Сергей Мигицко
Елена Попова
Анатолий Равикович
Фарух Рузиматов
Михаил Светин
Алиса Фрейндлих

# везды
# ПЕТЕРБУРГСКОЙ СЦЕНЫ

Москва, «АСТ-ПРЕСС КНИГА», 2003

УДК 792
ББК 85.334.3(2)6
З-43

*Федеральная программа книгоиздания России*

Под редакцией
**Б.М. Поюровского**

Составитель
**Е.С. Алексеева**

В книге
использованы
фотографии
из фондов музеев
петербургских театров
и личных архивов
артистов

ISBN 5-7805-0996-4

# От составителя

Белый ночи, архитектурные ансамбли, тени Пушкина, Гоголя, Достоевского, Ахматовой — только ли этим исчерпывается неповторимость облика и судьбы северной столицы России? Сейчас, когда Санкт-Петербург готовится к 300-летию идет своеобразная ревизия не столько культурного багажа прошлых веков, сколько того, чем богат город теперь. Наряду с Эрмитажем и Русским музеем, город по праву гордится людьми, которые созидают его культуру в начале XXI столетия. По традиции особое место в петербургской культуре занимает театральное искусство, сохранившее верность академическим корням и восприимчивое к новейшим веяниям. Поэтому сборник «Звезды петербургской сцены», выходящий в серии «Выдающиеся мастера», посвящен не одному, а сразу нескольким питерским театрам. И представляет блестящую «сборную команду», работающую в разных жанрах. Читателей ждут интересные встречи не только с Алисой Фрейндлих, Кириллом Лавровым, Олегом Басилашвили, Михаилом Светиным, но и с Ульяной Лопаткиной и Фарухом Рузиматовым. Статьи об их жизни и творчестве написаны ведущими театроведами, критиками, журналистами Санкт-Петербурга.

В составлении и иллюстрировании сборника неоценимую помощь мне оказали Наталья Матухно (Мариинский театр), Алена Белякова (БДТ), Елена Александрова (МДТ), Людмила Коробова и Вера Матвеева (Театр Ленсовета), Татьяна Ананьина (Театр комедии), Юлия Акимова и Гульшат Фаттахова («На Литейном») и Мария Каменецкая («Приют комедианта»), сотрудники Академии русского балета им. А. Я. Вагановой и Петербургской театральной библиотеки. Всем, кто помог в рождении этой книги, хотелось бы выразить глубочайшую признательность.

Ирина Цимбал

# Ольга Антонова

Человек искусства давно не слывет существом надмирным, посланцем других галактик, инопланетянином. На самом деле, он вырос и живет на земле, которая его питает, вдохновляет, будоражит, вовлекает в свою круговерть. Иногда боговдохновенный дар возносит его очень высоко, и тогда его называют звездой, но он все равно остается частью пространства, которое его породило. В этом смысле наш город — особый: сколько поэтов, писателей, художников не отделяют себя от него, объясняясь ему в любви на языке искусства. Это объяснение в любви стало привычным ритуалом, и один только Бог знает, нуждается ли в нем сам город. Или ему дороже родство душ более глубокое и более потаенное.

Очень редко со средой обитания связывают творчество актеров, удел которых — эфемерность их созданий и вечное кочевье — из Керчи в Вологду или еще куда подальше.

А я, размышляя об Ольге Антоновой, актрисе, школьной соученице, другу и многолетнему единомышленнику, не в силах даже мысленно разлучить ее с Петербургом. Просто не вижу ее в другом пространстве, хотя и догадываюсь, что Пикадилли, Елисейские Поля или Пятая авеню вполне пригодны для променада такой актрисы. Но для меня она — слепок нашего города и таковой уже останется. Фасад Петербурга напоминает безупречно вылепленное лицо, каждый ракурс которого — предмет особого любования. Но где скрыта душа? Попробуйте вызнать эту тайну! Душа Петербурга глубоко спрятана в дворах-колодцах, в переплетениях подслеповатых, не знающих солнца переулков. Город ревниво оберегает ее, ведь не случайно именно там страдают и мучаются герои Достоевского, одного из любимейших писателей актрисы. «Но при чем здесь сама Антонова?» — недоумеваете вы. Господь не поскупился, создав ее во всем гармоничной и прекрасной. Отвечаю: зато душа ее так же загадочна и таинственна, как и у города, в котором она родилась, и к ней так же непросто подобрать ключ. Одно можно сказать с уверенностью — душа у Антоновой — великая труженица, и лирическая заповедь поэта «душа обязана трудиться» для нее не красивая риторика, а поэтическое наставление, которому она старается следовать всегда. Оттого писать о ней и радостно, и мучительно трудно. А вызнать тайну и вовсе нереально. Ведь природа ее редкого дара неотъемлема от склада души. Так хочется разгадать, где источник шарма и шика ее героинь, их легкой и пленительной женственности и сумрачной горечи раздумий...

Ольга Антонова жила в разных районах Ленинграда-Петербурга, но только сегодня, выйдя из дома и еще не сделав десяти шагов, она уже может выдохнуть: «Люблю тебя, Петра творенье». Потому что прямо перед ней чудо Монферранова гения — Исаакий, а значит, и Нева, и Сенатская площадь. Рукой подать до Зимнего дворца, где еще слышен голос императрицы, сыгранной ею в «Цареубийце», или шелест бальных платьев тех, кто потом последует в Сибирь за своими мужьями, героями 1825 года. Целая галерея несыгранных судеб. Но у Антоновой при всей ее неуемной фантазии нет тоски по несыгранным ролям. Она знает, что все они умелые пролазы и непременно напомнят о себе там, где их вовсе не ждешь. Грустит Ольга не о ролях и даже не о пьесах («И Гамлета можно плохо поставить», — со свойственной ей афористичностью выносит она вердикт), тоскует она о большой режиссуре, без которой не видит ни театра, ни себя в театре.

Сказать, что театр напророчен Антоновой от рождения и звезды на небе предсказали его неминуемость, было бы сильным преувеличением. Ольга охотно и с любовью вспоминает своих предков, в частности деда с маминой стороны, учившегося пению в Италии. Потом деда пригласили в Большой театр, а дома он отводил душу в русской песне. Не от него ли у Ольги и редкой красоты голос, и глубина постижения старинного романса и цыганской песни? Но к самому театру-искусителю это едва ли имеет отношение.

Когда Ольга Антонова делится воспоминаниями о своей жизни, в интонациях ее нет ни пафоса, ни актерского придыхания. Скорее трезвая и горькая констатация. Зато попробуйте заговорить с ней о прекрасной Ремедиос, улетевшей на простынях, или об Иосифе, томившемся в египетском плену, фантазия и темперамент актрисы взыграют в полную мощь.

Что же до собственной судьбы, она видит в ней много случайностей, нелепостей, мистических совпадений и, наверное, малую толику чьего-то неведомого промысла. Себя маленькую Ольга отчетливо помнит в коммуналке на шестом этаже Театра комедии. Кому тогда могло прийти в голову, что это особый знак, поданный судьбой, сигнал-предупреждение? Иногда вместе с братом они умудрялись проникать на галерку и чуть было не сделались настоящими театралами. Но родители разъехались, и маленькая Оля осталась с отцом, будущим замечательным прозаиком Сергеем Антоновым, а мама с болезненным братом уехала на Урал. Четыре года, проведенные с отцом, сделали из Ольги недюжинную кулинарку. Три раза в день она умудрялась кормить отца макаронами — отварными, жареными и даже припудренными сахаром. Но вскоре тяжело заболела. Отправившись к маме, на Урал, она долгое время пролежала прикованной к постели туберкулезом позвоночника и почти смирилась с обреченностью на пожизненную инвалидность. Радости и утехи здоровых сверстниц ей заменяли Диккенс и рукоделие. Сегодня о ее знаменитых куклах знают многие, а песенки о них распевает чуть ли не вся страна. Куклы стали частичкой ее человеческой и творческой индивидуальности. Актриса и по сей день увлечена созиданием этих нафантазированных ею существ. Как папа Карло, она не прочь была бы вдохнуть в них жизнь, и все вместе они могли бы составить кукольный театр наподобие того, в который играли великие Гете и Бергман.

После благополучного ее выздоровления и окончания школы (уже в Ленинграде) родители, жившие к тому времени в разных городах, не слишком ломали голову, куда податься белокурой любительнице кукол. Маме только хотелось, чтобы работа была сидячей (не напрягать позвоночник) и по возможности стабильной. К примеру, чем плохо бухгалтер-плановик? Ольга не сопротивлялась и при своих блестящих математических способностях легко получила диплом с отличием.

Но сегодня Ольга Антонова — не бухгалтер, а легенда нашего искусства, и сама соткана из легенд, составивших летопись ее жизни. Согласно одной из них, образ театра замаячил для нее на пляже у Петропавловки, когда она услышала, как два абитуриента разучивают басню Крылова «Осел и Соловей», готовясь к первому туру экзаменов в Театральный институт. Ольга решила на спор попробовать себя и, в отличие от неутомимых жрецов солнца, прошла все три тура.

Никаких препятствий к зачислению после блестяще сданных экзаменов не могло быть. Но неожиданным образом напомнила о себе перенесенная болезнь. С таким медицинским заключением в Театральный институт категорически не брали. И тогда сам безупречно педантичный Борис Зон посоветовал достать фальшивое свидетельство об отменном здоровье. Ольга ушам своим не поверила, но мэтр не шутил. Сложными путями пришлось добывать справку. Можно только гадать, как бы сложилась судьба многоодаренной Антоновой, не повстречай она горе-исполнителей басни Крылова. Ольга действительно имела вкус и задатки ко многим занятиям. Даже ее муж, художник, убежден, что из Антоновой вышел бы замечательный дизайнер по костюмам. Могли быть и другие варианты. Но на петербургской сцене одной звездой стало бы меньше. А это трудно себе вообразить.

Курс, на который поступила Антонова, тоже оказался легендарным. Имя Б.В. Зона, уникального театрального педагога, уже тогда звучало харизматически. Не только его талант, но и сам облик со знаменитым галстуком-бабочкой был неотъемлем от явления, которое так и называлось «Зон» и существовало как пароль. Ученик Зона — это своего рода избранничество, знак причастности к Мастеру, владеющему таинством профессии. В отличие от официальных званий, сколь высоки бы они ни были, звание «зоновец» штучное, индивидуальное и ко многому обязывающее.

Те, кому удалось побывать на вечере, посвященном 100-летию Мастера, уже никогда не забудут его атмосферу, этот праздничный энтузиазм, смешанный со священным трепетом и особой неактерской искренностью, когда вспоминали Учителя. Да и компания собралась нешуточная: Алиса Фрейндлих, Зинаида Шарко, Наталья Тенякова, Лев Додин, Александр Белинский. И конечно, Ольга Антонова. У каждого был свой особый разговор с Мастером: воспоминания, исповеди, раскаяния и т.д. Палитра общения была многожанровой. Ольга Антонова спела песню, которую курс распевал в перерыве между занятиями, музыку к ней подобрала она сама.

После института, с дипломом, главным приложением к которому было звание «ученик Зона», выпускники бесстрашно ринулись по театрам «показывать себя». У Антоновой уже были роли, которые она и сегодня вспоминает с удовольствием. Проказник Оберон из «Сна в летнюю ночь» или мать Машеньки из знаменитой пьесы А. Афиногенова, где Машенькой была Наталья Тенякова. Проделки ли это шутника Оберона, но судьбе было угодно, чтобы Антонову пригласил на прослушивание в Театр комедии сам Н.П. Акимов. Вернее, никакого Акимова Ольга и в глаза не видела. Просто новоиспеченные выпускники, зайдя в Театр комедии, повстречали какого-то востроглазого и востроносого веселого мужичка, который уведомил их, что худсовет состоится тогда-то. Там они и побеседуют с Акимовым. «Но вы точно ему передадите, что мы придем показываться?» — строго поинтересовалась Антонова. «Точно-точно», — выпроваживая их, заверил мужичок. О дальнейшем нетрудно догадаться. Востроглазый господин, сидевший во главе худсовета, и был сам Акимов. После показа мнение корифеев театра (таких, как Ирина Зарубина, Лев Колесов, Елена Юнгер, Елизавета Уварова) было единодушно положительным. Так Ольга Антонова оказалась в знакомом доме, но теперь уже как полноправный член труппы гремевшего на весь город театра.

Акимов и его театр — еще одна легенда отечественной сцены. Нужно было обладать акимовским талантом и верой в жанр, чтобы создать театр такой расцветки и фантазии. Острый глаз художника и изобретательность режиссера сотворили почти невозможное. Едва ли не каждая премьера становилась событием. А ведь многие из авторов были молодыми, начинающими и обучались драматургии непосредственно в театре. Антонова успела сыграть несколько ролей, в том числе и Аннунциату из «Тени» Шварца. Но Содружество с Мастером оказалось недолгим. В 1968 году Акимова не стало. Но Ольгин портрет он успел нарисовать.

Семидесятые годы — лучшая пора в послеакимовской истории театра. Новые режиссерские имена, непривычный репертуар. Вадим Голиков, Петр Фоменко — режиссеры разные, чтобы не сказать противоположные, прививали театру вкус к поиску новых путей в достижении комедийного эффекта, но не по прежним сценическим лекалам. В спектаклях Голикова Антонова запомнилась как исполнительница маленьких неглавных ролей. Но ее индивидуальности в них бывало и просторно, и вольготно. Да и сами роли такие непохожие... Вот бедняга Фалалей, которому Фома Фомич («Село Степанчиково и его обитатели») запретил видеть сон про белого быка, и сон этот стал буквально наваждением для бедолаги. Антонова играла эту роль с отчетливым кивком в сторону абсурда. Всю жизнь актриса мечтает о Чаплиниане, потому что убеждена — одной ужимки Чаплина хватило бы на весь театр Беккета или Ионеско. Ей и по сей день хочется переводить смешное на язык трагикомического, чтобы, как сказал один великий писатель, когда губы складывались в улыбку, на глаза тотчас наворачивались слезы.

А пока она — активная участница репертуара. Вихрем врывается на площадку в рыжем парике, высоких сапогах, но вовсе не лишая свою героиню чисто женского шарма. Алиса из «Тележки с яблоками» Бернарда Шоу своим появлением вмиг не только разрушает и геометрию строго выстроенных мизансцен, но и вторгается в сами подковерные игры, бессмысленно скучные и безжизненные. С приходом В. Голикова театру был представлен и новый художник — Игорь Иванов, — муж, советчик и «строгий судия» актрисы. Задачей этого замечательного, к сожалению отошедшего от театра художника было продолжить театральные фантазии Акимова, высокий стиль его живописных декораций. В городе вновь появились плакаты к премьерам, ставшие сами по себе произведениями искусства. Недаром тотчас возникли и неутомимые собиратели ивановских плакатов — как правило, наутро плакаты уже исчезали. Невольно вспоминается эпизод, связанный с историей постановки Акимовым «Страха» Афиногенова. Говорят, когда Афиногенов увидел акимовский плакат, он, истинный рыцарь театра, произнес одну фразу: «Вот и весь мой замысел». Полагаю, что многие режиссеры, работавшие с Ивановым, могли бы повторить слова драматурга. Но внимательные зрители разглядели на этих плакатах и другое — почти с каждого из них на прохожих смотрели огромные, бездонной глубины глаза Антоновой. И был в этом взгляде какой-то особый магнетизм — оторваться невозможно.

Кажется, первой ролью, за которую Антонова получила премию молодых критиков, была секретарша Верочка из пьесы Рязанова и Брагинского «Сослуживцы». Верочку, как социальный тип эпохи глухого застоя, узнавали мгновенно: по той ленивой полуспячке, в которой она умудрялась выполнять свои секретарские обязанности, по протяжному «ла-а-дно», когда ставила на место надоевшую начальницу. Конечно, был у Верочки и другой мир, мир околокиношных пижонов (стиляг в ту пору уже не было), и, чтобы чувствовать там себя равноправной, надо было с завидной энергией решать проблему новомодных сапог. Антонова любила коллекционировать для себя разнообразие типов и характеров, с удовольствием подмечала нелепицу, безошибочным чутьем фиксировала пошлость. Так бы оно, наверное, и продолжалось, и в энциклопедию советской жизни вписывались бы с ее помощью все новые и новые типажи. Но случилось событие, которое не только резко изменило судьбу актрисы, но и место Театра комедии в иерархии театральных ценностей той поры. Да, впрочем, и не только той. В театр пришел Петр Фоменко. Его не слишком интересовали вписанные в социальный контекст герои и конфликты современной комедии. В театре он искал обыкновенного чуда, чуда преображения обыденного в невозможное, повседневного в фантастическое, в прозе он всегда слышал музыку стиха, в музыке — стихию самой жизни.

Мелодрама А. Арбузова «Этот милый старый дом», автора, владевшего искусством беспроигрышных театральных ходов, таила в себе и некую не слишком даже закамуфлированную самопародию. Это была удивительная история, похожая на сказку, которая привила вкус к искусству театра не одному зрительскому поколению. Эксцентрические персонажи, много моцартовской музыки, безудержность сценографических фантазий Игоря Иванова, в облаках и на деревьях развесившего скрипки и кларнеты, словно им в самый раз «дозревать» в нашем климате. А за всем этим «love story» двух уже не юных существ. Музыканта Гусятникова (как всегда, удивительная в своей рыцарской целомудренности работа Геннадия Воропаева) и зубного врача Нины Бегак. Бегак — Антонова сочетала наивную естественность и естественное чудачество. Актриса ни в чем не оступилась — не впала ни в соблазн мелодрамы, ни в откровенную клоунаду. Она была натурой цельной и гармоничной, это и становилось камертоном ее игры. Все в ней было нелепо: от шляпки до очков. И все необыкновенно притягательно и органично. А как смешно она чокалась бокалом шампанского, как пила, поперхнувшись с непривычки, или, объевшись трубочкой с кремом, спокойно себе ходила с грелкой, подвешенной на ленточке через плечо. Искренне и наивно стремясь быть понятой и любимой, она ни в чем в себе не поступилась, умудряясь с достоинством нести и свою неудачливость, и насмешку окружающих над невольным чудачеством. Актрисе, уже накопившей немало актерских возможностей, чтобы сыграть эту, пожалуй, одну из лучших ролей своей жизни, удалось главное — доказать право своей героини быть такой, какая она есть.

Об этом спектакле хочется писать подробно, потому что он давно стал классикой, и изустная молва о нем уже исчисляется десятилетиями. Вот один из центральных эпизодов пьесы — знакомство Бегак с детьми Гусятникова. Мечтая понравиться детям своего возлюбленного, Бегак—Антонова здоровается с каждым, сообразуясь с мгновенно составленным о нем представлением: одному заглянет в глаза, другому крепко, по-товарищески, пожмет руку. В своей беспомощной доверчивости она не замечает ни скрытой иронии одних, ни издевки других. Любовью окрыленная и любовь излучающая, она и мир видит только сквозь призму этого нахлынувшего на нее счастья.

Рассказывая о семье чудаковатых Гусятниковых, Петр Фоменко пользуется своей особой партитурой. То зазвучит «Маленькая ночная серенада», то сами мизансцены он выстроит как музыкальные дуэты (трио, квартеты), то разговорная речь вдруг обернется мелодией и станет музыкальной фразой. И актриса, для которой, по ее словам, актерское искусство — прежде всего интонационно-слуховое, точно и безошибочно улавливает эту музыкальную поэзию спектакля. В оркестре, куда ее решительно не пускали Гусятниковы (зубной врач и музыка!) она все равно оказалась первой скрипкой.

Музыкальной одержимости чудаков-профессионалов режиссер и актриса противопоставили музыкальность внутреннюю, как символ интеллигентности: умение чутко слушать и также чутко переживать услышанное. Недаром дети, которые жестоко отказали Бегак в своей дружбе, а потом с детским великодушием ее же и простили, вдруг услышали музыку в самой фамилии «Бегак» и начали распевать ее как музыкальную фразу. У спектакля был ошеломительный успех — скромная комедия Арбузова, согласно рейтингу, как выразились бы сегодня, стала культовой, заняв место вровень с ярчайшими событиями ленинградской сцены. Спектакль смотрели по многу раз (он не сходил со сцены шестнадцать лет), удивляясь, как прочно оказались актеры заряжены режиссерской энергией, какую неподдельную радость испытывали они всякий раз, окунаясь в этот волшебный мир одного абсолютно счастливого дома.

Спустя несколько лет на экранах телевизоров появился фильм «Почти смешная история», в которой Нина Леонидовна Бегак превращалась в героиню по имени Иллария. Видно, трудно было режиссеру и актрисе расстаться навсегда с любимым детищем. Фильм прозвучал как вариация на уже знакомую тему — одинокая женщина, мечтающая о счастье, смешная, чудаковатая, несуразная. И хотя для актрисы это был почти тот же женский тип, однако неуловимой мелодии, растворенной в спектакле, не возникало. Героине Антоновой с ее бесконечными фантазиями «во сне и наяву» не хватало особой ауры спектакля и, конечно, присутствия Геннадия Воропаева, партнера необыкновенной чуткости и абсолютного слуха на юмор. Рядом с неколебимо серьезным

Михаилом Глузским Иллария—Антонова и вовсе чувствовала себя потерянной и нелепой. И все-таки радостно, что нет-нет да и мелькнут на экране герои этой другой, но очень похожей на театральную истории. И мы услышим песню про кукол, слепленных из пластилина.

На моей памяти у Ольги Антоновой не было более мучительной, более неподатливой роли, чем Елена Спартанская в философской притче Ж. Жироду «Троянской войны не будет». К роли трудно было подступиться, найти с ней контакт, приблизить к себе. Я даже пришла на одну из репетиций. Ольга — Елена лежала на сцене под толстыми шкурами, и я с нетерпением ждала ее появления. Оно было эффектным — ведь она появлялась полуобнаженной (сегодня и обнаженным телом публику не раззадоришь, а тогда это «ню» было сенсацией), в рыжем парике и смешных веснушках, безразличная ко всему, что разыгрывалось вокруг нее. Она — заложница судьбы, ее красота не спасет, но, увы! разрушит этот мир. Даже если она и не будет так бессовестно кокетничать с маленьким Троилом и не заведет интрижку с самим Гектором. Даже если закроет глаза на ссору Гектора с Демокосом, даже если... Троянская война все равно будет, потому что это путь, который выбрало человечество, а прелестная девочка всего лишь игрушка в его руках.

В Елене Спартанской Антонова, по сути, сыграла еще не читанную тогда нами «Лолиту».

Антоновой-актрисе равно интересны все человеческие типы и характеры. Рассуждения об актерской теме (а ей часто приписывали тип одинокой, странной, чудаковатой мечтательницы) вызывают у нее усмешку. Она готова сыграть даже лиц противоположного пола, но не в амплуа травести. К примеру, ее занимает образ Паниковского, и ей кажется, что она знает, как сделать его непохожим на все предыдущие трактовки, сохранив трагикомическую обреченность.

Смешить сострадая — вот что актрисе было в ту пору интереснее на сцене. Что уж там, кажется, сострадать чеховской Змеюкиной («Свадьба. Юбилей»). Появляется она на свадьбе в бирюзовом переливчатом платье со страусовыми перьями, манерным голосом требует «дайте мне атмосферы» — или, на худой конец, «бури» или «поэзии».

А у Антоновой получалось, что хотя Змеюкина — плоть от плоти этой пошлости, но существо она неординарное, и в этом зверинце ей душно и невыносимо одиноко. Никому она не нужна со своими романсами и поцелуями взахлеб. И вся ее манерная претенциозность — лишь защита от незаладившейся жизни.

Чем-то неуловимым Змеюкина перекликнется с героиней пьесы М. Рощина «Старый Новый год». Даже тема праздника, горького для обеих героинь, зарифмует эти роли. Инна — Антонова появится в первой же сцене, стоя на стремянке, между небом и землей. В этом обывательском мирке ей по-особому неуютно. Не потому, что она другая, а потому, что у нее всего-то и есть, что нелюбящий муж и нелюбимая работа, и оказывается, что это давно ни для кого не секрет. Но, в отличие от окружающих ее циников, Инна — Антонова способна на всамделишность страдания. Растерянная и униженная, услышав правду о себе, она начнет метаться по квартире, лихорадочно собирая вещички, и, уже никого не стесняясь, натянет у всех на глазах старенький рабочий свитер прямо на вечернее новогоднее платье. Еще не трагедия, но от комедии уже далеко.

Горечь мольеровского «Мизантропа» искусительна во все времена для всякого не чуждого горестных раздумий о жизни режиссера. Хотя ставят пьесу редко. Зато Бергман обращался к «Мизантропу» по меньшей мере раз пять. И всякий раз он без труда отыскивал в нем созвучие с эпохой. Его последняя постановка в Королевском драматическом театре напомнила мне спектакль Фоменко — Антоновой.

Замысел Фоменко, как это часто случается с эстетическими идеями, не знающими визового режима и границ, в чем-то, несомненно, опережал мысль Бергмана. В обоих спектаклях главным действующим лицом становилась Селимена. В Стокгольме — популярная актриса Лена Эндре, у нас — Ольга Антонова. В обоих спектаклях Селимена подчеркнуто сильнее и прозорливее Альцеста. Гибкий женский ум, готовность подыграть ничтожным придворным, чтобы защитить избранника, — такой видела Антонова свою героиню. Но беда-то в том, что борьба за Альцеста — заведомо проигрышная, а жертвы, принесенные героиней, напрасны. И вовсе не похотливость Оронта и не мстительность

Арсинои замыкали этот трагический круг. Селимена — Ольга Антонова и Альцест — Георгий Васильев просто не понимали друг друга, говорили на разных языках. Наступала трагическая пора отчуждения. Эти двое нарушили правила игры, забыли главное предписание: «Мудрость и вера с нами всегда». Мудрость и вера — это, стало быть, те, кто наверху, на что и указывал перст Филинта.

Тот спектакль, кстати, был музыкальным, с замечательными «эзоповыми» стихами Юлия Кима. Только ленивый не удосужился написать о музыкальных возможностях Антоновой, — они, без всякого преувеличения, безграничны. Разумеется, в рамках драматической сцены. Но мне вспоминается телепередача «В гостях у Ольги Антоновой», не такой, какой она пошла в эфир, а такой, как снималась, дома, живьем. Ольга пела с тремя музыкантами-шансонье. Теперь, в силу трагических обстоятельств, они остались вдвоем и именуются «Кавалер-дуэтом». Ольга пела не только старинные романсы, но и популярный городской фольклор. Блатные песни она проживала, как настоящая драматическая актриса, для которой другого языка в тот момент не существовало. Никто не сомневался, что рано или поздно эта грань ее таланта будет востребована. Так оно со временем и случилось.

Кто первым назвал Антонову «примадонна» уже не вспомнить. Но, скорее всего, до спектакля «Все о Еве» (постановка Льва Стукалова) Антонова примадонной не слыла, да и сейчас не слишком жалует этот «титул».

О том, что Ольга Антонова — актриса, созданная для «западных» ролей, говорили и в кулуарах, и на обсуждениях. Казалось, трудно не увидеть в ней ломких уильямсовских героинь, с «трещиной в душе», растоптанных, униженных, или, напротив, чью-то жизнь безжалостно разрушающих. Иногда, впрочем, и свою собственную. Как правило, в человеческом характере это неразъемно.

О том, какой могла бы быть Антонова в лучших пьесах Теннесси Уильямса, дает представление телевизионная версия повести «Римская весна миссис Стоун». Спектакль «Наваждение» (режиссер Татьяна Андреева) — тонкое прикосновение к миру женской души. Для нее нет жизни вне любви, и потому она выбирает смерть.

Но вместо Уильямса на театральной афише появилось знакомое название «Все о Еве». Шаг был дерзко вызывающим — многие видели фильм с Бетт Дэвис в главной роли и, как это иной раз случается с точными актерскими попаданиями, уже с трудом разделяли фильм и актрису. Режиссер запретил Антоновой смотреть картину, и был абсолютно прав. На сцене замышлялась совсем другая история, ни о каком соперничестве с американской звездой не могло быть и речи.

Марго Крейн — Антонова жила только искусством и во имя искусства. Идеалистка от театра, она свято верила, что истовое служение прекрасному делает людей чище, совершеннее, бескорыстней. Это не мешало ей упиваться своим заслуженным успехом, восхищением поклонников. Но актрисе и в голову не могло прийти, что она уже стала мишенью для предательств. И, когда кольцо лжи, обманов, бесчестных поступков замкнулось, Марго — Антонова по праву могла получить почетное звание примадонны. И не оттого, что так же блистательно и с тем же шиком носила свои туалеты, а оттого, что горечь поражения встречала во всем своем женско-актерском великолепии. Убежденность в собственной незапятнанности помогала ей оставаться с гордо поднятой головой. Как и задумывалось, спектакль был поставлен во славу искусства. И успех его был безоговорочным.

Между тем за спиной актрисы происходило что-то странное. И вовсе не в нафантазированном театре, в том, где закатилась звезда Марго Крейн. А здесь же, в «милом старом доме» Ольги Антоновой. Внешне все было благопристойно. Об Антоновой слагали в капустниках смешные и трогательные куплеты. И зал умилялся, услышав:

Вы хороши, вы обаятельны
Так много в вас судьбой заложено,
Вы вышли из семьи писателя
И осчастливили художника!

Ее выдвигали на разные премии. Имя на гримуборной никто не зачеркивал и даже не забирался туда примеривать на себя ее туалеты. Но актриса остро и безошибочно вдруг ощутила свою неприкаянность, актерскую «бездомность». Когда у них с Игорем Ивановым не было жилья (квартиру она оставила первому мужу), их приютил театр, поселив в бывшей сапожной мастерской. После чего весь гардероб Антоновой еще долго благоухал ваксой и кожей. И все-таки это был их дом.

Теперь театр переставал быть ее главной крепостью. Новых ролей не намечалось, администрация, казалось, забыла о существовании актрисы.

Спасительным кругом (да еще каким!) стал в эту пору кинематограф. Жесткий, беспощадный, диктующий свои суровые законы. Фильм Киры Муратовой «Астенический синдром» — золотой фонд нашего кино. Его название — всеохватная метафора жизни целой эпохи. Медицинский термин, ставший диагнозом болезни всех без исключения, переживших 1980-е. Полубезумная Наташа (Ольга Антонова), раздавленная горем, ярящаяся на весь мир, — новая ипостась актрисы. Антонова играет тот градус бессилья (на шкале даже нет такого деления), который рождает мощь вулканической силы. Горе — это великий и трагический генератор сверхчеловеческой энергии. Ни одной минуты бездействия в кадре — толкать, пихать, тащить, вышвыривать, смахивать со стола бокалы — словом, разрушать все вдребезги. Это единственно возможный диалог героини с миром. В роли нет ни одного слова, если не считать «ненормативных междометий», как нет и логической связи с последующим сюжетом.

В одном из телеинтервью потрясенный Марк Захаров спросил Киру Муратову: «Что же вы нас так сходу влюбили в замечательную актрису, а потом мы тщетно прождали ее появления?» Кира Муратова промолчала. Ведь эпизод с Наташей снимался тогда, когда картина была готова. Этому эпизоду трудно придумать название: эпиграф, предисловие. Все это не так. Потому что это какой-то неразбавленный концентрат человеческой боли, тоски и отчаяния. «Антонова играет смертно», — сказал нещедрый на сильные эпитеты Петр Фоменко. Он знает, что говорит, особенно когда речь идет об Ольге. Оценили работу Антоновой и собратья по цеху (тогда эта ассоциация называлась ААСК), присудив ей премию за роль второго плана. А это дорогого стоит.

После «Астенического синдрома» Ольга Антонова получила приглашение Карена Шахназарова на роль Александры

Федоровны в фильме «Цареубийца». И снова крохотное пространство роли, минимум текста. Впрочем, как сказал поэт: «Зачем страданью изобилье слов?» А императрица — комок страданья. Оно застряло в горле и мешает говорить. Даже те немногие слова, что произносит, она с усилием выдавливает из себя. Мне кажется, если бы я завела альбом или видеотеку поразивших меня кадров, непременно вставила бы туда сцену обеда, когда Александра Федоровна — Антонова рассматривает поданные ей макароны. Она дотрагивалась до них вилкой, глядя невидящими глазами, но они вызывали у нее отвращение. И не только своим видом. Не в том дело, что не царское это кушанье. Ольга Антонова рассказывала, что, когда играла этот эпизод, память подсказала ей поразившие когда-то слова Иуды Искариота из одноименной повести Леонида Андреева.

Не находя себе места, испытывая ужас от содеянного и уже зная, что его ждет впереди, предавший Христа Иуда набрасывался с обвинениями на учеников Христа, а увидев остатки пищи, вдруг медленно вопрошал: «Что это?.. Вы ели?..» Думать о том, что еще существует еда, казалось само по себе предательством, когда жизнь и смерть ее самых дорогих и близких вели уже неравный поединок. Ей, императрице, померещилось, что разыгрывается какое-то дьявольское представление, и она — его невольный участник.

Несмотря на то, что первой киноролью была у Антоновой эксцентричная Иллария, режиссеры, работавшие с актрисой впоследствии, категорически отказались эту эксцентрику замечать. В результате театр и кино поделили Антонову по жанровому принципу. Уделом актрисы на экране стала трагедия. Немногословные, отрешенные, целиком сосредоточенные на раздирающих их изнутри кошмарах — такими были Наташа, Александра Федоровна, безумная Дюран. Вот и в последнем фильме Льва Кулиджанова «Незабудки» (за эту роль Антонова была номинирована на «Нику») актриса сыграла очень значимый для режиссера характер. Я попросила Антонову поподробнее рассказать об этой работе.

«Передавая мне сценарий, Лев Кулиджанов сказал: «Когда прочтете, скажете, услышали ли вы его мелодию.

Если услышали, будем готовить роль». Музыку роли Антонова слышала всегда, а режиссер говорил мало, но по глазам она видела, что верно поняла его замысел. «Этот фильм во многом автобиографичен, — продолжала Антонова, — Моя героиня — медсестра, выполняющая свой долг перед Богом и людьми. Но в послереволюционной России она никак не может найти себе место. Истинной опорой ей служит ее погибший муж. Словом, у нее есть иллюзорный мир, который поддерживает ее дух, и только потому она может в реальном мире выполнять заветы Бога. А когда у мужа иссякли силы, она последовала за ним. Вот и вся история этой всегда подтянутой, уравновешенной, рано поседевшей женщины. Наверное, Кулиджанов знал, что снимает последний фильм и это его завещание живым. А мы об этом не догадывались. Я до сих пор не могу себе простить, что не подошла к нему и не сказала, как легко дышится у него на картине и как я давным-давно влюбилась, как, впрочем, и все мы, в фильм «Когда деревья были большими».

И Кира Муратова, и Лев Кулиджанов, режиссеры совершенно разные, работали с Антоновой почти без слов, во многом на нее полагаясь. А она, хорошо знающая разницу между импровизацией в рамках замысла и актерской вседозволенностью, была благодарна им за это доверие.

Что же до сценической судьбы, то вот уже пять лет, как актриса, не получив ни одной роли в своем театре, стала «блуждающей» звездой петербургских площадок.

Отваги окунаться с головой в новые, самые невероятные проекты Антоновой не занимать. Она много играет, участвует в антрепризах, сама ставит («Старомодная комедия» с Петром Вельяминовым), ездит по стране и зарубежью. К тому же заложенное некогда Борисом Зоном дало свои неожиданные всходы — и Антонова стала преподавать. Сегодня она доцент Академии театрального искусства. В будущих актеров влюблена, как и они в нее. Книгочейша с немалым стажем, она вдруг обнаружила, что студенты — незаменимые помощники заполнять пробелы, образовавшиеся в ее литературных интересах. Для учеников же она больше, чем педагог по мастерству. Она — эталон петербургской культуры, прошедшая школу больших мастеров, но при этом сохранившая живой интерес к современности.

Жизнь, как ни банально это звучит, полна парадоксов, театральная тем более. Когда-то существовало понятие андеграунда, манящего своей полузапретной и бесстрашной новизной, ненасытной жаждой эксперимента. Молодые актеры и режиссеры репетировали где придется, а потом искали площадку для проката. Такое обновление театральных форм буквально заполонило все пригодные и малопригодные для того помещения. В середине 1990-х годов не только молодые, но и вполне заслуженные и умудренные театральным профессионализмом актеры тоже искали пристанище на стороне. Такой своего рода «парадокс об актере». Так называлось даже одно из заседаний секции критиков СТД. На нем, правда, больше говорили об актерской невостребованности, но это тесно связанные явления. Я благодарно вспоминаю один из таких спектаклей-»беспризорников» — «Владимирская площадь». Его играли Зинаида Шарко и Александр Демьяненко. Оба — актеры солидных академических театров. Спектакль шел в «Приюте комедианта», когда тот размещался в подвале на Большой Морской. Актеры, казалось, не замечали ни обшарпанных стен, ни промозглого холода. Они просто обрушивали на зрителей всю горечь и недоумение от застигнувшей их врасплох жизни. Не прилагая к этому специальных усилий, они сплетали судьбу героев со своей собственной, и казалось, узкой полоски, отделявшей импровизированную сцену от зрительного зала, вовсе не существует....

Сегодня «Приют комедианта» — вполне респектабельный и уютный театр, но название его — отнюдь не метафора.

Вот и Ольга Антонова с удовольствием выходит на его сцену в спектакле «Недосягаемая» по пьесе С. Моэма (режиссер Игорь Коняев). В этих стенах актриса впервые рискнула запеть, пригласив участвовать своих давних партнеров: Анатолия Коптева и Владимира Балагина. Не только как певцов и музыкантов, но и как драматических актеров.

Истинно английский антураж — визитная карточка этого стильного спектакля. За стиль его в полной мере отвечал художник Игорь Иванов. Только в таком благородном интерьере с мягкой зачехленной мебелью, с чайными столиками, на которых мелодично позвякивают ложечки о чашки тончайшего фарфора, могла жить недосягаемая Каролина Эшли. Но внешнее благополучие не служило защитой от одиночества. Сквозь викторианскую благопристойность здесь явственно просвечивали обман и предательство, и победить их можно было только с помощью ядовитого сарказма Сомерсета Моэма или бессмертного английского юмора, вкус к которому когда-то так прочно привил актрисе Диккенс.

О нашумевшем не только в Питере, но и в Москве, и в Пскове спектакле Пушкинского театрального центра «О вы, которые любили» (режиссер Геннадий Тростянецкий) можно составить целую энциклопедию. Стольких рецензий не удостаивался, кажется, ни один антрепризный спектакль. Из донжуанского списка режиссер выбрал пятерых дам, чьи имена в какой-то момент пересеклись с судьбой Пушкина. Спектакль играется в интерьере старинного особняка Кочневой, точнее, в одной из его гостиных со множеством дверей. «Я вас люблю, красавицы столетий, за ваш небрежный выпорх из дверей», — примеривалась Белла Ахмадулина к дамам былых времен. Хотя у каждой из них своя история, для Анны Петровны Керн — Ольги Антоновой они — не соперницы. Еще не видя ее, «выпархивающую из дверей», мы уже слышим рулады, доносящиеся из соседней комнаты: «Я помню чудное мгновенье». Мы-то романс помним с детства, а Анна Петровна все боится, что забудем. Антонова и трогательно, и тонко, и жеманно играет самоупоенность женщины, меньше всего осознающей, чьей Прекрасной Дамой она сделалась на века. Ее девиз — «О себе, о себе, о себе...». Но ведь Пушкин не хуже нас понимал и ее ограниченность, и легкомыслие, и неверность, а мгновение запомнил и увековечил. И Антонова, с присущими ей иронией и изяществом, прощает своей героине ее недальновидность. И Анна Керн не делается от этого менее обольстительной и притягательной.

В этом коротком по времени спектакле — мощная энергия перепадов настроений героинь в их борьбе за самих себя, за место поближе к Пушкину. Но вот наступает прозрение: Пушкина, того, которого любили, — нет. А все остальное — суета сует. Звучит дивной красоты реквием не только по великому поэту, но и по беспощадно истекающему времени, в котором у каждой из них были «чудные мгновенья».

...А мне радостно сознавать, что мы живем с Антоновой в прекрасном городе, ходим по одним и тем же улицам и любим его не элегически-ностальгической, а активной и сострадательной любовью, в которой он так нуждается. Радостно, что можно пойти и пересмотреть ее старые спектакли и фильмы — в ожидании новых. И наконец, можно просто снять трубку и, спросив: «Что ты сейчас читаешь?» — услышать: «Ты, конечно, будешь смеяться, но снова «Иосифа и его братьев».

Татьяна Марченко

# Олег Басилашвили

Он мог бы почитаться звездой экрана мировой величины. Звездой первого класса. Ну, как Марчелло Мастроянни, например. После фильма «Осенний марафон» это стало для нас очевидным. Но советские, а затем российские фильмы лишь изредка оказывались конкурентоспособными на престижных международных фестивалях. В списке звезд мирового кино его имя так и не значится. Несправедливо.

Зато «внутренний» кинозритель знает его отлично. Правда, иногда судит, как бы сказать, несколько... однобоко. «А вам из наших ребят писать не решился никто, — публично признавались школьники из Воронежа. — Потому что Вы всегда играете плохих людей, интеллигентных негодяев и разных там мерзавцев...» — так обобщили актера ребята после фильмов «Служебный роман», «Осенний марафон», «О бедном гусаре замолвите слово».

Только удивительное дело — после всех его «мерзавцев» всегда остается четкое ощущение, что сам-то актер крайне порядочный, совестливый человек. С очень прочно обустроенным душевным миром, который покоится на незыблемых нравственных ценностях. И корни этих ценностей — в семье, в культурных традициях, во всем том, что дает человеку устойчивость, помогает ему не завертеться, подобно щепке, в круговерти жизни.

Он и в театр потянулся за тем же — его заворожила атмосфера старого МХАТа, где еще играло славное «второе» мхатовское поколение — Хмелев, Степанова, Болдуман... Где жили на сцене три сестры и таким душевным теплом веяло от прозоровского дома в первом акте. Ему хотелось быть там, среди них. И он пошел «к ним» — поступил в Школу-студию МХАТа.

«...Из чего же, из чего же, из чего же сделаны наши мальчишки?» — так поется в одной детской песенке. Из чего был «сделан» мальчик Олег, он сам сегодня вполне отдает себе отчет. Из детских потрясений души, пережитых на спектаклях МХАТа. В дошкольном возрасте — «Синяя птица», когда вдруг открылось, что все, тебя окружающее, — живое! Одухотворенное. Подростком он увидел «Дядюшкин сон» Достоевского с Хмелевым в роли князя. И на всю жизнь запомнил, как несчастный осмеянный старик обращался со словами благодарности к юной Зинаиде, которая одна его поняла и поддержала. Делал несколько шагов к ней — и вдруг словно ломался, падал в нелепой позе у ее ног. А в зале повисала гробовая тишина. Аплодисменты были бы в тот миг кощунственны.

Эту тишину и боль, пронзившую собственное сердце, он пронес через всю свою жизнь. И еще — острое ощущение душевной близости с матерью, которая, сидя рядом в театральном кресле, утирала слезы платком.

А сегодня дома, в квартире на Бородинской улице, что наискосок от БДТ, со стен смотрят фотографии деда, матери, отца. Они словно продолжают участвовать в его жизни, делиться своим душевным богатством. Дедушка — архитектор, участвовал в строительстве храма Христа Спасителя и, когда его взорвали, скоро умер. На стенах — живописные работы деда, небольшие, неброские полотна с изображениями храмов, из которых многих уж нет. Дед был почетным гражданином столицы.

Память о матери — книги, они повсюду — за стеклом полок, россыпью на столе, на креслах и диване. Можно подумать, это не комната актера, скорее кабинет ученого-филолога. Ученым была его мать, получившая степень доктора «Gonoris Causa» — по совокупности трудов и заслуг перед отечественной филологией. Она участвовала в составлении многотомного словаря языка Пушкина. И дома у них в Москве кого только не бывало из филологической элиты, мальчиком Олег слушал их разговоры, их чистейшей пробы русский язык — с такой «закваской» подцепить улично-дворовый жаргон ему было просто немыслимо.

Детство его прошло, между прочим, в коммуналке. Когда отец, став директором техникума связи, получил ордер на отдельную квартиру, он... отказался. Ему неудобно было перед соседями, с которыми жили душа в душу. И мать его поддержала. Хотела бы я посмотреть на того, кто способен сегодня повторить этот донкихотский поступок. Кстати, и сегодня, приезжая в Москву, он останавливается в маленькой 10-метровой комнатке той квартиры. Только по нынешним правилам он ее арендует — связи не порваны.

Спрашивается, при чем здесь актер Олег Басилашвили? Кстати, родительская семья если и не встретила в штыки его намерение стать актером, то попытки отговорить все же были. Отец считал, что сначала надо получить серьезную, настоящую специальность, а там...

Однако именно Олег Басилашвили сегодня являет неразрывную связь нравственных основ профессии актера с ювелирным мастерством — ремеслом. Не ремесленничаньем, нет, а с ремеслом как знаком высокого уровня владения технологией профессии.

И «делался» он постепенно, словно бы естественно, как растет дерево или как выстраивает себя изо дня в день «self made man» — человек, который сам себя сделал. Вечером сыграл, а наутро проснулся знаменитым — эта расхожая театральная легенда не про него.

Мечты с реальностью поначалу совсем не совпали. Из «оранжерейных» условий мхатовской школы неожиданно, как в омут с головой, пришлось нырнуть в будни сталинградского театра, послевоенного, разболтанного, где о высоком искусстве никто и не помышлял: не до жиру, быть бы живу. Главный принцип — «давай, давай!». Можно было смириться, приспособиться, выжить. Очевидно одно — бунтовать на этом корабле бесполезно, с тобой или без тебя ему суждено плыть своим курсом — в никуда.

И тогда он попросился. Тихо, интеллигентно, сбивчиво в словах, но внутренне убежденно сказал директору, что ему хотелось бы попробовать сохранить свой юношеский идеализм, то есть идеалы, и он просит его... отпустить. Все равно такой он этому театру пользы не принесет. Трудно сказать, что руководило директором, бывшим военным, соображения прагматические или стало просто жалко светловолосого, светлоглазого юношу, но он его отпустил! Неслыханный по тем временам либерализм.

И началась ленинградская жизнь Басилашвили. Жизнерадостная атмосфера молодежного Театра имени Ленинского комсомола (ныне — «Балтийский дом»), откуда только что ушел молодой, но успевший завоевать имя Георгий Товстоногов. Ушел главрежем в БДТ имени М. Горького, оставив после себя театр на волне успеха. Она подхватила новичка. Молодая труппа, весело, до поздней ночи гудящее актерское общежитие при театре — и роли, роли в современных спектаклях. Их сейчас вряд ли кто помнит. И в моей памяти они слились в нечто интеллигентно-милое, светлообаятельное, но без лица. Вернее, без отчетливых черт физиономии. «Лица необщим выраженьем» Басилашвили в те поры никак не выделялся. Но сам он жил какое-то время в состоянии эйфории. В свободные вечера ходил в разные театры. До сих пор помнит, как в луче света заплясал столб пыли над Александринской сценой: бр-р-р, вот куда бы не хотел попасть, хотя, конечно, актеры здесь превосходные — Николай Симонов, Юрий Толубеев, Николай Черкасов... А вот пришел в первый раз в БДТ — и замер: повеяло знакомым, родным, мхатовским, здесь жила та атмосфера, в поисках которой он в свое время и устремился в театр. «Мое!» Да вот ты-то здесь свой ли?

Все это — своего рода предисловие к Басилашвили-мастеру. Ничто еще не предвещает неба в алмазах. Ну пригласили в труппу БДТ и роль дали в готовящемся спектакле «Варвары», так что? Роль студента Степана Лукина сама по себе невыразительна, ни рыба ни мясо, и пригласили-то явно не ради него самого, а как мужа Татьяны Дорониной, она играет Надежду Монахову, она — центр спектакля, а на него Товстоногову и взглянуть-то некогда...

Впервые нащупалось что-то «свое» в «Океане». Трое молодых актеров играли троих молодых курсантов, потом — морских офицеров. Кирилл Лавров, Сергей Юрский и Олег Басилашвили. Платонов, Часовников и Куклин. Товстоногов необычайно точно распределил роли в пьесе А. Штейна. Как показала дальнейшая биография актеров, именно роли в «Океане» стали на долгие годы своего рода «визитной карточкой», своего рода зерном «личного амплуа» каждого. Но если с Платоновым и Часовниковым в драматургии было все более-менее ясно, то вот Славка Куклин как-то ускользал от определений. Свой в доску парень, легко и с юмором принимающий жизнь, как она есть (это — в курсантскую пору), он почему-то оказывался в итоге подлецом. Почему? И как нам к нему относиться? Прямых ответов в тексте не было. И Басилашвили не давал прямых ответов. Он был очень мил, этот курсант Славка, ни из чего не делал драмы. Там, где его приятели упирались лбами и копытами землю рыли «из принципа», он производил какой-то неуловимо изящный, легкий жест: «А, все ерунда...» Очень удобный человек, когда нужно все сгладить, согласить, примирить.

Через несколько лет он словно заострился, исчезла доброжелательная вальяжность. Что-то у него явно не заладилось там, на службе, и в сердце тайно завелся червячок зависти. Обрывистее стали интонации. Куда-то девалась легкость отстраняющего все неприятности жеста. Неприкаянность — вот что обнаружил Басилашвили в своем Куклине. Пока его товарищи ломали тяжелую службу на флоте, он, скорее всего, был штабным шаркуном. Не подфартило. И на душе пусто. Царапает что-то.

Все это сыграно было, что называется, поверх текста. В паузах. Полужестами, полувзглядами. В той неуловимой текучести внутренней жизни персонажа, которая станет затем отличительной чертой всех лучших созданий Басилашвили.

Актер «проклюнулся». О нем заговорили. От него стали ждать новых ролей. Следующей заметной вехой оказался Феликс в «Еще раз про любовь».

...Он появлялся в компании молодых физиков, легкий, веселый, блистающий остроумием, этакий человек-праздник. И только очень зоркий глаз мог бы уловить в его поведении некоторый перебор. Когда человек очень хочет убедить всех, что у него все — о'кей. А в глазах — тревога и даже мольба. Простить за «ма-а-аленькое» предательство, когда в трудные для лаборатории дни он попросту сбежал, подался на более легкие хлеба. Ну, перешел временно в другой отдел, ошибся, с кем не бывает, простите, примите обратно... Его иронический монолог о нарядном автобусе, который все ехал по гладкой дороге и почему-то оказался в тупике, это, в сущности, панический вопль о пощаде и помощи. Напрасно. Предательство здесь не прощают. Услышало его только сердце Наташи. И тогда он начал мстить. Не ей, а Электрону Евдокимову, все прозрачнее и злее намекая ему на свою былую связь с этой девушкой. Но странно — его не слишком-то благородный поступок вызывал, скорее, не презрение, а жалость. Слишком очевидным было душевное банкротство человека, когда-то столь обещающе начинавшего свой жизненный путь...

В один эпизод актер вместил целую биографию и загадал человеческую загадку. Его Феликс притягивал своей неоднозначностью и в то же время узнаваемостью типа. Актер не обличал и не адвокатствовал — он исследовал современный характер в драматическом несовпадении «быть» и «казаться». Он словно заглядывал в эту пропасть, измеряя ее глубину. Феликс был лишь эскизом, наброском. Развернутое исследование судьбы и души героя состоялось в чеховских ролях.

Его Андрей Прозоров в «Трех сестрах» проживал целую жизнь: от сияющей весенним светом, полной надежд юности — до сокрушительной прижизненной смерти, превратившей его в развалины.

...Он появлялся, окруженный сестрами, молодой, красивый, в светло-коричневой бархатной куртке, которая очень шла к его белокурым волосам. Милый, интеллигентный человек. Только, наверно, немного байбак, добрый и безвольный, которого покойный отец «угнетал воспитанием», а вот теперь он словно вырвался на волю и опьянен молодостью, весной, любовью к Наташе. Он словно ослеп от горячего тока своей крови и торопится, летит, спешит... куда?!

Куда придет человек, лишенный внутреннего нравственного стержня, безвольно уступающий пошлым обстоятельствам, — об этом была рассказана в спектакле трагическая повесть. Рассказана актером с беспощадным и точным знанием. Кто виноват в трагическом исходе жизни хороших людей? Исторические обстоятельства? Или они сами тоже? Этот вопрос как бы задавался в спектакле Товстоногова неоднократно, им поверялся каждый характер. Актеры искали ответ на этот вопрос вместе с режиссером. Искал и Басилашвили. На одной из репетиций он донял Товстоногова вопросом — знает ли его Андрей про предстоящую дуэль Тузенбаха, слышал ли он разговор о ней? Ведь если слышал, он обязан предпринять что-то, вмешаться, а он бездействует. Давайте сделаем так, что он не слышал...

Эта реакция актера была порождена логикой нравственно-здорового, просто порядочного человека. А режиссер не согласился: «Нет, он все слышал, в том-то и дело. Но у него наступил паралич воли, он равнодушен».

У советского писателя Бруно Ясенского в его романе «Заговор равнодушных» есть эпиграф из Роберта Эберхардта: «...Бойся равнодушных — они не убивают и не предают, но только с их молчаливого согласия существует на земле и предательство, и убийство».

Страшно спокойствие Андрея в последнем акте. Это спокойствие живого трупа. А он и внешне похож на живой труп — совсем опустившийся, сейчас сказали бы — бомж, в каком-то сильно потертом пальто с поднятым воротником, заросший щетиной, с тусклыми глазами. Ничего не осталось от того светлого, радостного человека, который впервые появился перед нами. Теперь его удел — все понимать и не иметь сил ничему противостоять. Приговор вынесен и обжалованию не подлежит.

«Милосердие» актера сказалось в другом — он не оставил без внимания ни одной упущенной возможности Андрея, ни одного его душевного порыва. Подмываемый общим добрым, вольным весельем в святочный вечер, он пускался в пляс «Ах вы, сени, мои сени...» — широко, разудало, с неожиданной грацией движений, помахивая белым платочком, плясал он, и в этот миг словно рыдала и смеялась в нем молодость с ее светом и надеждами. (Кстати, в Школе-студии МХАТа танец ему упорно не давался, преподавательница ласково называла их с Евгением Евстигнеевым «Кретинчики вы мои дорогие», а тут в роли Андрея словно дыхание открылось — так заразительна была его пляска.) А потом, в ночь пожара, сломленный осуждающим молчанием сестер, он болезненно сгибался, словно от удара под самое сердце, и качался в немом отчаянии, обхватив голову руками, и, зарыдав, прижимал к лицу платок, тот самый, только измятый и посеревший. И уходил, цепляясь рукой за стену, окончательно, навсегда разбитый.

Актер сострадал своему герою и одновременно учился ощущать строго в рамках режиссерского замысла. Пожалуй, именно с этого спектакля он стал в полной мере товстоноговским актером, почувствовал себя вровень с ведущими актерами труппы.

Следующая встреча с Чеховым состоялась через десяток с лишним лет — «Дядя Ваня».

Басилашвили рассказывал, что Товстоногов похвалил его всего три раза вслух. Первый раз, когда шли репетиции «Трех сестер». Все ночи он тогда проводил в больнице — умирала мама. Однажды, когда шли вместе с Г.А. из театра, жена, Галина Мшанская, робко спросила: «А как Олег репетирует?» И Г.А. ответил своим характерным гортанным голосом: «Замечательно репетирует». Первая похвала, да еще в такие тяжелые дни для него, врезалась в память.

Товстоноговские спектакли жили долго, и дядя Ваня у Басилашвили исподволь менялся — шли жизненные, душевные накопления, менялось все вокруг, менялись взгляды, — но по-прежнему беспокоил вопрос: кто виноват, что именно так сложилась судьба героя? Обстоятельства — но одни ли они? И чем дальше, тем жестче становился ответ: сам виноват. Разве Серебряков виноват в том, что дядя Ваня, живя в деревенской глуши, так опустился, одет небрежно, плохо выбрит и все время жалуется?

Правда, его страдание искренне и глубоко. Когда Войницкий входил с букетом роз и видел Елену Андреевну, целующуюся с Астровым, он столбенел — и вместе с ним замирал зал. Повисала тишина (вспомним тишину мхатовского зала на «Дядюшкином сне» с Хмелевым — его неизгладимое детское впечатление). Теперь он, артист Басилашвили, был хозяином этой тишины.

На гастролях в Индии, когда дядя Ваня плакал, приговаривая «Как я обманут...», из зала раздался крик: «Не плачь!» В Японии на этом месте в зале все вынимали белые платки и начинали сами тихо плакать. А вот в Англии, на Эдинбургском фестивале, вдруг случилось неожиданное: диалог Войницкого и Астрова шел под громовой хохот зрителей. Публика усмотрела в нем своего рода театр абсурда и не склонна была жалеть чеховских персонажей. Это насторожило актера. Вместе с Г.А он привык исповедовать, что сцена всегда должна быть современна залу, что именно в зале лежит решение всех проблем, от философских и психологических до жанра спектакля. Так эволюционировало его отношение к своему герою: сначала он до него дожил, потом прожил долгую жизнь вместе с ним и вышел из спектакля не таким, каким вошел в него.

Товстоногов ценил работу Басилашвили в этой роли высочайшим образом, но без деклараций, высказался, по своему обыкновению, как бы невзначай, к случаю. Ехали они однажды вместе в поезде в Москву, и Г.А. сказал: «Вы играете дядю Ваню на уровне Добронравова. Это великое создание актера, как у Жени [Евгения Лебедева. — *Т.М.*] — Крутицкий». В своей любви к МХАТу золотой его поры они были едины, и эта вторая похвала режиссера тоже впечаталась в память актера.

Роль Товстоногова в жизни Басилашвили огромна, и не только в становлении его как мастера, но и в становлении личности, ее нравственном развитии. Режиссер свою гражданскую позицию почти никогда не провозглашал напрямую. Она обнаруживалась в сфере чувств персонажей спектакля. Это может показаться по-детски наивным, чуть ли не смешным, но одна реплика Г.А. по поводу его Лыняева на репетиции спектакля «Волки и овцы» непосредственно подтолкнула Басилашвили, по его собственным словам, к депутатству. «Во всем виновато попустительство к беззаконию, — сказал Г.А., — безнравственность от сознания, что бороться с этим злом почти безнадежно».

Басилашвили сыграл Лыняева вальяжным «тюфяком», органически неспособным к сопротивлению. Встревожившая его еще в «Трех сестрах» тема равнодушия решалась здесь в острокомедийном ключе. И по контрасту всплывает в моей памяти репортерский снимок на страницах газеты: ленинградцы из демократической фракции Съезда депутатов Российской Федерации шагают по улице в рядах демонстрантов, накрепко сцепившись локтями. В неожиданном ракурсе — непривычное лицо Басилашвили: словно обрели скульптурную законченность и резкость его черты, они дышат энергией.

Сам актер считает короткое «хождение во власть» счастливой порой в его жизни. Порой интенсивного духовного вызревания, плодотворной работы на благо отечественной культуры. «Мои общественные эмоции начали оформляться очень поздно», — замечает актер. Самое сильное впечатление во время депутатства: Сахаров на трибуне и съезд, затопывающий, захлопывающий и засвистывающий его бескомпромиссное выступление. Уклончивая полуулыбка Горбачева... И смерть Сахарова, фактически отдавшего жизнь за свои убеждения. Врезались в сознание слова Сахарова, что ум, порядочность и совесть — это три кита, три понятия, на которых стоит человек. Лишь одно вылетает — человек падает... Басилашвили принял эти слова сердцем. Они легли на подготовленную семьей и великой русской литературой почву; на сознание русского интеллигента, для которого порядочность — свойство органическое, ежедневное. «Рыба ищет, где глубже, человек — где лучше», — гласит пословица. Быть может, для народного артиста Басилашвили и было бы «лучше», если бы он ответил согласием на троекратный зов Марка Захарова. Но в то время уже тяжело и безнадежно болен Г.А., и артист не мог предать его. Предать — и потом с этим грузом выходить на московскую сцену?! Для него это было психологически невозможно.

...Все эти жизненные, нравственные испытания были тогда, после успехов «Трех сестер», для актера еще впереди. И не надо полагать, что образ человека не сложившейся судьбы стал своего рода амплуа Басилашвили. Товстоногов растягивал его амплуа, можно сказать, наразрыв, бросая его из одной комедии в другую, оттачивая в нем качества лицедея, виртуозно владеющего пластической формой, которая кажется сиюминутной импровизацией. В результате такой школы понятие «амплуа» для Басилашвили не существует ни в театре, ни в кино.

Во второй редакции спектакля «Эзоп» он сыграл философа Ксанфа в паре с Сергеем Юрским — Эзопом. Это была великолепная пара: абсолютно естественный в своей исполненной достоинством простоте Эзоп и весь «придуманный» Ксанф. Его величавая глупость была безумно смешна. Слушая Эзопа, он, от потуги хоть что-нибудь понять, таращил свои пустые глаза — и они казались оловянными плошками. А потом — одна рука прижата к груди, другая простерта вперед: «Я иду к своим ученикам!» Ничтожество, обладающее властью над духовно-свободным человеком — тут могли быть любые политические аллюзии, но театр их не подчеркивал. Уже позднее, размышляя над судьбами товарищей по искусству, Басилашвили определил для себя, что такое свободный человек, и поставил рядом Сергея Юрского и Иосифа Бродского — они оба всегда были внутренне свободны, и никакая партийная власть ничего не могла с этим поделать. И Г.А. был также свободен, только более осторожен. Ему приходилось порой дипломатничать с властью, чтобы сохранить дело своей жизни. Впрочем, тогда Басилашвили вряд ли столь глубоко и систематически задумывался над этой проблемой — он с удовольствием предавался театральной игре, нащупывая новое в своих театральных возможностях.

Роль Хлестакова сначала напугала его (после Михаила-то Чехова!), а потом он стал искать пластику этого легковесного, без царя в голове человека. Будучи хорошего мужского роста и обладая в то время склонной к плотности фигурой, он производил впечатление невесомости, буквально перепархивая сцену, взлетая на рояль и все поступки совершая так легко-легко, словно резвое и еще не разумное дитя. Роль классического репертуара была сыграна достойно, но центром спектакля Товстоногова все же стал Кирилл Лавров — Городничий: у Басилашвили в театре всегда оказывались партнеры, с которыми было нелегко соревноваться. Да и замысел режиссера, избравшего «героем» своего спектакля Страх, опирался прежде всего на Городничего.

Но были в репертуаре БДТ роли, которые, как сейчас представляется, мог сыграть только Басилашвили — оказались востребованными его рост, стать, врожденная грация движений, аристократизм. В роли Людовика XIV в спектакле Юрского «Мольер» он был красив, декоративен, холоден. «Остро пишете!» — небрежно бросал он допущенному к королевскому ужину Мольеру. И такая бездонная пропасть открывалась между его величеством и каким-то жалким актеришкой и писакой. Вопреки своему обыкновению, Басилашвили не искал высокомерию Людовика объяснений и оправданий. Его король был ледяной статуей, застывшей в эгоистическом величии, доведенном до безжалостности парового катка. При этом — ни тени вульгарности или карикатуры.

И еще раз театр проэксплуатировал аристократическую стать актера вкупе с его лицедейством в знаменитом спектакле Товстоногова «История лошади», где он сыграл князя Серпуховского. Военная выправка, словно влитой гусарский мундир, затянутая в лосину подрагивающая в такт ритмической мелодии нога — апофеоз самолюбования и себялюбия. А потом — потухшие глаза, расплывшаяся в халате фигура, никому не нужная старость князя. Его судьба проходила контрапунктом судьбе Холстомера — Евгения Лебедева, и в этом дуэте князь оттенял трагизм истории пегого мерина, не такого, как все в табуне. Равноправный дуэт мастеров высокого класса.

Сегодня на сцене БДТ сохранился только один спектакль Товстоногова — «Пиквикский клуб». Ряд исполнителей поменялся — жизнь идет со всей своей неумолимостью. Но Басилашвили по-прежнему с удовольствием играет проходимца Джингла, и по-прежнему зрители и хохочут над ним, и невольно сочувствуют. Попав на эту роль почти случайно, в обстановке жесткого цейтнота, актер призвал на помощь свои юношеские театральные впечатления — во МХАТе Джингла играл Павел Массальский. Он откровенно перенял внешний облик того Джингла — прямые до плеч волосы, резкие черты лица и трагически заломленные брови — ну прямо романтический герой. Однако у «героя» фрак явно с чужого плеча, руки почти по локоть торчат из рукавов, и все ухватки — сочетание вороватой суетливости и ложной патетики. Актер не щадит пройдоху, он купается в комических ситуациях, настигающих Джингла, но — о Диккенс, о разлитая в спектакле атмосфера доброты! — Джингла порой немного жалко, и, смеясь над ним, вдруг ловишь себя на сочувствии бедолаге. Так в этой роли соединились откровенное лицедейство с тем, что сам Басилашвили считает главными чертами русского характера — умение понять другого, жалость — сочувствие и внутренняя интеллигентность.

На взлете всего накопленного в театре и родился в кино его Бузыкин в фильме Георгия Данелия «Осенний марафон».

Он словно написан пастелью, текуч и неуловим, как тончайший, лирический, импровизационный этюд. От него веет свежестью импрессионизма. И в то же время это вполне реальный характер порядочного, интеллигентного, но слабого человека, который не умеет сказать «нет» и потому то и дело оказывается в неловкой ситуации. А значит, постоянно внутренне грызет себя, «самоедствует» — словом, очень типичный для драматурга Александра Володина характер, который актер понял и принял в себя. Он может и поныне фантазировать на «бузыкинские» темы, представлять себе, как поступил бы тот в таком случае, а в таком... Он вообще любит фантазировать вокруг роли о том, о чем ничего в тексте не говорится. Например, как бы этот человек смотрел бы на картину Репина «Иван Грозный и сын его Иван». Или — как он рассматривал шпагу Кутузова. Или — царский сервиз в Русском музее. Это надо знать и чувствовать, когда выходишь на сцену, — считает он. И, похоже, так оно и есть. Иначе откуда такие ежесекундные микрореакции его героев, такая тонкая психологическая вязь.

Кстати, получил он роль Бузыкина, преодолев в самом себе чисто «бузыкинскую» черту — нерешительность. Сценарий ему очень нравился, но... Данелия ему не предлагал этой роли. Правда, его режиссер по подбору актеров Е.Судакова имела идею фикс, что именно Басилашвили должен сыграть Бузыкина, и всячески «толкала» актера, побуждая его к действию. В один прекрасный день Басилашвили открыл дверь кабинета Данелия на «Мосфильме» и храбро заявил: «Я приехал на кинопробу». А Данелия, интеллигентный человек, не решился сказать ему прямо в лоб: «Я вас не вызывал» — и проба состоялась. Утвержден на роль он был сразу.

Даже страшно теперь подумать — а если бы актер тогда не решился. «Дядя Ваня» был еще впереди ...

А потом Товстоногова не стало. И он, вместе со всем театром, остался на семи ветрах. Кирилл Лавров, ставший художественным руководителем БДТ, изо всех сил хранил нравственную атмосферу театра-дома, театра-семьи. Но не было больше мощного генератора театральных идей, и актеры оказались во власти случая — какой режиссер попадется, какая роль «подвернется».

Отзвуком товстоноговского театра прозвучала постановка по пьесе Нила Саймона «Калифорнийская сюита» (режиссер Николай Пинигин). Когда-то Г.А. поставил его же комедию «Этот пылкий влюбленный» с блистательным бенефисным дуэтом Алисы Фрейндлих и Владислава Стржельчика. Теперь та же Фрейндлих выступила в дуэте с Басилашвили. Три семейные пары, три истории о любви. Возможность для каждого актера блеснуть в трех ролях, очертить три разных характера и судьбы. Лидирующая роль в этих дуэтах принадлежит женщине. Но Басилашвили сумел соединить в своих ролях острую характерность с тонкими психологическими наблюдениями и подспудной мудрой человечностью.

Первая сцена — встреча двух бывших супругов, родителей повзрослевшей дочери, которую им теперь приходится «делить». Он — большой, в светлой спортивной куртке, загорелый и моложаво-седой. Американская белозубая улыбка и спокойная доброжелательность — полная противоположность женщине. Он готов во всем ей уступить, но то, как искажается его лицо, прежде чем он ответит ей спокойно, и долгая пауза перед этим ответом, во время которой он привычно надувает щеки, говорят о многом — об их прошлой семейной жизни. Это отблески их былого вечного спора за первенство... в любви! Одержав победу, он уже от порога вдруг рывком поворачивает ее за плечо к себе лицом — и она благодарно и так по-женски утыкается ему в грудь.

...Вторая история. Она — стареющая актриса, он — словно в панцире своего смокинга и белоснежной сорочки, с гладко прилизанными на пробор седыми волосами, ироническим изломом бровей, сигарой в зубах и какой-то нарочитой чеканностью речи. Им владеют только два чувства — непонятное злорадство по поводу так и не полученного ею «Оскара» и вполне понятная усталость уже немолодого человека. Привычным жестом он снимает свой широкий радикулитный пояс — сейчас, наверное, хорошо бы растереться чем-то согревающим, прилечь... Но куда там: выяснение отношений в самом разгаре. Он уходит в глухую оборону, корректно отбиваясь от обвинений в склонности к мальчикам, он — денди, он — джентльмен. Она — яростный вызов, он — ледяной сарказм. А в конечном итоге — два одиноких, не очень-то счастливых человека.

Резкий сценический рисунок. Быть может, чуть-чуть слишком резкий, ибо режиссер явно заигрывает с залом, выжимая из ситуации максимум смеха. А строгого глаза Г.А. нет, и некому удержать актера от переигрывания — уже в третьей сцене. Когда его герой, в «семейных» полосатых трусах, со взъерошенными седыми кудряшками, мечется по гостиничному номеру: приехала жена, а в его постели невесть как туда попавшая полуголая пьяная девица. Драматург оставляет актеру эту водевильную ситуацию, возложив весь психологический груз на женщину. И когда на закрытие занавеса супруги выходят дружно под руки, он — уже пристойно одетый, благообразный, она — такая скромная и величественная одновременно, зал аплодирует не только мастерству актеров, но благодарно отзываясь на свет добра, который они несли.

Вот этот свет добра Басилашвили и считает для себя главным, решающим в спектакле, а потому очень сердится на тех, кто критикует его (и на меня в том числе). «Спектакль — про людей, которые, как и все мы, хотят любить и быть любимыми», — горячится он. Нельзя с этим не согласиться, но «все же, все же, все же» — художественный уровень целого явно не тот, что при жизни Мастера.

А за Креонта в пьесе Жана Ануя «Антигона» (режиссер Темур Чхеидзе) Басилашвили получил высшую театральную премию Петербурга «Золотой софит» — за лучшую мужскую роль сезона. Он сыграл ее очень лично, словно заново пережив свое «хождение во власть». Не с молодой, сердитой Антигоной он спорил, а с самим собой, переболевшим когда-то юношеским максимализмом. В его увлечении политикой, наверное, было что-то от прекраснодушных надежд шестидесятников. Сейчас он трезвее, но не суше. Еще когда только получил звание народного артиста СССР, а потом стал депутатом, сам себе положил за правило — помогать людям. «В стране должна быть такая система, чтобы людям не было плохо, тяжко жить», — считает он. И если не может в одиночку изменить систему, то помочь конкретному человеку, если это хоть как-то в его силах, он почитает себя нравственно обязанным. И помогает. Называйте это «теорией малых дел», — все бы ей следовали, хуже бы не стало.

А жизнь идет... Самое страшное, он убежден, оказаться в творческом простое, в стороне от дела. Перефразируя Александра Твардовского, он шутливо говорит, «что нынче люди, а не Гоги смотреть назначены вперед». Раньше случалась пауза — много читал. Своего любимого Чехова, от его книг всегда тянет на раздумья о жизни, о человеке, на философию. А теперь и паузы куда-то делись. Выручает кино, любимые (и любящие его, артиста) режиссеры. У Эльдара Рязанова снялся в фильме «Предсказание» — исповедальной для режиссера картине о писателе-шестидесятнике. Она и для артиста была исповедальной. Снимался практически бесплатно. («Отрыжка» альтруизма!) Только многие ли этот фильм при нынешнем отсутствии проката видели? Из последних работ — в фильме Карена Шахназарова «Яды» (показали по ТВ). Там он сыграл две роли: современного пенсионера — резко очерченные седые брови, взгляд с мелькающей «сумасшедшинкой», и Папу Римского Александра VI Борджиа, у которого удивительные глаза. В сети мелких морщинок, проницательные, коварные, как бы смеющиеся и мудрые. В них читается история жизни этого сладострастного интригана-отравителя. Удивительные глаза, так и хочется задержать на экране их крупный план подольше. На портретах кисти Веласкеса есть такие глаза.

На сцену родного театра он теперь выходит относительно редко. Пустует их когда-то общая с Сергеем Юрским гримуборная, где весь потолок расписан автографами знаменитых людей, здесь побывавших, от Марка Шагала до Абэ Кобо. Но зато идет по РТР и по каналу «Культура» передача «С потолка», где Басилашвили рассказывает о встречах с этими людьми, об их интереснейших личностях.

А его собственная личность разворачивается в новых для него сферах творчества.

На сцене БДТ он никогда не пел, а тут выпустил сольный альбом «Дождевые псалмы» на музыку и слова Виктора Мальцева. Не вокал, конечно, а типичное для драматического актера «напевание», но сколько души!

В балете... заговорил: спектакле по роману Достоевского «Идиот» он оказался говорящим партнером танцующего князя Мышкина (в исполнении Валерия Михайловского).

На сцене театра имени В.Ф. Комиссаржевской провел сольный литературный вечер «Я живу в Петербурге». Программу вечера он составил сам из строк любимых поэтов — Пушкина, Маяковского, Мандельштама, Уткина, перемежая их афоризмами из Михаила Булгакова. В самом выборе репертуара отразился внутренний мир актера. А еще — дивный голос, завораживающая дикция (школа МХАТа!), удивительные простота и сердечность в чтении — все говорило не только о многогранности таланта, но и о высокой культуре, интеллигентности исполнителя. Такие сейчас наперечет.

Но главное для драматического актера все же спектакль. Затянулась пауза в родных стенах — ну что ж, есть на свете такое явление, как антреприза. Не наскоро сколоченная компания для беззастенчивого «чеса» по провинции денег ради, а серьезное творческое предприятие. Таковым он считает антрепризу Леонида Трушкина «Театр Антона Чехова», по его мнению, эта антреприза провозвестница новых организационных форм театра. «Надо не ждать роли, а каждую минуту работать», — твердит он. И мотается в Москву, чтобы сыграть один-два спектакля, а потом обратно, в свой театр — хорошо, когда есть репетиции! А то махнет в Киев, на очередные съемки 10-серийного телефильма семейной хроники «Под крышами одного города», где он играет роль кабинетного ученого, которого на склоне лет настигла любовная страсть. Новые лица, новые характеры, открытие для себя внутреннего мира пожилого человека — это интересно. Жизнь продолжается...

Он мог бы сказать о себе словами любимого поэта, стихи которого он читал на вступительных экзаменах Школы-студии МХАТа: «Деточка, все мы немножко лошади, каждый из нас по-своему лошадь...» И еще — «Мне и рубля не накопили строчки...».

Он словно следует завету Бориса Пастернака: «Цель творчества — самоотдача, /А не шумиха, не успех...» И еще — «Но быть живым, живым и только, / Живым и только до конца».

...Висят на стенах его квартиры портреты близких, пейзажи деда. Глядит с книжной полки фотокарточка младшей дочери Ксении. Громоздятся книги...

Наталия Колосова

# Сергей Бехтерев

Мягкий овал его светлого лица заключает черты в гармоничную форму. Лицо человека без роду и племени, в нем нет национальных черт. Но есть резкая печать индивидуальности.

Сергей Бехтерев — актер, чья уникальность очевидна. Едва ли всякий видевший фильмы с его участием сможет забыть даже таких, казалось бы, незначительных персонажей, как гневно повторяющий «Лук будет или нет?!» нетерпеливый покупатель из «Блондинки за углом» или сосредоточенно вопрошающий высшие силы о судьбе России «медиум» из «Собачьего сердца». Голос Бехтерева незаметно входит в жизнь жителей Санкт-Петербурга вместе с радио, окутывая их звуками стихов Сергея Есенина, сказок Оскара Уайльда или строками вольтеровского «Кандида».

При этом актер Бехтерев известен театральной публике как один из членов слаженного актерского ансамбля, «лучшего в Европе», по определению Питера Брука. Более двадцати лет он играл в Малом драматическом театре — Театре Европы — коллективе с постоянной труппой, связанной одними учителями и единым творческим методом. А началось все с актерского курса в ЛГИТМиКе, где Лев Абрамович Додин был вторым педагогом курса, на котором учился Сергей Бехтерев. Мастером курса был Аркадий Иосифович Кацман, который преподавал студентам теорию К.С. Станиславского, стремясь донести до них свое понимание ее сути. Большую роль в формировании будущих актеров играли совместные занятия, где два педагога — Кацман и Додин — спорили до хрипоты, пытаясь прикоснуться к ускользающей правде, истинности существования на площадке. Из столкновения «мудрости Аркадия

Иосифовича и максимализма Льва Абрамовича», по словам Сергея Бехтерева, и возникал тот огонь, в котором выплавлялись будущие «Братья и сестры».

В институте актер вовсю проявил свой дар светлого веселого лицедейства. В студенческом спектакле «Если бы, если бы...» он катался по залу среди зрителей на роликовых коньках, падал и поднимался, похожий на сказочного гнома, показывал фокусы и творил настоящие чудеса... Но уже в ЛГИТМиКе проявился и трагикомичный гротесковый дар актера — в самом начале студенческого спектакля «Бесплодные усилия любви» его комедийный Дон Армадо неожиданно серьезно пытался покончить жить самоубийством.

Придя из института в Малый драматический театр, в 1980 году Бехтерев сыграл больного эпилепсией Григория в спектакле Додина «Дом» по роману Ф. Абрамова. Назначение артиста на эту роль было неожиданным, поскольку еще на втором курсе Кацман сообщил Бехтереву, что его «приняли на комические роли». Однако именно роль Григория в большой степени определила дальнейшую судьбу актера.

С одной стороны, это было началом целой череды ролей людей «блаженных», «не от мира сего», с которыми чаще всего и ассоциируют актера Бехтерева.

С другой стороны, «Дом» — первый спектакль Додина, в котором Бехтерев, играя небольшую роль, оказывался смысловым центром композиции спектакля.

Назначая Сергея Бехтерева на роль Григория, Лев Додин в его образе сознательно обнажал конфликт спектакля: разрушение корней, потеря духовных связей. Разлом, происходивший в семье Пряслиных, болью отзывался в Григории, одном из «двойнят», в прошлом живущем как единое существо со своим братом Петром, теперь же им отвергаемом. Болезнь Григория становилась поэтическим символом: в ней фокусировалось нездоровье, разъедающее душевные связи в семье Пряслиных.

Материализованная в образе Григория боль сквозила в каждом из Пряслиных, по-разному преломляясь в наполненных жаждой жизни, стремящихся к счастью, строящих свой дом или прожигающих свою жизнь членах этой семьи.

Кульминацией спектакля становилось известие о том, что Егорша «раскатал» Лизкин дом.

«Брат... Не горячись, брат...» — тихо произносил бехтеревский Григорий, но в его подавляемом движении к брату, в ужаснувшихся потемневших глазах было осознание трагедии. Григорий стоял на авансцене лицом в зал, беззвучно открывая рот, и со счастьем и болью повторял то, что за его спиной эхом из далекого прошлого кричали друг другу влюбленные Лизка и Егорша, Рая и Михаил. Его руки сами собой поднимались и ощупывали воздух, пытаясь прикоснуться к тому, ускользнувшему и навсегда покинувшему их семью, счастью. Григорий соединял настоящее время с прошедшим, за несколько секунд проживая историю Лизкиной любви. Всю глубину постижения разразившейся трагедии Додин доверял сыграть Бехтереву, герой которого светился внутренним светом, источая энергию любящего сердца, страдая от собственного бессилия, словно концентрируя в себе больной дух семьи Пряслиных...

Такой же принцип лежал в основе существования актера в спектакле Льва Додина «Звезды на утреннем небе» по пьесе А. Галина, в котором Сергей Бехтерев сменил Владимира Осипчука. Его «сумасшедший» Александр Илиади, несомненно, был болен. Он был болен неприспособленностью к нездоровому обществу, в котором были вынуждены жить все персонажи спектакля. Зрители вместе с ним переживали потрясение, увидев возвращающуюся изнасилованную и избитую полуженщину-полудевочку Марию — Анжелику Неволину. Его припадок в финале спектакля был реакцией на больной мир, в котором люди утратили душевные связи. Перевернув кровать, из-за ее решетки, словно уже из-за решетки своего сумасшедшего дома, он умолял Лору — Татьяну Рассказову: «Прошу вас, навестите меня. У меня ведь нет никого, кроме вас». И неожиданно с простотой спокойного осознания произносил: «Я один. Совсем один. Вы понимаете это, Лора?» Всеобщее одиночество как в фокусе концентрировалось в его герое, который не мог жить в ненормальном мире и поэтому возвращался в сумасшедший дом...

Уже в первых постановках с участием Бехтерева ощущалось, как актер осуществляет внутреннюю режиссуру спектакля, находясь в его системе и вместе с тем умея взглянуть на нее со стороны. Часто в создаваемых актером образах концентрируются внутренние взаимосвязи структур многих спектаклей Додина.

Происходит это отчасти оттого, что спектакли МДТ рождаются на основе длительного процесса репетиций пьесы или романа вместе с Додиным или под его незримым руководством. Мало кому известно, как протекает этот процесс, и вряд ли многие из зрителей, пришедших на такие легендарные спектакли Льва Додина, как «Дом», «Братья и сестры» или «Бесы», обращали внимание на скромную надпись в программке: «ассистент режиссера — Сергей Бехтерев». А между тем за ней сокрыт каждодневный труд актера. Многие годы Бехтерев был ключевой фигурой репетиционного процесса спектаклей Додина, готовя с артистами этюды, которые впоследствии выставлялись на суд режиссера и становились основой спектаклей.

В «Братьях и сестрах» Додин поручил Бехтереву репетировать все женские сцены (мужские репетировал Роман Смирнов). Актер сочинил огромное количество «женских» реплик, заботился о том, чтобы дать имя и текст каждой «бабе», написал несколько сцен. Сочинил он и своего районного уполномоченного Гаврилу Андреевича Ганичева, соединив в нем нескольких героев романа Ф. Абрамова. В результате персонаж, не существующий в книге, стал одним из основных образов спектакля, с необычайной остротой воплощающим в себе его основной конфликт.

Развитие психофизического и эмоционального состояния каждого из героев «Братьев и сестер» происходит в ритмическом взаимодействии со всеми. Разрушение связей равносильно крушению, что проявлено в «Доме». Духовность пекашинцев особая: она в их причастности земле, семье, общине. Они духовны пока и поскольку они — Братья и Сестры. Концепция нравственности пекашинцев ближе к эпической, нежели к драматической. Драматичной она была бы, если бы в главном герое Мишке Пряслине Петра Семака увидели невозможность быть духовным. А в результате все «драматическое» помимо сюжета сошлось на Ганичеве Бехтерева, в образе которого есть зерна философской драмы.

Ганичев Бехтерева рядом с жителями Пекашина кажется каким-то неестественным, явно не вписываясь в их круг: то ли блага городской цивилизации сыграли свою роль, то ли «железная» линия партии оставила в нем неизгладимый след. В этой роли актер очень многое строит на характерности: деревенский «окающий» говорок, механистическая походка. Его Ганичев часто обнажает свои железные зубы, солидно надевает очки в стальной оправе.

Все обитатели Пекашина находятся в конфликте со страшным послевоенным временем как с чем-то внешним по отношению к ним. У Ганичева — другое. Этот конфликт живет внутри него. Не Ганичев и время, а время — в нем, он сам и есть это Время и для других, и для себя, причем в высшем, духовном смысле. Только время ужасное.

Главное в образе Ганичева — торжество духа, но духа извращенного. И истаивающая плоть. Описанная многими бесплотность бехтеревского Ганичева имеет два смысла — она и физическая изможденность, она и признак невероятной духовной концентрации: плоть, ставшая духом.

В общей очень «земной» системе спектакля и Малого драматического театра в целом Сергей Бехтерев — самый бесплотный актер. При этом на нем строится большая часть репертуара, он получает разнообразнейшие роли, и можно проследить одну закономерность: роли эти непосредственно влияют на композиции спектаклей — таков Ганичев, таков Верховенский, энергия которого движет действие «Бесов», такова старуха Бригитта, разрешающая конфликт «Разбитого кувшина».

Среди актеров МДТ Бехтерева выделяет специфика содержания создаваемых им образов. Бехтеревский Саймон из спектакля Льва Додина «Повелитель мух» по роману У. Голдинга, будучи, казалось бы, самым слабым из попавших на остров мальчиков, внутренне оказывался сильнее других. Саймон, как и Ганичев, заключал в себе метафизический конфликт спектакля. Именно у Саймона хватало мужества попытаться понять, кто же такой этот Повелитель мух: герой Бехтерева вел разговор с самим собой, мальчик обращался к животному в себе. Ядро характера расщеплялось, когда актер проигрывал перед нами неизъяснимую муку ощущения собственной сопричастности греху:

«Я – часть тебя самого, неотъемлемая часть. Что самое нечистое на свете? Душа. Мухи, мухи, Повелитель мух... Я – Повелитель мух!..»

Петр Верховенский Сергея Бехтерева из спектакля Льва Додина «Бесы» по роману Ф. Достоевского, кажется, существует за гранью отношений обычных людей, что нередко квалифицируется в критике как «религиозная» или «надчеловеческая» тема творчества актера. Образ Верховенского часто рассматривается как проявление оборотной стороны «апостольства» – многие величают Петра Степановича «бесом». Такая оценка созданного актером образа возникает оттого, что, играя своего героя, Бехтерев, как и в «Доме», и в «Братьях и сестрах», создает характер и одновременно играет его философское обобщение.

Однако у обособленности его героя есть и другая причина: роль Верховенского Бехтерев построил на оборачиваемости всех понятий, по принципу «серьезно-смехового». В этом смысле у его героя вполне карнавальное мироощущение, при котором, по определению М. Бахтина, вольное фамильярное отношение «распространяется на все: на все ценности, мысли, явления и вещи. В карнавальные контакты и сочетания вступает то, что было замкнуто, разъединено, удалено друг от друга внекарнавальным иерархическим мировоззрением. Карнавал сближает, объединяет, обручает и сочетает высокое с низким, великое с ничтожным, мудрое с глупым и т. п.».

Именно так существует Верховенский Сергея Бехтерева – актер играет человека, у которого отсутствуют этические ориентиры, его ничто не сдерживает. Отсюда – особая техника исполнения роли: «плавающие» интонации, неожиданные перемены в мимике. Герой Бехтерева то серьезен, то неожиданно улыбчив. В движениях Верховенского нет ни одного острого угла, каждое – изящно и аккуратно, жесты продуманны и завершенны, а в речи на зрителей действует не каждое слово в отдельности, а сам ритм и звук сыплющихся дурманящих слов. Совершенно не повышая своего мерного плавного голоса, он едва заметным изменением интонации легко произносимых слов вселяет в обитателей гостиной Варвары Петровны – Галины Филимоновой странное смятение.

В умении носить и сменять маски заключается сила этого Верховенского, он постоянно «сочиняет лицо», желая добиться чего-либо от людей. Однако его шутовство оборачивается трагической гранью, когда у Верховенского возникает небольшой зазор между масками и здесь проявляется его настоящее лицо. «Только не надо кричать, кричать ни к чему не послужит!» — неожиданно резко произносит он в ответ на еле слышный упрек только что преданного им Степана Трофимовича.

С первого появления Верховенский Бехтерева словно по спирали накручивает свое воздействие на окружающих, заставляя чувствовать за своей болтовней власть над людьми и все больше управляя людскими эмоциями. Его слова их больно ранят, он же один внешне остается странно безмятежен.

Этот человек постоянно шутит, не будучи весел в душе. В нем перемешаны комическое и трагическое, так же как святость и порок. Кажется, он просто не знает между ними разницы. «Верховенский — это настоящий клубок внутренних противоречий... добро и зло, сила и слабость, серьезность и гаерство сосуществуют в нем, как разные металлы в переливающейся амальгаме», — справедливо писал английский критик о Бехтереве в этой роли.

Лишь однажды его герой освобождается от всех масок, растратив в себе запас комического и став до странного серьезным. В спектакле он рассказывает Ставрогину — Петру Семаку свою идею, свою сумасшедшую мечту об Иване-царевиче в огромном монологе. Верховенский одержимый человек, способный заразить своим безумием миллионы, в слове он разворачивает страшную картину мирового «равенства».

Бехтерев придает образу Верховенского глубину и неоднозначность, играя по-настоящему влюбленного человека, от любви беспомощного перед Ставрогиным. Здесь у героя Бехтерева пропадает выверенность отточенных движений и ровность дурманящих слов, он словно сам уже плывет на звуках собственной речи. Голос актера буквально осязаем, несет с собой атмосферу сцены и передает всю глубину захватившего его героя чувства.

Произнося слово, Бехтерев будто подает его общий смысл — суть понятия. В его голосе доверительность возникает за счет особого тембра, создающего окутывающий слушателя фон. В этом голосе, негромком, но обладающем удивительной силой, много шорохов и вздохов — так шепотом говорят что-то интимное «на ушко». В нем есть и своего рода объективизм: чувство или мысль подаются очищенными от всех наслоений. Передается философия чувства, мысли, слова, а не буквальный смысл.

Кажется, голос Бехтерева лепит зримые образы, так что преобразуется внешний облик актера. Когда он говорит, его голос часто завораживает, существуя в присущем одному ему ритме, то по спирали накручивает напряжение, то создает провалы. Темп останавливается, из тишины еле слышно возникают слова, создавая удивительную мелодию роли...

Не менее виртуозно актер умеет молчать на сцене. В «Бесах» этот его талант наиболее ярко раскрылся в сцене самоубийства Кириллова — Сергея Курышева. Начинается эта сцена с неоднократно описанного критиками пожирания курицы героем Бехтерева. Жадно разрывая мясо руками, в течение нескольких минут актер упоительно ест курицу на глазах у зрителей, превращая физиологический акт в обряд профанации. Поймав на себе взгляд «маньяка», Верховенский чувствует, что пауза слишком затянулась, и с набитым ртом подчеркнуто небрежно спрашивает: «Однако о деле-то? Так мы не отступим, а? А бумажка?»

Но что-то останавливает смех. Эта сцена играется актерами на высочайшем духовном накале, вне зависимости от принятых ими на себя ролей. Неустанное стремление прорваться к Богу и непреодолимый соблазн, влечение и сладость побега от него, которые составляли предмет рефлексии всех героев, в финале «Бесов» из идей и чувствований персонажей перешли в реальное столкновение двух людей, которые держат в руках пистолеты со взведенными курками. Гротесково выглядит само сочетание этих людей: в Кириллове Курышева гордыня идущего против Бога спасителя всего человечества смешалась с беспомощностью перед лишенным какой-либо рефлексии тщедушным героем Бехтерева. Верховенский заморачивает наивного великана, почти как карлик Черномор своего брата. Ровность его голоса и равнодушие интонаций действуют обезоруживающе на чувствительного Кириллова, теряющего почву под ногами и постепенно перестающего управлять своим поведением под воздействием Верховенского.

В этой сцене Бехтерев постоянно сохраняет свою независимость, существуя и в образе, и как бы над ним, во всем пространстве, четко ощущая ритм не только своей роли, но и всей сцены в целом. В дуэте с Курышевым он — провокатор, который как режиссер выстраивает ритм финала всего многочасового спектакля.

Слушая Кириллова, бехтеревский Верховенский великолепно живет в паузе, в которой, по мнению актера, можно существовать только тогда, «когда есть о чем молчать». Актер мастерски плетет из пауз подводное течение роли. Как никто в МДТ, Бехтерев обладает удивительным даром подавать своего героя объективно — не оправдывая и не обвиняя, а словно следуя логике своего персонажа из «Бесов»: «Вы такой человек, я такой человек — что ж из этого?» Должно быть, поэтому его герои часто смешны, но при этом сложны и драматичны.

Его внешне чудаковатый Гаев из «Вишневого сада» — аристократ в душе. Он словно тонко настроенный музыкальный инструмент, не выносящий фальши в других. Негармоничный мир все больше врывается в его жизнь, и он защищается от него старыми добрыми привычными фразами из лексикона заядлого игрока на бильярде, которые заменяют те горькие слова, которые на самом деле хотят вырваться из его сердца. Он наигранно и как-то по-детски беспомощно радуется, уверяя самого себя в том, что «имение не будет продано».

Склонность многих бехтеревских персонажей к шутовству в Гаеве наполняется особым смыслом: ему остается только шутить, чтобы не оплакивать постоянно свой вишневый сад. Здесь уместно вспомнить Михаила Чехова, в игре которого, по словам исследователя, «трагическое не добавлялось к комическому, не соседствовало с ним, а возникало из крайнего сгущения комизма». В Гаеве — Бехтереве одиночество прорывается трагичными нотами где-то между произносимыми им не к месту нелепо-смешными словами, в неожиданно обрываемом, незавершенном жесте.

Однако в Гаеве нет оттенков ущербности или черт блаженного. Просто он не такой, как окружающие, и он оставляет за собой это право — не изменить самому себе. Стремление выжить в жестоком мире человека, всем строем своего существа к этому миру неприспособленного, сопротивляющегося его грубой агрессии, — одна из глубоких тем в творчестве Сергея Бехтерева. Таковы его Григорий в «Доме», Саймон в «Повелителе мух». Таким сыгран и Гаев.

Музыку его души постоянно кто-то нарушает. Он потерянно ходит по своему дому-саду, осыпаемый лепестками отцветающих вишен. Любая душевная грубость окружающих отзывается в Гаеве физической болью — так вздрагивает он после вопроса Симеонова-Пищика о Париже и горького ответа Раневской. Пытаясь загладить его душевную глухоту, он кидается читать монолог, обращенный к шкафу. В монологе этом идеалы юности «человека восьмидесятых годов» никак не соотносятся с беспощадностью реального строя жизни. Не выдержав собственного ощущения трагикомической нелепости происходящего и обрывая свою речь на полуслове, бехтеревский Гаев срывается в слезы...

Гаев более других сознает неизбежность потери своего сада — своего старого милого сердцу мира, предчувствуя неотвратимость приближающейся катастрофы. Он часто делает предостерегающий жест рукой, пытаясь уберечь сестру от сыплющихся на нее со всех сторон ударов судьбы. В нем чувствуется нестихаемая внутренняя боль: актер передает ее через чуть затянувшуюся паузу, бесшумную вязь шагов по сцене, когда тишину нарушает лишь дребезжание леденцов в кармане его пальто.

В Гаеве все подчеркнуто эстетично. Бехтерев и в «Вишневом саде» особое внимание уделил форме роли. Красоте и завершенности своих движений, о чем в большей или меньшей степени заботится всегда. Для Бехтерева характерно формировать и фиксировать жест своего персонажа, выстраивать физическое состояние, подчиняя его душевной жизни. Часто его движения диктует сценическая атмосфера, он удивительно восприимчив к ней. Однако, растворяясь в атмосфере спектакля, актер умеет ее преобразовывать. Гаев Бехтерева то расслабленно ленив, аморфен, то неожиданно легок и быстр. Сложный рисунок чувств и мыслей, неоднозначность есть в его монологе о природе, когда капризный голос Гаева вдруг оборачивается «надтелесностью», а созданный актером образ обретает свойства глубинного обобщения происходящего...

Герой Сергея Бехтерева из фильма «Арифметика убийства» Илья Ильич упорно кропотливо делает и расставляет фигурки в своем маленьком картонном театрике, завороженно глядя на телевизионного Гамлета — Смоктуновского, вопрошающего: «В глазах слеза дрожит и млеет голос, в чертах лица отчаянье и ужас, и весь состав его покорен мысли, а все из-за чего?..»

Размышление об актерских темах Сергея Бехтерева неминуемо приводит к вопросу о взаимоотношениях актера и его ролей. Создаваемые им образы трудно подвергнуть анализу — жизнь течет сквозь них сплошным потоком, почти не позволяя разъять их на составляющие элементы. Русская классика с ее вниманием к внутренней жизни человека становится точкой пересечения, в которой сходятся актер и зритель в разговоре о странствиях человеческой души.

Бехтерев — глубоко петербургский актер. Иногда он кажется порождением призрачности этого города — бесплотным белесым призраком белых ночей. Его герои впитали в себя запах этого города, а вместе с ним весь комплекс проблем, мучающих классических петербургских героев. Тема душевного подполья сквозит в Верховенском, мучающемся комплексом отверженности собственным отцом, и в несчастном жителе «пещеры-коммуналки» Илье Ильиче из фильма Дмитрия Светозарова «Арифметика убийства». Не случайно живущие в наши дни персонажи фильма разговаривают в стилистике героев Достоевского. Искусственность самого «умышленного» города сопрягается с темой человека с утраченными или болезненно истерзанными корнями. Одиночество, неизвестность своего происхождения мучает Верховенского. В первой редакции спектакля, в одной из сцен с отцом, Верховенский Бехтерева, сдерживая слезы, неожиданно серьезно произносил: «Мне все равно, ты — так ты, поляк — так поляк», вызывая к себе чувство острого сострадания.

Болезнь в разных проявлениях является одной из составляющих многих образов, созданных Сергеем Бехтеревым.

Больная природа человека проявляет себя с особой силой самоутверждения.

Инвалид Илья Ильич из «Арифметики убийства» напоминает бестелесный мозг. Положив худые руки на колеса своего инвалидного кресла, вдавив голову в плечи, он постоянно являет собой наблюдателя серой и страшной жизни полноценных людей. Нереализованная в плоти мощь личности воплотилась в могучем интеллекте. Беря на себя роль режиссера в тесном мирке коммунальной квартиры, Илья Ильич словно подергивает ниточки, управляющие поступками других людей. Здесь Бехтерев в соответствии с логикой интеллектуального актера играет «об уме». Предмет исследования: существование, движение, проблемы, конфликты не чувства, но ума. В своем мозгу его герой проживает все, подумав даже о том, что происходит в процессе думанья... И не будучи в состоянии ничего изменить.

Бехтерев любит подавать в своих героях зависть, болезнь, порок с трезвостью холодного аналитика. Его игру закономерно назвать психоаналитической. Забираясь в глубины подсознания своих героев, он передает их в конкретике реальной жизни, которая лишь незримой чертой отделена от смерти. Многие его герои — дисгармоничные, изломанные, больные люди. Божественное и дьявольское перемешиваются в них, порождая причудливые образы. Их вообще трудно судить по этим «этическим» меркам.

Варьировавшиеся в критике разные интерпретации имиджа Сергея Бехтерева — «блаженный», или «особо духовный», или «демонический» — раскрывали лишь небольшую часть тем, содержащихся в его игре. Сам актер говорит, что его тема «Любовь и одиночество. Невозможность любви...».

В том, как движется актер по сцене, как ласкающе говорит, таится тихая нежность. Его Григорий в спектакле «Дом» беззвучно подходит к брату Петру и обнимает его. Любовь сквозит в каждом его движении, и даже сам больной взгляд Григория болен и невостребованной любовью тоже. Свою нежность изливает он на детей. Григорий сам скорее из детства, чем из взрослой жизни, поэтому так естественно смотрится он в окружении Лизкиных детишек-двойнят.

Бехтерев часто играет любовь в ее крайних проявлениях. Его герои находятся в экстремальных — невероятных, сумасшедших состояниях. Их любовь граничит с одержимостью и бредом, заставляя вспомнить наполненные невыразимым любовным томлением новеллы Томаса Манна или печально-прекрасные песни Александра Вертинского: «Бедный Пикколо-Бамбино!..»

Кажется, актер сознательно обнажает человеческую слабость своих героев, выставляя их одновременно жалкими, трогательными и стремящимися преодолеть ужас судьбы. Таков его герой из фильма Дмитрия Светозарова «Гаджо», по-цыгански — «чужой». Несчастный, мающийся в этой жизни человек, неспособный найти себе в ней место. В этой роли любовь становится испытанием для героя и причиной его трагедии. «Но я же люблю ее, люблю... Неужели это трудно понять? Я не могу жить здесь, и там чужой...» — совершенно потерянно, в слезах бормочет его герой, пытаясь догнать уезжающий от него по грязной проселочной дороге табор...

Тема любви неожиданно прочитывается за поэтической формой создаваемых Бехтеревым образов. Изменившееся выражение глаз, рука, с досадой на самого себя едва заметно стукнувшая по деревянным пряслам, сдавливаемый голос «Алле...», летящий к одинокой под сыплющимся снегом фигурке Анфисы Мининой — Татьяны Шестаковой, — и за несколько секунд мы успеваем почувствовать всю глубину и сложность чувств, связывающих районного уполномоченного и председателя Пекашина. Стремление актера глубже проникнуть в суть этого человека вызвало в процессе репетиций «Братьев и сестер» пробу, в которой Ганичев в сцене встречи с Лукашиным и Анфисой читал монолог Вершинина.

Часто героев Бехтерева отличает взрывная смесь лирики, юмора и самоиронии. Лирикой наполнен образ нелепого мужика в спектакле «Муму» Вениамина Фильштинского. На нем гигантские валенки и такая же огромная рубаха, в которой совершенно теряется кажущийся крохотным актер. Во все стороны торчат волосы из пакли. Ходит герой Бехтерева непомерно широкими шагами и, значительно поводя головой из стороны в сторону, участвует во всех дворовых «шалостях». Но безалаберность российской дворни не может разрушить какого-то особого настроя его души, когда, притулившись в углу сцены, он долго бренчит на балалайке и вдруг неожиданно чисто, по-народному затягивает русский напев. Что-то легкое, едва уловимое в тембре нарастающего голоса этого смешного существа нежно трогает за сердце и надолго остается щемящим томлением в груди...

В актере Бехтереве чувствуется склонность к мистификации, которая проявляется в его способе создания комедийных образов. Характерность в игре Бехтерева часто неуловимая, а ирония настолько тонкая, что, кажется, актер ходит по проволоке, не желая упасть в определенность отношения к своему герою. Так происходит в спектакле Норы Райхштейн «Золушка», где сначала на сцену выходит сам актер Бехтерев с книжкой в руках, а потом превращается в короля, — и это не просто король. Он с упоением порхает по сцене, раскинув руки и играя своей развевающейся мантией, ведет себя как раскапризничавшийся ребенок: упрямо топает ногой и кидается в подчиненных своей королевской короной... Но по временам в нем просыпается его, королевского величества, мудрость и справедливость: актер словно выныривает из роли ребенка, и его герой очень по-взрослому произносит чудесный текст сказки Евгения Шварца.

И образ перестает быть лишь комичным — в нем появляется лиричная нота повествования о беззащитном взрослом ребенке. Король Бехтерева сам создает мир спектакля, как ребенок, играющий в сказочных персонажей. Ему не хватает сцены для игры, и потому, спасаясь от Лесничего — Сергея Козырева, он, по-детски семеня ножками, выбегает в проход, садится на колени одному из зрителей. Настигнутый своим преследователем, его величество вдруг начинает пробираться в глубь зрительного зала, залезает на спинку кресла и, пройдя чуть ли не по головам веселящихся зрителей, выбирается обратно на сцену. Только очень любящие взрослые могут простить ребенку подобные шалости...

Об этической стороне творчества Бехтерева в разных контекстах писалось не раз. Однако эстетическая сторона практически не освещалась критикой, тогда как Бехтерев — прекрасный мастер различных форм театральной игры. Наглядный пример тому: исполнение актером роли старухи

Бригитты в спектакле Вениамина Фильштинского и Льва Додина «Разбитый кувшин» по пьесе Генриха фон Кляйста.

Преодолев суматоху бегающих служанок и прочих обитателей голландской деревушки, на бочке в центре сцены неожиданно появлялась крошечная карлица Бригитта. Основной деталью ее туалета служил большой накрахмаленный чепчик, из-под которого выглядывали седые кудряшки и острый старушечий нос. Тут власть над зрителями целиком переходила к Бехтереву, который мгновенно овладевал эмоциями зала.

Взрыв смеха сопровождал каждую реплику Бригитты, которая бессмысленно округляла слезящиеся глазки, нелепо крутила головой, никак не могла закрыть постоянно полуоткрытый рот, откуда вылетали звуки надтреснутого, писклявого голоса. В самых увлекательных местах своего рассказа Бригитта вдруг замирала, в оцепенении разинув рот, словно на несколько секунд «выпадая» из своего повествования в старческий маразм.

Актер строил образ на основе преувеличенно выразительной мимики и разнообразных интонаций старушечьего голоса — почти цирковым приемом. Такой подход к роли в подчеркнуто физиологичном спектакле, с замедленным «кружащим» ритмом, безусловно, выделял Сергея Бехтерева из общей системы существования актеров в «Разбитом кувшине». Образ старушки не исчерпывался характерностью, в игре актера чувствовалось и по-доброму ироничное отношение к старости, и радость от возможности веселой импровизации.

Одна из основных черт бехтеревских героев — парадоксальная правдивость их чувств, часто вопреки общепринятому представлению о том, какими должны быть эти чувства. Им создана целая галерея экранных и сценических «чудиков». Гармония несочетаемого становится законом их жизни. В спектакле Луиса Паскуаля «Роберто Зукко» Сергей Бехтерев сыграл персонажа под именем Обезумевшая шлюха. Из узкой железной двери, пошатываясь, выходило на сцену странное существо в блестящих лосинах и туфельках на тонких каблучках, с копной лохматых светлых волос. Спотыкалось, падало, размазывало по лицу слезы и, захлебываясь словами, торопливо рассказывало об убийстве Печального инспектора. По ходу рассказа мы забывали о нелепости его облика, воспринимая лишь захватившее его состояние ужаса: «Это был дьявол, дьявол, мадам!» И ты неожиданно сочувствовал этому на первый взгляд чисто эксцентричному персонажу.

В умении сыграть до абсурда противоречивый образ кроется особая философия актера, считающего, что, когда человек «говорит «нет», он всегда говорит «да». Если он говорит, что не хочет, значит, он очень хочет. «Если я начну говорить человеку: «Я тебя не люблю», то, чем больше буду это повторять, тем скорее все увидят, какая у меня любовь к этому человеку. Вот такая странная штука». Один из наиболее парадоксальных персонажей, созданных Сергеем Бехтеревым, — председатель совета социального человечества Чепурный из спектакля Льва Додина «Чевенгур» по роману Андрея Платонова.

Актеру отведено не много текста в пространстве спектакля, но кажется, что он постоянно участвует в действии: в длинном черном пальто и снятых с кого-то из убитых «буржуев» огромных светлых ботинках, своей похожей на клоунскую фигурой рассекает его Чепурный зыбкое пространство сцены.

Самые абсурдные идеи, обуревающие его героя, Бехтерев подает с гротесковой серьезностью. Сыгранная на открытом крике, на надрыве сцена воскрешения ребенка мучает той одержимостью и искренностью веры, с какой она проживается актером. Убийца Чепурный Сергея Бехтерева неожиданно предстает лиричным мечтателем, по-своему трактующим «главный знак» коммунизма: «Звезда — это человек, который раскинул свои руки и ноги, чтобы обнять другого человека...»

Совмещение разъединенных в обыденности сторон жизни — постоянная тема героев Бехтерева. Тут снова уместно вспомнить Михаила Чехова, который признавался: «Жизнь с ее противоположностями, в стремлении примирить эти противоположности вовне, изживание противоположностей внутри... — все это создало во мне некоторое особое ощущение по отношению к окружающей жизни и к людям. Я воспринимал доброе и злое, правое и неправое, красивое и некрасивое, сильное и слабое, больное и здоровое, великое и малое, как некие единства». Актер начала XX века был болен осознанием «противоречивой целостности» своего сознания. Трагическая разорванность дисгармоничного сознания человека, живущего в начале века XXI, проявляется в амбивалентности образов, создаваемых Сергеем Бехтеревым.

Игра оказывается единственным средством изжить неразрешимые конфликты, свойственные человеческой природе. Лицедейство примиряет все, создавая ощущение гармонии и полноты жизни. Эта тема возникает в ролях Бехтерева помимо драматических ходов. Проявляется она в свойственной актеру манере двигаться и говорить, в музыкальности его героев, в пронизывающем их чувстве самодостаточности игры.

Тема лицедейства напрямую раскрылась в спектакле «Вацлав Нижинский. Повенчанный с Богом» — драматической композиции, созданной самим актером на материале дневников гениального танцовщика (автор идеи — Ольга Обуховская). Играя перед нами историю безумия Нижинского, Бехтерев находится на сцене один, словно замкнутый в стенах больного сознания своего героя. Изредка возникающие по ходу спектакля персонажи из жизни Нижинского, подавая реплики, не входят с ним в контакт. Они кажутся существами из другого мира, ненужным дополнением к монологу артиста о тайне раздвоенной души художника.

Бехтерев превращает монолог погружающегося в пучину безумия Нижинского в исповедь человека, для которого его талант есть единственное оправдание и опора в пугающем мире. «Меня не положат в больницу, — убежденно произносит его герой, — странных и исключительных существ любят, и меня отпустят с миром, назвав чокнутым клоуном...»

Елена Маркова

# Сергей Дрейден

Это только издали звезды кажутся похожими друг на друга. На самом-то деле всем давным-давно известно, что они очень даже разные, не в том смысле, что — большие и маленькие, а по природе своей разные. Пожалуй, единственное, что их все-таки объединяет это — наличие некой непостижимой тайны, неподвластной никакой науке. Звезда потому и звезда, что загадка.

Сегодня, правда, существует целый набор отлично отработанных технологий по раскручиванию («деланию») звезд: реклама, интервью, желательно скандальные, хорошо натренированные и оплачиваемые фанаты-клакеры, обеспечивающие громкие победы неистовыми аплодисментами и криками «браво» на премьерах, заказные статьи в престижных изданиях, правительственные награды и т. д., и т. п. К подобному варианту наш герой никогда не имел никакого отношения; больше того — настолько старательно избегал какой бы то ни было популярности, что завоевал себе прочную репутацию «маргинала», откровенно не дорожащего общепринятыми правилами игры. Долгое время многое в его жизненной и творческой биографиях воспринималось спорным, а сам он выглядел отчаянным спорщиком. В результате чего, как нетрудно догадаться, атмосфера таинственности и неординарности вокруг него только усилилась.

Чтобы расшифровать иероглифы судьбы Сергея Дрейдена, не хватит никакой статьи: о таких, как он, говорят или — «не от мира сего» или — «из породы непредсказуемых». К примеру, будучи по натуре артистом до мозга костей, из Театра — как такового — Дрейден уходил четыре раза и пять раз в Театр возвращался. Вне зависимости от его актерских успехов (или провалов), никто (включая его самого) никогда не знает, появится ли Дрейден на сцене в следующем сезоне или отправится в какую-нибудь археологическую экспедицию, а может, сядет за баранку такси или еще каким-нибудь образом «уйдет в народ», сменит профессию, семью и т. д. — он готов на любые перемены и передряги, лишь бы не изменить самому себе. Эта редкостная по нынешним временам личностная установка (а главное, конечно, то, что она не просто декларируется, а реализуется на практике) и лежит в основании уникальности этого артиста.

В обиходном общении Дрейден, словно ртуть, выскользнувшая из разбитого градусника: от нее глаз не оторвать, а в руки не дается. Говорят, в природных условиях и больших количествах ртуть вообще очень вредна, даже ядовита, но в окультуренном виде — в том же градуснике — чутко и точно отразит степень вашего здоровья. То же самое можно сказать и о Дрейдене.

С внешним миром Сергей Симонович предпочитает общаться опосредованно — через роль. Не то чтобы он этого мира боялся или не доверял ему, просто «через роль» ему легче и интересней. Стихия игры ему гораздо ближе и дороже, чем рутина «нормальной», повседневной жизни. Последнюю, кстати сказать, он всегда норовит раскрасить игрой.

Никогда не забуду, как брала у него первое интервью в начале 1990-х. О его стойкой нелюбви к публичным высказываниям я знала и потому терпеливо — эдак с полгодика — уговаривала его все же побеседовать, но ему всякий раз удавалось улизнуть, мило отшутившись. Помог случай. (В жизни Дрейдена случай вообще играет какую-то невероятную роль.) А дело было так.

Несколько лет подряд с завидной регулярностью и пунктуальностью (хотя и слывет всю жизнь человеком безалаберным) Дрейден, уже будучи признанным и маститым актером, ходил ко мне в Театральную академию на практические занятия по пантомиме. Всякий раз к девяти тридцати утра, представляете?! На одном из уроков мы оказались, что называется, в гордом одиночестве. Студентов куда-то увели, а педагога, как водится, предупредить забыли. Потраченного на дорогу времени было безумно жалко, и Дрейден сам предложил наконец-то поговорить. Я мигом вооружилась диктофоном, и тут Сергей Симонович заявил: «Нет, ничего не получится, я сейчас, глядя на эту штуку, так выступать перед вами начну, что не обрадуетесь».

Согласитесь, что от подобных «капризов» можно и осатанеть, но это если совсем не знать Дрейдена, который превыше всего ценит доверительные отношения и не приемлет в общении никакой заданности и неестественности. Он ведь лично мне предложил побеседовать лично с ним, а диктофон в такой ситуации явно был третьим лишним. О трудностях другой профессии Дрейден в этот момент думать не хотел — общение для него равносильно творчеству, а творчество самоценно. Пришлось мне пойти на обман, подыграть артисту. Я покорно убрала «адскую машину» в сумочку, но кнопку записи все-таки нажать успела. Эта наша беседа обнаружила типичнейшую для Дрейдена проблему: о чем бы он ни говорил, получалось, что всю жизнь его заботило только одно, как остаться самим собой...

Вот небольшой отрывок из того интервью:

«Ленинградский театральный институт я закончил в 1962 году. Положив диплом дома в специальную шкатулку для документов, стал задумываться: что же я делал-то в институте целых четыре года? Чаще всего почему-то вспоминались зимние вечера, вторая аудитория и наш педагог Татьяна Григорьевна Сойникова, которая все что-то говорила, говорила... А я (стыдно сказать) рассматривал ее зубы и наблюдал за тем, как она жует (Татьяна Григорьевна страдала диабетом, поэтому ей нужно было через час-другой что-нибудь съесть). Меня это занимало. Я был глуп. Никакой потребности постигать что-либо, овладевать какими-то навыками не было. Но будущее рисовалось прекрасным. На каком основании — непонятно.

Вообще в институте я считался «блатным», так как многие педагоги были хорошо знакомы с моими родителями. Мама у меня была актрисой (чтицей), а отец — театральным критиком. Комплексовал я по этому поводу сильно.

Я, наверное, в принципе боюсь людей. Поэтому, чтобы они не успели меня обидеть (или, тем более, оскорбить), я заранее начинал их безудержно веселить. На курсе за мной моментально закрепилась роль шута горохового. Позже, после института, этот механизм еще очень долго срабатывал во мне. В ресторане Дворца искусств, например, где всегда собиралось много театральной и околотеатральной публики. Пьяницей я никогда не был. Если я и пьянел, то скорее от толпы, и тогда хотелось сразить окружающих чем-нибудь эдаким наповал. И мне довольно часто удавалось совершать судьбоносные поступки напоказ. Иногда именно так воспринималось решение уйти из театра.

Самыми плодотворными периодами в моей жизни были как раз межтеатральные паузы. Оставшись один на один с собой, я как одержимый начинал заниматься самообразованием: читал, рисовал, репетировал сутками роли, которых не было (и не могло быть) в планах ни одного театра. Недавно только понял, что именно во время этих мучительных пауз происходила, наверное, самая главная работа во мне: рождался мой собственный театр.

Вообще атмосфера одиночества была мне знакома и близка с детства, потому что маленьким я часто оставался дома один.

Почему, например, я всю жизнь люблю рисовать? Рисовать можно, когда захочешь и сколько захочешь, будучи одному. Все мои рисунки сделаны по памяти. Не представляю себя с этюдником на улице, где каждый может посмотреть, как ты там творишь.

Вот я вам рассказал немножко, как по-дурацки я учился. А на самом-то деле я всегда очень любил учиться. Желая восполнить пробелы своего институтского образования, бросился «доучиваться» в театр к Аркадию Исааковичу Райкину. И меня приняли — вот счастье-то! А через четыре месяца я оттуда сбежал.

Показалось оскорбительным, в сущности, ничего не делать (в массовках я выходил), а деньги — получать. Жизнь ведешь сытую, а самого тебя вроде нет... Потом случай свел меня с Розой Абрамовной Сиротой, работавшей тогда в Драме и комедии на Литейном. Это было счастье. Правда, кратковременное, потому что довольно скоро Роза Абрамовна уехала в Москву. На репетициях Сироты все актеры становились вдруг самими собой. Не было ножниц: вот я, актер, работаю, а вот работа закончена, я стал «обратно» человеком и пошел домой. Она очень чувствовала в артисте человека и умела помочь тому и другому соединиться в роли. О такой работе с режиссером я, наверное, всегда мечтал.

Ведь я почему уходил из театров, или — из Театра? Театрами, в которых я побывал актером, руководили разные и все, заметьте, талантливые люди (в Театре комедии, например — Н. П. Акимов, В. С. Голиков, П. Н. Фоменко), но ситуация-то везде была одна и та же: какое-то усредненное планово-бюджетное учреждение.

Я же никогда не мог понять, почему если в конце сезона в театре выпускается плохая премьера, то все равно все уходят в отпуск, а не остаются ее доделывать. Больше того, спустя месяц, довольные, загорелые, отдохнувшие, начинают играть эту плохую премьеру.

Кому такое искусство нужно? Артистам? Зрителям? Зачем тогда вообще огород городить?

Если уж работать, то лучше тогда не в театре, а где-нибудь... шофером или еще кем... Что я и проделывал время от времени, уходя «в народ», пытаясь хоть так, неучастием, отстаивать свои принципы.

Но это сейчас, на словах, у меня все так красиво получается, а в действительности было не так красиво.

Не знаю, как другие, а я в своей жизни много времени убил на ожидание, особенно в молодости; что вот сейчас (не сегодня, так уж точно — завтра) кто-нибудь из режиссеров обратит внимание именно на меня. И долго не понимал, почему этого не происходит. Многие из них бывали у нас дома (к слову, о «блате») и отлично знали меня с пеленок. Да я с Товстоноговым на лыжах сколько раз катался и с колен «дяди Сережи» Образцова не слезал!

Попадая в театр, я должен был терпеливо, тупо, долго ждать своей очереди или случая и т. п. Именно я никого не интересовал. Нужно было смириться... А вот этого-то ни за что делать и не хотелось».

Эта своеобразная актерская исповедь заканчивалась следующим пассажем: «Лично я, когда на меня наваливаются жизненные трудности, мысленно возвращаюсь к одному из сильнейших впечатлений, пережитых в молодые годы в театре. Это были спектакли Марселя Марсо, на которые я дважды проникал «контрабандой» через форточку в сортире. Неказистый с виду человек и битком набитый зрительный зал ДК Ленсовета, где, наверное, две-три тысячи людей помещается. На всю жизнь я запомнил, как зал захватывала совершенно фантастическая тишина, а воздух креп и наливался необычайно светлой энергией. На протяжении двухчасового моноспектакля никто не уронил пресловутого номерка, никто не закашлялся. Такая во всем этом не просто актерском, а человеческом действе была мощь.

Вот с тех пор я и уверовал, что в театре должно совершаться чудо, которое можешь создать только ты сам, если, конечно, можешь».

Для Дрейдена чудо — норма искусства. А Театр — то единственное в жизни пространство, которое позволяет человеку свободно осуществлять себя. Внешне герои, созданные Дрейденом, подчас совершенно не схожи меж собой, но все без исключения похожи на своего создателя — в стремлении обрести внутреннюю свободу. Казалось бы, что общего можно усмотреть в Наркисе, разнузданном «приказчике по дому» из «Горячего сердца» А.Н. Островского и патриции Туллии из «Мрамора» Иосифа Бродского?! Для Дрейдена здесь нет вопроса. Оба героя, при всей кажущейся разнице, абсолютно идентичны в одном, зато — главном: оба ни за что не желают смириться с ситуацией узников, на которую обрекла их жизнь. Правда, Наркис отстаивает свое право быть человеком вполне по-дурацки (или «по-российски»), ибо топит свою несвободу в безудержном пьянстве, а Туллий стремится преодолеть ситуацию душевного плена посредством ителлектуальной игры (если хотите, своего рода — «игры в бисер»), которая в конце концов стоит ему жизни. Но и тот и другой герой вызывали неизменную симпатию, навсегда оставаясь в зрительской памяти. Спустя многие годы после премьеры «Горячего сердца», поставленного Вадимом Голиковым на сцене Ленинградского театра комедии, Елена Горфункель писала об этом спектакле так живо, будто премьера состоялась вчера: «Наркис Дрейдена — горячее сердце в самом комическом смысле, подогретое круглосуточно. (...) Расчет и интригу Наркиса Дрейден из комедии обратил в триумф выпивохи. Им можно было любоваться, забыв о моральных

**Ольга Антонова**

Селимена — Ольга Антонова,
Альцест — Георгий Васильев
**«Мизантроп»**

На съемках последнего
фильма Льва Кулиджанова
**«Незабудка»**

С Александром Демьяненко
в фильме
**«Я не умею приходить вовремя"**

На съемках фильма
Киры Муратовой
**«Астенический синдром»**

С котом Матье

С Михаилом Жванецким

Змеюкина
**«Свадьба. Юбилей»**

С Петром Вельяминовым
**"Мужчины в ее жизни"**

Каролина Эшли
**«Недосягаемая»**

Елена
**«Троянской войны не будет»**

Императрица
Екатерина Вторая
Фильм **«Русский бунт»**

Нина Бегак
**«Этот милый старый дом»**

Мать **«Квартет»**

Марго **«Все о Еве»**

С Петром Фоменко

Донна Луиджа — Ольга Антонова, граф Эрколе — Виктор Гвоздицкий **«Льстец»**

С мужем
Игорем Ивановым

Портрет работы
Игоря Иванова (1960-е гг.)

Портрет работы
Игоря Иванова (2002 г.)

Императрица Александра Федоровна
Фильм «**Цареубийца**»

**Олег Басилашвили**

Настя — Алиса Фрейндлих,
Сатин — Валерий Ивченко,
Барон — Олег Басилашвили
**«На дне»**

Ольга Ильинская —
Татьяна Доронина,
Обломов —
Олег Басилашвили
**«Обломов»**
Ленинградский театр имени
Ленинского комсомола

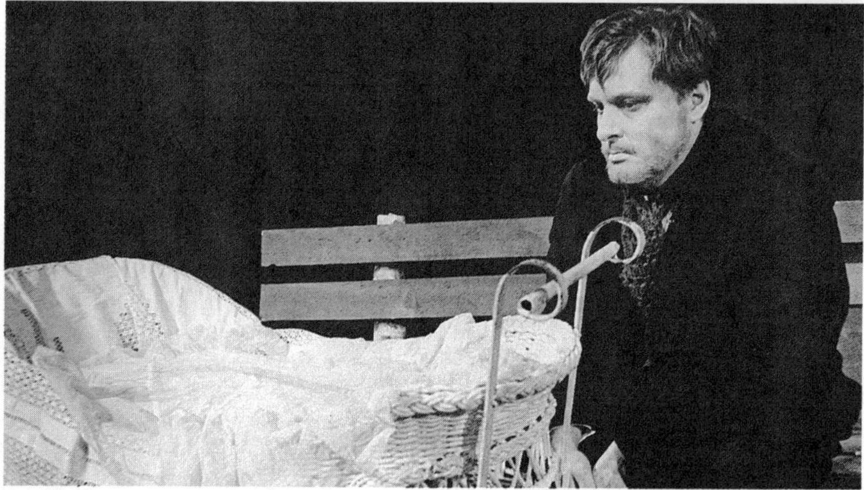

Прозоров
**«Три сестры»**

Князь
**«История лошади»**

Глумова — Ольга Волкова,
Мамаев — Олег Басилашвили
**«На всякого мудреца довольно простоты»**

Автор
**«Два театра»**

У шефов на стройке

Князь Мышкин —
Валерий Михайловский,
Доктор — Олег Басилашвили
**«Продолжение «Идиота»**

Людовик
**«Мольер»**

В гримерке «под потолком»

Франсуа — Геннадий Хазанов, Пьер — Олег Басилашвили
**«Ужин с дураком»**
Театр Антона Чехова

Войницкий — Олег Басилашвили,
Астров — Кирилл Лавров
**«Дядя Ваня»**

**Сергей Бехтерев**

Ганичев — Сергей Бехтерев,
Лукашин — Николай Лавров
**«Братья и сестры**

Полина — Наталья Акимова, Дорн — Петр Семак,
Шамраев — Сергей Бехтерев
**«Чайка»**

Раневская — Татьяна Шестакова, Гаев — Сергей Бехтерев,
Симеонов-Пищик — Николай Лавров
**«Вишневый сад»**

Григорий — Сергей Бехтерев,
Петр — Анатолий Колибянов
**«Дом»**

*Наверху:*
Молодой пастух — Сергей Бехтерев,
Старый пастух — Николай Лавров **«Зимняя сказка»**

*В центре* — Сергей Бехтерев и Фарух Рузиматов
**«Вацлав Нижинский. Повенчанный с Богом»**

Мария — Анжелика Неволина,
Александр Илиади — Сергей Бехтерев
**«Звезды на утреннем небе»**

Александр Илиади
**«Звезды на утреннем небе»**

Женщина — Ирина Тычинина,
Чепурный — Сергей Бехтерев
**«Чевенгур»**

Чепурный — Сергей Бехтерев,
Пиюся — Игорь Черневич
**«Чевенгур»**

**Сергей Дрейден**

Несчастливцев
**«Лес»**

*Справа:*
Фильм **«Вива Кастро!»**

Фильм **«Цветы календулы»**

Паскино — Вячеслав Захаров,
Бергамен — Сергей Дрейден
**«Романтики»**

Шура — Ольга Антонова,
Соловей — Сергей Дрейден
**«Инкогнито»**

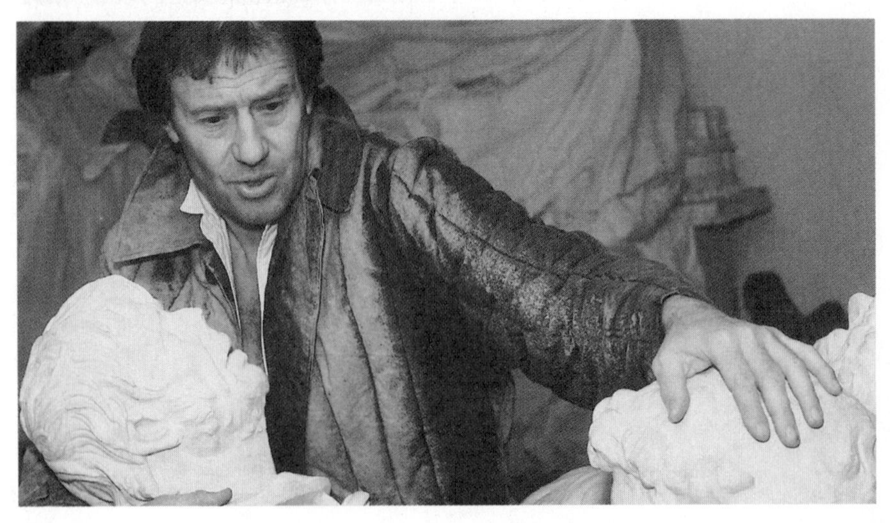

Туллий
**«Мрамор»**

Ротмистр Адольф
**«Отец»**

Портрет с собакой

Фортепиано
**«Концерт для...»**

Мать — Ольга Антонова,
Вадим Петрович — Сергей Дрейден
**«Квартет»**

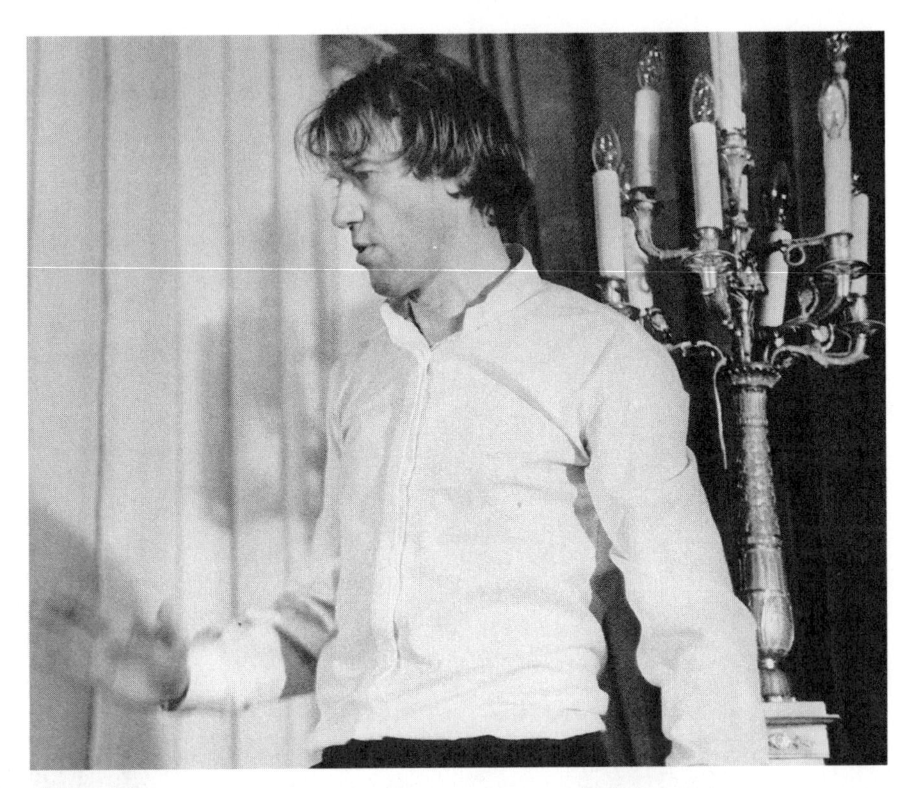

**«Немая сцена»**

Сергей Дрейден, Алла Соколова
и их сын Коля Донцов
Участники спектакля **«Бес счастья»**

Мать — Ольга Антонова,
Вадим Петрович — Сергей Дрейден
**«Квартет»**

**Галина Короткевич**

Нора
**«Нора»**

Нина
**«Маскарад»**

Портрет
1947 г.

Епифания — Галина Короткевич,
Патриция — Елизавета Акуличева
**«Миллионерша»**

Кача
**«Чертова мельница»**

Мельникова —
Галина Короткевич,
Шариков —
Николай Боярский
**«Безупречная репутация»**

Маша — Галина Короткевич,
Веласко — Александр Эстрин
**«Босиком по парку»**

нормах. Это был невероятный театр одного актера внутри спектакля. Эксцентрика толковалась дословно: как утрата центра, стержня, из-за чего Наркис жил, качаясь, мотаясь, падая, и никогда ровно на ногах не стоял. Балансировал между хулиганством и цирком. На Матрене устраивался, словно на пуховике, подбивая ее бок ребром ладони; с размаху попадал ногой в кадку с водой и, отойдя немного, снова бухался в ту же кадку уже головой; опрокидывал в сторону под непосильной тяжестью хомута на шее; приплясывал, переводя просьбу о «тыще» в чистый фарс. В длинной рубахе навыпуск, с расстегнутым воротом, босой Наркис по облику повторял своего одуревшего от пьянки хозяина, но там, где у Павлина Павлиныча Курослепова тупость и безобразие, там, где у Хлынова скотство, у приказчика Наркиса — озорство и жизненный размах. Побитый разбойниками, без зубов, шамкая и вырываясь из рук обидчиков, он покидал сцену героем-дураком» (Театр. 2000. №2).

Необычайно показательно, что столь развернутое и откровенное описание роли Наркиса, сыгранной Дрейденом в самом начале 1970-х, появилось спустя почти тридцать лет после премьеры. Непосредственные отклики на эту незабываемую работу актера были куда более сдержанными, но вовсе не потому, что тогдашние рецензенты оказались менее прозорливыми, чем нынешние. Просто они своим умолчанием пытались сберечь актера: когда Дрейден творил свои сценические откровения в 1960—1970-е годы, каждый нормальный человек понимал, что гораздо важнее не «прославить» — осветить (а стало быть, и «засветить») его игру и вложенные в нее актером смыслы, сохранить возможность созерцать ее и наслаждаться ею. Сергей Дрейден никогда не состоял в рядах сознательных диссидентов, но и не отнести его к недиссидентам никогда не представлялось возможным. В жизни Сергей Дрейден абсолютно, если не сказать принципиально, аполитичен: ни в каких партиях никогда не состоял, ну и так далее... Осмелюсь предположить больше, повседневность вместе со всеми ее будничными проявлениями он воспринимает как «суету сует», оттого, наверное, его герои, как правило, столь эксцентричны и смешны. Но актер, создавая комедийные образы, никогда не глядел на своих персонажей с позиции сатирика, скорее тут уместно говорить о философском взгляде на вещи.

Похоже, Сергей Дрейден, подобно создателю новой драмы Генрику Ибсену, убежден, что всякая власть — насилие над личностью, и нет у человека более безжалостного и непримиримого врага, чем государство; особенно же уродливые и жестокие формы схватка этих извечных антагонистов обрела, что называется, в условиях современной цивилизации. У Дрейдена во всех ролях прослеживается один и тот же мотив, сходный с тем, что знаком нам по гоголевской «Шинели»: уж если такому убогому человеку, как Акакий Акакиевич Башмачкин, не дано исполнить такое ничтожное стремление, как покупка новой шинели, то что за чудовище — мир, в котором мы обитаем. Тут впору пожалеть любого, но и посмеяться над любым, когда он тщится удержаться на плаву, вместо того чтобы о душе подумать, тоже впору.

В творчестве Дрейдена две эти крайние позиции закреплены за Наркисом, который, несмотря на ничтожность свою, все же не утратил личностных устремлений, пусть и выплескивающихся в диком российском разгуле, и — в Туллии из пьесы И. Бродского. Там автор с геометрической четкостью смоделировал ситуацию какого-то дьявольского «рая», где человеку, казалось бы, ни в чем не отказано: на лифте подают любую еду, только закажи, книги можно читать — любые, даже прогулки, правда — виртуальные, возможны по любому уголку планеты. Узникам этой комфортабельной тюрьмы отказано только в свободном взаимодействии с миром, а значит — в самореализации. Вот эта-то «малость» и не дает покоя герою Дрейдена. В отличие от своего «сокамерника» — похотливого Публия (его играл покойный Николай Лавров), который мечтает о свободе лишь затем, чтобы обильней ублажать себя, Туллий Дрейдена в принципе не приемлет ситуации личностного ограничения. Узники башни обычно оправдывают смирение и бездействие не столько невозможностью совершить побег из этой совершенной тюрьмы, сколько тешащей их тщеславие мыслью, что страдают они ради светлого будущего своих потомков. В Римской республике существовало правило, что в Сенат могут быть избраны только те, чьи предки прошли сквозь заточение в башне, то есть продемонстрировали ценой «добровольного» отказа от самих себя способность покоряться власть предержащим. Для Туллия такая позиция неприемлема, причем — в корне. Для него не составляет проблемы разработать хитроумный план побега, он даже осуществляет такой беспрецедентный побег, но только затем, чтобы продемонстрировать себе и властям, что это возможно. Однако свобода физическая (или — как в случае с Публием — прежде всего физиологическая) для Туллия не имеет смысла. Прогулявшись по главной площади Рима, прикупив корма для птички, живущей в их камере, Туллий добровольно возвращается в башню, чтобы покончить с собой.

Всю эту проблематику, исполненную высочайшего трагизма, Дрейден играл, как всегда, без тени пафоса, к тому же — окрашивал ее изрядной долей эксцентрики. Его Туллий, например, как настоящий зэк, свой побег совершал в ватнике, а после принятия утренней ванны облачался в толстенные «бабушкины» шерстяные носки. Эти, казалось бы, нелепые в данном случае детали костюма кое-что позволяли понять, и не только о герое, но и о Дрейдене. В своей игре этот артист всегда с особой тщательностью, словно гурман и классный кулинар одновременно, до тонкости выверяет изысканность рецепта, по которому строит свою формулу «артистороли». Главная забота здесь состоит в том, чтобы и артисту и персонажу во время игры было бы предельно комфортно и самому по себе, и в процессе взаимодействия. Так вот шерстяные носки при исполнении роли Туллия возникли в игре Дрейдена как раз исходя из вышеупомянутого принципа.

Галерея «Борей», в помещении которой был поставлен спектакль «Мрамор» (режиссер Григорий Дитятковский), располагается в полуподвале, потому здесь всегда прохладно, особенно зимой. Боясь разболеться, актер начал репетировать в носках, да так и вышел в них на премьеру. Казалось бы, патриций в шерстяных носках, да еще грубой вязки, — нонсенс. Но — только не для Дрейдена, который и вообще-то не собирался играть своего Туллия именно римлянином. Пресловутые носки только помогли актеру перевести конкретную ситуацию пленника Туллия в общезначимую —

пленника духовного, обеспечив Дрейдену комфортное состояния, раскрепостив его для импровизационного самочувствия. А это — тоже один из «коньков» Дрейдена.

Об импровизаторском даре Дрейдена сложена не одна легенда. О том, как все это начиналось в его жизни, актер и сам любит вспоминать и рассказывать, как всегда предельно конкретизируя свои примеры:

«В восьмом классе, в лагере, я познакомился с парнем Аликом Виноградовым. Его мать была проводница, и, учась в девятом классе, мы — Алик, Женька Гольдст и я — шли к нему после школы. Страстно любя джаз, но не играя ни на каких инструментах, я изображал звуками и движениями контрабас, Алик «играл» на трубе, а Женька честно бил по табуретке. Часами, не разговаривая друг с другом, мы могли взять тему и уходить то в лирику, то в страсть (видно, что-то мужское в нас тогда просыпалось). Мы не были ни композиторами, ни музыкантами, настоящий джаз мы тогда слушали только по «Голосу Америки», у нас не было инструментов, но мы импровизировали, день за днем с упорством маньяков воплощая в этой почти детской игре себя идеальных, свободных, виртуозно владеющих законами, организующими поток музыкальной стихии. И конечно, чувствовали себя кем-то вроде богов: красивая просторная комната с высоченным потолком, мать-проводница уехала, портфели свалены в кучу у двери, а мы лабаем джаз — и нет предела нашим возможностям и нашему совершенству. Просто счастье какое-то, да и только. Сходное чувство я потом всегда испытывал, когда у меня вот так же свободно и импровизационно складывались отношения с ролью».

В Театральном институте, куда Сергей Дрейден поступил в конце 1950-х и где в то время царил культ школы, основывающийся на подлинности психологических переживаний, а любой другой способ существования актера на сцене категорически отрицался, подобные экзерсисы студента встречали решительный отпор, в лучшем случае — расценивались как хулиганство. Быть может, еще с тех пор Дрейден стал мечтать о создании «своего театра». Быть может, именно тогда стала окончательно и бесповоротно формироваться в его душе стойкая нелюбовь ко всякого рода догмату в искусстве, благодаря чему он впоследствии будет так часто покидать один государственный театр за другим. Хотя и там встречались у него периоды отдохновения, когда творить было легко, увлекательно, азартно, потому что игра организовывалась свободно, вымысел сочетался в ней с подлинностью, но не воспроизведения реальной действительности, а — воспроизведения свободного полета фантазии собственной души.

Так в Театре комедии сложился знаменитый уникальный дуэт Сергея Дрейдена и Вячеслава Захарова. Их быстро окрестили клоунской парой, в которой Захаров был рыжим, а Дрейден белым клоуном. Казалось, им было все равно что играть, вернее — любую пьесу (будь то — «Романтики» Ростана, где клоунская пара потешалась над парочкой престарелых отцов, или одноактовки Антохина, где дуэт актеров «прикалывался» на тему совдеповских работяг) они использовали для того, чтобы вволю поимпровизировать на заданную драматургом тему. Публика ходила смотреть на них, как на уникумов, которые не вписывались в рамки общепринятого поведения, которые заражали искристой энергией своей игры и тем самым врачевали зрителей. Людям, в той или иной степени задавленным советской системой, они напоминали силой личного примера, как это прекрасно, когда человек может позволить себе быть самим собой.

Однако все это новаторство осуществлялось спонтанно и часто — с переменным успехом, ведь ни школы, ни достаточного опыта у Дрейдена поначалу не было. Опыт накапливался в основном методом проб и ошибок, а ошибки дорастали подчас до абсурдных вариантов, или попросту — хулиганских выходок. Он действовал по формуле, которую много лет спустя произнесет его герой, попавший в мясорубку перестройки, в недавнем прошлом кинодраматург, из-за отсутствия денег переквалифицировавшийся в специалиста по борьбе с тараканами. Фильм назывался «Цирк сгорел, а клоуны разбежались». Дрейден придумал своему герою реплику: «Было бы несправедливо, если бы они выжили, а мы подохли!» Вот так же, готовый на любые «подвиги», Дрейден в семидесятые отстаивал для советских актеров возможность импровизационной игры. Однажды только потому, что ему надоело из раза в раз играть одно и то же, он тайком от других актеров (тем более — режиссера) покрасил себе лицо чем-то зеленовато-голубым и, выйдя на сцену, встал так, что партнер не мог его видеть, а публика — могла. Сами понимаете, какой вышел скандал из эдакой «импровизации» — спектакль был практически сорван. А ведь это был замечательный спектакль — «Село Степанчиково» в постановке Вадима Голикова. Позже, правда, Дрейден реабилитировал себя и в глазах коллег, и в глазах публики, блистательно импровизируя роль Фортепьяно в спектакле «Концерт для...», поставленном Михаилом Левитиным по текстам Михаила Жванецкого.

Этот персонаж напоминал горожанина, совершенно очумевшего от бешеного темпа столичной жизни: фрак нараспашку, фалды развеваются, сам взмок от нескончаемого бега; при бабочке, но руки не вынимает из карманов брюк; чешет по середине Садового кольца, ловко увертываясь от мчащихся по обе стороны машин и счастлив тем, что у него в Склифосовского — все свои! Но у артиста Дрейдена (в отличие от Фортепьяно) ни в Склифосовского, ни в обкоме, ни в горкоме, ни в Управлении культуры не было своих. Спектакль «Концерт для...» сняли с репертуара после нескольких показов — уж больно он был из ряда вон выходящим по форме изложения и откровенным по содержанию.

В общем, что для Дрейдена было хорошо (а неординарность всегда согревала ему душу), для тех, кто заведовал тогда театром, и даже для многих из тех, кто его делал, было, как в той поговорке про немцев, смерть. Вот он и стал старательно избегать своих противников, но при этом ни за что не хотел расстаться с идеальным театром, образ которого постоянно брезжил перед глазами.

Именно в те нередкие периоды, когда Дрейден не служил ни в каком театре, он особенно упорствовал в своих поисках. Деньги зарабатывал где придется, а искусством занимался только тогда, когда это ему было действительно почему-либо интересно, и с одним, но непременным условием, чтобы над ним не висел дамоклов меч, то есть — не было никакой «обязаловки» — для себя, свободно, по своему хотению. Сначала он все-таки искал какой-либо, хотя непременно очень дружественно настроенной компании.

Что он только не придумывал, пополняя свой послужной список столь не трафаретным образом. Помогал, например, театральной художнице Марине Азизян устраивать для ее тяжело больной мамы домашний кукольный театр. Возобновил свой творческий дуэт с Вячеславом Захаровым, только теперь они выступали вместе не на сцене, а по радио. Снимался во многих экспериментальных фильмах, которые заведомо должны были лечь на полку, не увидев света.

Правда, позже, весьма «по-дрейденовски» прославился в нашумевших «перестроечных» фильмах Юрия Мамина «Фонтан» и «Окно в Париж». Поскольку Сергей Симонович, похоже, сторонится участи типичной кинозвезды, он снимался под псевдонимом Донцов, взяв для экрана фамилию своей мамы. Лишь недавно в титрах фильма Сергея Овчарова «Сказ про Федота-стрельца» появилось «Сергей Донцов-Дрейден». Как видите, и в жизни этого артиста — сплошная игра. Он убежден, что только в процессе игры человек может полностью реализоваться.

Иногда Сергей Дрейден, не имея возможности выступать на сцене, доводил до белого каления бесконечными импровизациями своих друзей и знакомых, за что некоторые из них стали относиться к нему как к неисправимому балагуру или, что еще обиднее, — трепачу. Практически никто тогда не подозревал, что в ежедневных (если не ежечасных) жизненных «розыгрышах» Дрейден отрабатывал принципы актерской школы, созданной Михаилом Чеховым и описанной им в книге «Техника актера». Он познакомился с рукописью Чехова задолго до того, как она была у нас опубликована (в самиздате, так сказать). Позже он предпримет попытку самостоятельно отрепетировать по Михаилу Чехову Просперо — роль, словно бы специально для этого актера написанную Шекспиром. В ней и проблематика, всю жизнь мучающая Дрейдена, и стиль поведения героя и актера совпадают. Он даже на первых порах согласится вернуться в Театр комедии, чтобы сыграть эту роль, но, конечно, ничего из этой затеи не получилось. Просто пришлось еще раз убедиться, что плановые государственные театры — не его территория.

В годы кажущегося простоя он всегда обретал пристанище в каком-нибудь нетрадиционном театральном пространстве — то забредал в театр драматурга, организованный при Всероссийском театральном обществе, то «строил» свой семейный театр вместе с Аллой Соколовой. Когда же появился их первый совместный спектакль по пьесе «Люди, звери и бананы», они играли его в необорудованных студенческих аудиториях разных питерских вузов. Благо таковых в нашем городе предостаточно. Позже — пригрелись в ВОТМе (Всероссийских творческих мастерских), но последний, хоть и был благородным многообещающим начинанием, но, как и положено подобным заведениям, продержался не долго. Только один спектакль «Бес счастья» и успела срепетировать семья Дрейдена. Кроме Сергея Симоновича в нем участвовали Алла Соколова и их сын Коля.

Возрождение и очередной возврат Дрейдена в Театр тоже начался в небольшом зальчике Театрального музея, где и сцены-то толком нет. Так, небольшая эстрадка. Именно здесь Дрейден сыграл свою легендарную «Немую сцену» — спектакль, в котором он один представлял публике всего гоголевского «Ревизора».

Как и многие актеры, Дрейден любит собственно процесс репетиции не меньше, если не больше, чем процесс игры во время спектакля (помните, одна из книг Анатолия Эфроса так и называлась «Репетиция — любовь моя»). Но, в отличие от многих актеров, Дрейден всеми правдами и неправдами «тащит» на сцену все, что он любит (вспомним шерстяные носки в «Мраморе»). Так вот в «Ревизоре» он реализовал эту свою любовь на все сто. Вместе с режиссером Варварой Шабалиной они построили спектакль, если можно так сказать, в жанре репетиции. В этом случае получалось, что главным в спектакле выходил не текст, написанный драматургом (пусть даже такой гениальный, как гоголевский) и выученный актером наизусть, а свободное душеизъявление актера, процесс его творческого поиска. Дрейден не только не скрывал от публики тех двух планов, в которых обычно пребывает артист, но подробно разрабатывал каждый из них.

Начиная этот спектакль, Дрейден представал перед публикой в своей повседневной одежде, в руках держал книжку Гоголя «Ревизор». Раскрыв ее, начинал внимательно читать вслух описание знаменитой финальной «немой сцены», пытаясь приноровиться к каждому из многочисленных ее участников: Городничий — «с распростертыми руками и закинутой назад головою» (простирал и закидывал); обе женщины Сквозник-Дмухановские — «с устремившимися к нему движениями всего тела» (устремлял все тело, что удавалось ему не сразу, да и тело у него — одно, а у Гоголя про два говорится); Лука Лукич, «потерявшийся самым невинным образом» (присев на корточки, делал вид, будто забился в угол, и обозревал оттуда зрительный зал, стараясь продемонстрировать свою невиновность). Тут и дамы «с самым сатирическим выражением лиц», и Коробкин, и прочие... Каждый из этих образов возникал не где-то там за кулисами, чтобы предстать потом перед зрителями в «готовом виде», а прямо у нас на глазах, обрисованный не костюмом, гримом и прочими театральными премудростями, а исключительно силою актерского воображения, реализованного непосредственно в стихии актерской игры.

Текст гоголевской пьесы Дрейден произносил выборочно, опираясь чаще всего на самые известные публике реплики, или — ключевые фразы. Но при этом он то и дело дополнял их собственными речами, которые не имели ничего общего с так называемой актерской отсебятиной, когда актер, забыв текст автора, начинает нести со сцены что попало. Слова и высказывания, изобретенные самим Дрейденом, фиксировали «внутренний монолог», благодаря которому актер впрыгивает в текст драматурга. Обычно такой монолог актеры скрывают от публики, произнося его про себя. Дрейден поступал как раз наоборот, выговаривая вслух все, что приходит в голову артисту, играющему Гоголя. Такой речевой «гибрид» давал поразительный эффект. Актер мог на время оставить вне своего и нашего внимания развитие всех сюжетных линий пьесы и обратиться в зал, как к своим коллегам, примерно со следующим пассажем:

— Градоначальник... Градоначальник... Как же его сыграть? По идее он должен непрестанно заботиться о городе. Ну, это мне понятно; это вроде того, как я должен непрестанно заботиться о том, чтобы зрителям было интересно. Но он, подлец, работы своей не делает, роль свою играет скверно, заботится совсем о другом...

И, мысленно погрузившись в градоначальника, в короткой пантомиме актер с убийственной иронией показывал зрителям, как же именно этот начальник демонстрирует окружающим свою заботу о людях, хотя на самом деле — мечтает об одном: чтобы все жители города умерли бы вдруг от чумы или — на худой конец — черт бы их побрал!

Самые грандиозные «отступления» от Гоголя случались в спектакле Дрейдена, когда он добирался до Хлестакова, особенно — в знаменитой сцене вранья. Тут надо заметить, что Сергей Симонович обладает недюжинным талантом литературного мистификатора, ибо фантазии свои (вернее — хлестаковские) создавал совершенно в духе Николая Васильевича. При этом степень гротеска всегда зависела у него от двух вещей; конкретной зрительской аудитории и конкретного же исторического момента. Само собой разумеется, что, как и Гоголь, Дрейден никогда не прибегал к прозрачным политическим аллюзиям, открытому гражданскому пафосу и прочим приемчикам, с помощью которых можно легко и быстро завоевать дешевый авторитет у публики...

Нет, успех «Немой сцены» был абсолютным и грандиозным (и это при всем том, что спектакль шел неровно). Успех был даже не в том, что без всякой рекламы в зрительном зале всегда был переаншлаг, а по городу Санкт-Петербургу распространились слухи о появлении на театральном небосклоне гениального актера. Молодежь просто сходила от него с ума, бегая на каждый спектакль, чтобы посмотреть, что же такое импровизационное самочувствие и творческая свобода актера.

Для самого Дрейдена успех «Немой сцены» заключался, прежде всего, в том, что он установил, как говорят спортсмены, «личный рекорд». Вскоре он решил подтвердить его и сыграл еще один моноспектакль уже совершенно без чьей-либо помощи (не было здесь ни слов драматурга, ни художника-сценографа, ни музыки, ни режиссера, только — актер и зритель, разумеется). Спектакль этот назывался «Как все меняется» и шел в «Приюте комедианта», когда этот театр, возглавляемый Юрием Томошевским, размещался в небольшом полуподвале одного из домов на улице Гоголя. «Как все меняется» — спектакль, похожий на фантастический кинофильм. Он состоял из небольших пантомимических зарисовок, которые перетекали одна в другую, рисуя картины мира, природы и — человека, который, давным-давно утратив естественные связи с жизнью, довольно редко вписывался в эти картины органичным образом.

После этой премьеры и произошла встреча Сергея Дрейдена с Григорием Дитятковским. Их первой совместной работой стал спектакль «Мрамор», который был награжден петербургской театральной премией «Золотой софит» вопреки положению о том, что премия эта может присуждаться только спектаклям, поставленным в государственных театрах. Следующие опусы Дрейдена — Дитятковского под это положение, к счастью, подходили.

Золотом (и «Софита», и «Маски», успевшей к тому времени стать уже Национальной театральной премией России) были отмечены и спектакль «Отец», который появился и по сей день идет на Малой сцене АБДТ им. Товстоногова, и — «Потерянные в звездах», спустя год после «Отца» возникший в Театре на Литейном.

Оба были поставлены Григорием Дитятковским, пожалуй, единственным режиссером, кому удалось «справиться» с непрерывно вулканизирующим талантом артиста Сергея Дрейдена, приучив его сдержанно и расчетливо распоряжаться импровизационным самочувствием и творческой свободой. В этих спектаклях Дрейден поначалу кажется непохожим на себя, и прежде всего потому, что из его игры исчезла ранее открыто демонстрировавшаяся им эксцентричность. Но она не ушла вовсе, как не ушла из его творчества и главная тема этого актера. Тема несовпадения современного человека с самим собой. Нынче Дрейден разрабатывает ее не на уровне фарса (или трагифарса), как прежде, а на уровне трагедии — тихой, изматывающей, ежеминутно и пожизненно разъедающей человеческую душу.

Сегодня ни у кого не повернется язык назвать Дрейдена «маргиналом». Его громкие и даже отмеченные солидными наградами актерские победы последних лет — неоспоримое доказательство возвращения актера Сергея Дрейдена в Театр. Вот только небосклон, на котором талант этого редкостного артиста в очередной раз засиял, безоблачным не назовешь. В компании с Дитятковским Дрейден постоянно мигрирует с одних питерских подмостков на другие. Но что-то не видно такого конкретного театра, в котором их «духовный тандем» обрел бы постоянное место жительства. Проблема эта никак не сводима к частному случаю трудоустройства того или иного артиста и режиссера. Она гораздо шире, глубже и печальнее. Похоже, на сей раз «театр» норовит покинуть Дрейдена, ведь в последнее время буквально изо дня в день наш отечественный театр стремительно деградирует в направлении какого-то коммерческого предприятия. А Сергею Симоновичу это чуждо. Он хоть и очевидная нынче, но по-прежнему — нетипичная звезда. До сих пор, например, несмотря на то что у каждого пятого горожанина имеется какая-никакая «тачка», Дрейден (и это принципиально) колесит по Питеру на велосипеде. И в быту, и в искусстве он отстаивает свою территорию. И, если в театре запахнет пресловутой «коммерциализацией», Дрейден (и в этом, хоть немножко зная Дрейдена, не приходится сомневаться) ни секунды там не задержится, ему просто нечего будет там делать.

Ольга Лебедева

# Галина Короткевич

В искусстве нет легких судеб и совершенно точно не было легкой судьбы у поколения актеров, которые на рубеже XX и XXI веков подошли к своему 60—80-летию. Они оказались слишком открыты, беззащитны перед циничным прагматизмом нового времени. Как живется им, воспитанным старой школой, когда учили служить театру (они так и говорят: служу, а не работаю)? Сегодняшние карьеры строятся по неизвестным и даже неприемлемым для прежнего времени PR-технологиям, когда скандалы становятся элементом раскрутки звезды: с кем живет, как худеет, от кого ребенок. Это безумное время, с точки зрения актеров прежней школы.

Судьба Галины Петровны Короткевич не была легкой уже потому, что юность пришлась на войну. Она не стала легче и после войны. Хотя ей привелось испытать успех, попробовать на вкус славу, когда фильмы делают тебя известной, радио — голос узнаваемым, а на спектакли не пробиться... Долгая-долгая жизнь в искусстве не отбила тяги к сцене. А ролей в репертуаре находится все меньше, хотя мастерство не снизилось, силы и здоровье есть. И талант не исчез, он как был дан Богом, так и остался. Подтверждением тому очень небольшая, почти эпизодическая роль мамы в пьесе «Утоли моя печали». Для зрителя это эпизод равнозначный главной роли. Трудно объяснить любовь публики к банальной истории, рассказанной в спектакле. Тема вечная: отношения детей и родителей. Разные поколения, разные «времена и нравы», а ошибки все те же, их понимаешь слишком поздно. Осознаешь, когда дети судят тебя с бескомпромиссностью своих непрожитых лет, а ты узнаешь в них себя... Актриса из таких глубин души достала эти вселенскую материнскую любовь и всепрощение, что для каждого зрителя стала Мамой. В зале замирают школьники, но замирают и взрослые, уже «отшлифованные» жестким сегодня. Как умеет потрясти маленькая хрупкая женщина в «маленькой» роли!

Театральный сезон 2002 года для Галины Короткевич юбилейный — 80-летие! И из них 55 лет не только прожиты на сцене, но выстраданы.

«Судьбе было угодно...» — так писали в старинных романах. Судьбе было угодно, чтобы Галина Петровна родилась в семье, четыре поколения которой оказались причастны сцене — артистическая династия. Еще бабушка Анастасия Михайловна Лобанова играла в народном театре при Обуховском заводе, хотя, строго говоря, она не была профессиональной актрисой. А вот мама Валентина Александровна Муравьева-Короткевич окончила Консерваторию, работала в Оперетте, потом перешла в областную филармонию. Перед войной оформили ее документы на звание заслуженной артистки, но они не успели «пройти инстанции». Удивительной личностью был отец Галины Петровны. «Очень одаренный, очень талантливый, очень легкомысленный», — говорили о нем. Окончил Петербургскую консерваторию по классу скрипки, сразу получил приглашение в оркестр Мариинского театра. Но тогда «случился» нэп, высокое искусство оказалось не в чести, и он пошел работать в ресторан, чем, по мнению многих, погубил свой талант. Папина семья была очень музыкальной. Дедушка играл на органе, в костеле на Невском руководил хором. «К сожалению, из этой музыкальной талантливой семьи только одна дочка младшего сына стала актрисой — это Галя Короткевич», — написал в своих воспоминаниях К. В. Скоробогатов.

Галина Петровна Короткевич уже третье актерское поколение этой семьи. (А забегая вперед, можно сказать, что ее дочка — Ирина Конопацкая, интересная разноплановая актриса театра «Балтийский дом», заслуженная артистка России. Подрастает и внучка — несомненно, музыкально одаренная девочка, это уже можно сказать наверняка.)

Удивительно ли, что для Галины Короткевич, как писали в старинных романах, «судьба была предопределена свыше»?

Галина Короткевич: «Я всегда знала, что буду артисткой, мои куклы были соучастниками всех моих домашних представлений. Дома было много игрушек, мишки, куклы, зайчишки становились моими зрителями: я усаживала их в кружок, и они смотрели мои выступления. А когда мне нужна была «массовка», я тут же набирала ее из своего зрительного зала; просто пересаживала на «сцену», и у меня появлялись партнеры. Сколько себя помню, всегда играла в театр.

Выступать перед куклами было намного безопаснее, но не так интересно. Поэтому мои «выступления» продолжались, время от времени случались и «провалы». Но это меня нисколько не разочаровало в предназначенной мне свыше «карьере». И если спрашивали: «А вдруг не попадешь в театральный?» — я не понимала вопроса: «Как не попаду?»

Я поступила в театральный в 1940 году. Год прошел, и началась война. И всю войну — фронт».

Галя Короткевич училась на курсе, который набирал Борис Михайлович Сушкевич. Как только началась война, Театральный институт стал жить по законам военного времени: студентов и преподавателей мобилизовали на работы в Летний сад и Эрмитаж, они помогали укрывать скульптуру, готовили к эвакуации музейные экспозиции. А очень скоро пришлось отправиться на строительство оборонных сооружений — рыли противотанковые рвы под Новгородом.

Почти сразу, с первых дней войны, стали создавать фронтовые агитбригады, но принимали в них студентов третьего-четвертого курса — уже «почти артистов». То, что ее, первокурсницу, причислили к группе старшекурсников, могло считаться большой удачей. Помогло то, что Галя Короткевич хорошо танцевала. С детства, с восьми лет, занималась в балетной студии Бориса Фенстера, при ДК им. Горького. Фенстер — известное имя в балетном мире, он руководил балетной труппой в Малом оперном театре, потом в Мариинском. В его студии учили профессионально. Галя занималась успешно. Выступала на сцене, даже в Большом зале Филармонии.

Когда шла поступать в театральный «на актрису», про себя решала: а может быть, все-таки лучше «в балерины»?

Села на скамеечку, съела мороженое, все окончательно обдумала и решила — в актрисы! Зато умение танцевать пригодилось в военные годы. Ее включили во фронтовую агитбригаду, где Короткевич и числилась «балетной».

Их «молодежную труппу» — 12 человек — посылали туда, куда не очень хотели ехать другие, постарше и посолиднее. Сначала это были мобилизационные пункты — концерты для солдат, отправлявшихся на фронт. Поначалу думали, что это «общественное поручение» ненадолго — на несколько дней, на месяц. Но однажды, вернувшись из очередной «командировки», их концертная бригада оказалась у закрытых дверей: институт эвакуирован — ни записок, ни приветов, ни какого бы то ни было «руководства к действию». Сначала растерялись: как быть дальше? Подумав, в полном составе, всей бригадой отправились в Дом офицеров на Литейном — благо близко. В Ленинградском доме Красной Армии им. С. М. Кирова (так он тогда назывался) удивились артистическому десанту, но взяли под свое попечительство.

Никто и представить не мог, какие 900 дней предстояло прожить. Впереди были голод, холод, умирание города, мирных жителей —женщин, детей, стариков. Умирание медленное, беззвучное и оттого особенно страшное в своей безысходности.

Первая зима — самая страшная. Мороз доходил до сорока пяти градусов. Он и стал спасением для блокадного города, потому что сковал льдом Ладожское озеро и позволил проложить трассу, по которой в город доставляли продукты, а из Ленинграда вывозили умирающих от голода и дистрофии жителей. Дорога жизни стала единственным шансом выжить. Но это был опасный путь. На всем пути работали стройбаты — разравнивали проезды, «латали» полыньи. Они тоже держали «линию обороны». Когда к солдатам на Дорогу жизни приезжали артисты, сценой становились сдвинутые бортами две машины. А третья фарами освещала «сцену» (играли только ночами). Если появлялся самолет, фары моментально выключались, а зрители и артисты замирали. Самолеты улетали, и концерт продолжался. За ночь давали несколько концертов.

Каково приходилось артистке? В «репертуаре» — четыре танца. Сбросила тулупчик, в легком платьице, но с улыбкой —

«на сцену». После танца — быстрей в палатку, где стоит буржуйка, не успеешь согреться, как опять твой «выход». Откуда брались силы у артистки, которая за сценой едва передвигала ноги от голода?.. А между концертами спали в землянке вокруг железной бочки, которая служила печкой, на елочном лапнике. И как сладко спали! — ни одна иголка не колола...

Они тогда очень старались, чтобы концерты были радостными, выступали только в ярких концертных костюмах. Кузов грузовика — все равно сцена! Помимо танцев, был выход в финале «на поклон». И тогда она взяла мамины туфли на высоких каблуках. Так хотелось предстать перед зрителями красивой! Солдатам на передовой и раненым в госпиталях нужен был праздник, потому что вокруг — столько боли, столько горя...

Дорога жизни — это особое воспоминание и совершенно особая страница жизни. Они видели тех, кого по Дороге жизни вывозили из города — изможденных, до предела истощенных... И глаза! У больных дистрофией совершенно особый взгляд...

Одного из дистрофиков, молодого парня, высокого, наверное двухметрового роста, Короткевич до сих пор вспоминает. Его руки, исхудавшие, с неправдоподобно длинными тонкими пальцами, цепко держали две пачки книг, аккуратно перевязанных бечевками. Встать во весь рост он не смог бы без посторонней помощи, а еще эти книги... Для таких истощенных в избе был организован специальный медпункт, где их отогревали чаем, кормили. Потом, когда человек немного приходил в себя, отправляли дальше. Галя Короткевич с другой девушкой, тоже артисткой агитбригады, — две хрупкие девушки на саночках тащили его до медпункта, а он все повторял: «Девочки, только не забудьте книги... Мне нельзя потерять книги». В избу его внесли — сам войти не смог бы. А он все беспокоился — не забыть бы книги. Паренек, как оказалось, студент института имени Герцена, собирался в Новосибирск, к маме. И их приглашал, говорил, что там есть картошка, а мама у него очень хорошая и добрая... Девушки поили его чаем...

Он умер у них на глазах. Книги так и не выпустил из рук. Такое может ли забыться?! Этого паренька, первокурсника из герценовского пединститута, они так и похоронили — с книгами... И в памяти остался его голос: «Девочки, только не забудьте книги...» И глаза... Он был их сверстником.

Бои шли под Синявином: наступления перемежались с отступлениями, и в этой человеческой мясорубке их концерты шли почти на линии огня. Тяжелое воспоминание — концерты в пересылочных госпиталях. Весь «госпиталь» — укромное место где-нибудь в кустарнике или перелеске. Солдат, вынесенных из боя — умирающих, легко и тяжело раненных, собирали в одном месте. Здесь их на скорую руку перевязывали, оперировали («операционная» — палатка) и отправляли дальше. В этом «госпитале» и давали концерты. Начальник госпиталя просил: «Только, пожалуйста, как можно веселее!» И артисты выступали — «как можно веселее!» — перед забинтованными, обожженными, измученными солдатами. Многие из них были почти мальчишки, вчерашние школьники, как и выступающие перед ними артисты... Раненые сидели, кто мог, или лежали на плащ-палатке, кому повезло — на носилках, или прямо на земле. Постепенно утихали стоны, и благодарные зрители, едва приподнимая забинтованную руку, как бы хлопали, слегка ударяя по себе или по краю носилок. После концерта артисты становились санитарами, помогали медперсоналу, а то и сносили трупы в общие могилы...

А были и такие концерты... Молодой парень — танкист, весь обожженный — в рот и в нос вставлены трубочки. Он умирал, и все понимали это, даже он сам понимал. Артисты тихонько пели для него всю ночь. И под утро он умер...

Война оставила эти воспоминания, как зарубки в памяти, и они все еще кровоточат, болят и будут болеть. А таких концертов было более двух тысяч. Это тоже вклад в победу, и тоже — солдатский. У Галины Петровны Короткевич есть медаль «За оборону Ленинграда», присужденная ей указом Президиума Верховного Совета СССР от 22 декабря 1942 г. На удостоверении к медали, потертом клочке бумаги, две подписи — Попков и Бубнов... Есть нагрудный знак и книжка «Участнику Дороги жизни». Это не считая других медалей. А еще хранятся выписки из приказов по Ленинградскому дому Красной Армии им. С.М. Кирова с объявлением благодарностей, и командировочные предписания — отбыть на передовую в распоряжение такой-то части, напечатанные на серых четвертинках машинописного листа с датами: 1941-й, 1942-й, 1943-й...

Галина Короткевич: «Эта часть жизни осталась в памяти с такой яркостью, что вся моя последующая жизнь по сравнению с этим периодом представляется менее значимой... Мне кажется, все, кто остался в живых после блокады, пережил эту войну, получили эту жизнь в подарок от судьбы, как выигрышный билет, потому что это чудо. Тогда жизнь и смерть стояли рядом с тобой на одной ступеньке. И кто-то случайно остался жив, а кто-то погиб.

Начало войны для нас не было страшным, наверное, потому, что мы были слишком молоды. Вспоминается: дорогу обстреливал немецкий самолет. Нас уже «проинструктировали», и мы знаем, что надо делать — бежать врассыпную, кто куда. Вдоль дороги были огороды, я сунула нос в грядку, а она полна земляники. И я кричу своим товарищам-артистам: «Идите сюда! Здесь земляника». Они отвечают: «Тебе повезло, а у нас лук...» Или другое воспоминание: когда бомба падает, надо широко раскрывать рот; а у меня ириска во рту — как быть...

Это самое начало войны, тогда не было ощущения смерти... Потом к этому ужасу привыкали постепенно. Моя лучшая подруга Леля Лукина замерзла в сугробе, возвращаясь домой с кусочком хлеба. 125 грамм, а у нее не было сил их донести, и она присела на сугроб передохнуть... Леле было только 18 лет...

Помимо фронта война для нас — еще и голод, чудовищный голод. Мы быстро поняли, что цена кусочка хлеба — жизнь. Но я могу сказать: если ты человек, война не сделает тебя зверем. Нас угощали солдаты после концертов, но мы старались откусить кусочек и незаметно убрать остальное в сумочку или в карман, ведь дома — мамы, наши родные. Любой гостинец старались принести домой и поделиться.

Мне очень повезло во время войны, повезло на встречу с прекрасными людьми. Совершенно незнакомые, чужие люди меня и спасали многократно, и просто помогали. Однажды к нам домой приехали солдаты с фронта и привезли елку и подарки — баночку консервов, завернутый в бумагу яичный порошок... Совершенно неожиданный и драгоценный подарок.

Я верю, что хороших людей много. То, что было пережито, дало нам особую прививку к судьбе, душе — это сострадание. У тех, кто прошел войну, у моего поколения особое отношение к жизни, потому что все неполадки, которые были потом, несопоставимы с тем, что мы видели и пережили.

Наверное, отсюда и особое отношение к зрителям. Мы живем во время, когда все так несовершенно, зыбко, несправедливо. А сцена и для артиста и для зрителя — кусочек какой-то другой, более совершенной, доброй жизни. Театр дает возможность переосмыслить что-то в своей судьбе. Театр — это путь к самосовершенствованию и по ту и по эту сторону рампы. На сцене я живу, но и зритель в зале — тоже живет. Это наша еще одна жизнь».

Жизнь началась сначала, когда закончилась война, и началась счастливо. Из эвакуации вернулся институт. Галину Короткевич восстановили в институте, деканат тогда принял решение: всех, кто оставался в блокадном Ленинграде, зачислить на «свой» курс. Вот так и случилось, что она с 1-го курса «ушла на фронт», а вернулась на 3-й. Тогда их курс получился сборно-фронтовым. Те, кто пришел с войны, досдавал экзамены и зачеты за второй курс, но стипендию им, несмотря на «хвосты», платили. А Галина Петровна снова попала к своему педагогу — Б. М. Сушкевичу.

После окончания театрального института Борис Михайлович пригласил ее в Новый театр, где был художественным руководителем. К сожалению, он рано ушел из жизни, но с молодой актрисой много работала его жена — режиссер Надежда Николаевна Бромлей. И это была настоящая школа, ведь пока Галя Короткевич выступала с прифронтовой бригадой на войне, ее сокурсники в эвакуации нормально учились, постигая секреты мастерства, согласно «учебному плану». Бромлей приглашала молодую актрису «на уроки» к себе домой: как с чистого листа прошла с ней голосовую школу, занималась этюдами... От нее девушка выходила едва живая от усталости.

Когда Н. Н. Бромлей решила заменить Софью и Лизу в «Горе от ума» (спектакль уже давно шел и несколько «постарел»), она предложила своей «домашней» студентке сначала роль Лизы, а потом решила, что та справится и с образом Софьи, хотя роль сложная, большая, в стихах. «С вами я три недели поработаю дома, и вы, Галина Петровна (Надежда Николаевна всех, независимо от возраста, называла по имени-отчеству), войдете в спектакль». Эти слова и стали началом актерской карьеры Галины Короткевич, и очень успешной. Хотя не обошлось без курьезов, так ведь с них начинались многие великие биографии...

И вот первый спектакль. «По замыслу» Надежды Николаевны Софья должна быть блондинка, Галина Петровна — шатенка, и для молодой актрисы приготовили белый парик. За полчаса до выхода на сцену, в грим-уборную приходит плачущая девочка-реквизитор и держит подставку (в театре ее называют болванкой), на которую напялена растрепанная непричесанная «швабра» — другого слова не подобрать. «Мастер не пришел, а я не знаю, что с этим делать». И «премьерша» тоже готова заплакать. Когда торжественная Надежда Николаевна (все-таки выпускает свою ученицу на сцену в большой серьезной роли) вошла в гримерку, ее острый глаз сразу остановился на парике. Совершенно спокойным голосом она потребовала принести ей щипцы для завивки, из собственной прически вынимает шпильки и начинает «крутить» локоны и сооружать прическу. Директор театра выходит к залу и говорит, опять же совершенно спокойно, даже немного торжественно, что по техническим причинам спектакль задерживается. А «техническая причина» — трепещущая дебютантка — сидит под париком, который режиссер приводит в порядок прямо у нее на голове. Как только уложен последний локон, она, подхватив юбки, мчится на свою первую встречу с уже волнующимся зрительным залом.

Не переводя дыхания поет романс — сцена с Молчалиным... А дальше предстоял разговор с отцом — Фамусовым, который возмущается непристойным, по его мнению, поведением дочери. Софья по сценарию выходит со свечой (тогда еще в театре разрешался «живой огонь») и должна отговариваться от упреков отца: «Уж мочи нет, кружится голова...» Голова действительно кружится, подсвечник в руках дрожит так, что пламя вот-вот погаснет. А свечу должен задуть отец! У премьерши ноги подкашиваются, она уже не слышит, что говорит Фамусов, не помнит своих слов и только чуть не плача шепчет: «Она сейчас погаснет... Она же сейчас погаснет...» А Фамусов (его играл Анатолий Иванович Кузнецов) становится спиной к залу, так, чтобы закрыть актрису от публики, и шепчет: «Поставь свечу на стол! Немедленно!» Что-то промычал для зрителей, сделал круг... И уже громко, словно так и должно быть: «Ты что, не слышишь?» — и снова повторил свой монолог сначала. Вот тут актриса очнулась, поняла, где она находится, бойко ответила. И роль пошла...

Без «сюрпризов» не обошелся и второй спектакль, поставленный Н.Н. Бромлей, в «Доходном месте» Короткевич должна была играть Поленьку. Сцена представляла собой мансарду, Жадов со словами: «Все, идем к дядюшке просить доходного места» хватает Поленьку за руку и тащит вниз по лестнице, которая уходит в оркестровую яму...

А в то время, это 1946 год, только появились немецкие капроновые чулки, и актрисе так хотелось хорошо выглядеть, что она купила на рынке эти невозможно шикарные чулки и надела их под свои длинные юбки, заметим. И вот идет сдача спектакля реперткому: Жадов тащит Поленьку по лестнице, девушка случайно наступает на свои длинные юбки и летит вниз — головой в рояль, потому что все-таки это лестница в оркестровую яму. В зале — ах! Надежда Николаевна Бромлей подбегает к яме и кричит: «Галина Петровна, вы живы? Все в порядке?» И после некоторой паузы слышит: «Надежда Николаевна, чулки у меня абсолютно целы...»

На каждом спектакле что-нибудь происходило, и в конце концов сама собой родилась «примета»: чтобы все прошло хорошо, надо, чтобы случилась какая-нибудь «катастрофа». И ничего удивительного, если иметь в виду, что актриса постоянно выдумывала какие-нибудь немыслимые трюки. Например, в спектакле «Южнее 38-й параллели» она играла мальчика Чер Сона — прыгала на грудь американскому солдату, тот отбрасывал ребенка, и актриса катилась кубарем по сцене. И, надо думать, это было довольно больно...

А для одного из спектаклей требовалось проехать по сцене на велосипеде. Учили ее тут же, в фойе театра. Поехала — и сразу врезалась в колонну... У нее не было никакого страха, ни перед каким трюком. Через много лет, уже в Театре им. В. Ф. Комиссаржевской, вполне солидной дамой Галина Короткевич играла в спектакле «Миллионерша», поставленном Александром Белинским, и запросто могла пройтись по сцене колесом.

Бромлей очень много и успешно работала с Галиной Короткевич. Кроме Софьи в «Горе от ума» и Поленьки в «Доходном месте», она пригласила ее на роль Нины в «Маскараде». В «Дон Карлосе» Галина Петровна сыграла принцессу Эболи. Но самой большой тогдашней удачей стала Нора в «Кукольном доме» Ибсена. Эту пьесу поставили в 1948 году, она продержалась в репертуаре много лет, вошла в учебник по истории советского театра, где, в частности, говорится, что к 1960 году актриса исполнила Нору 400 раз. Но пьеса шла и после 1960 года. Сама Короткевич сосчитала, что она эту роль сыграла более шестисот раз. Спектакль всегда нравился зрителям. Однажды, после спектакля, в гримерку актрисы пришли десятиклассники, и один мальчишка, волнуясь, заявил: «Товарищ Нора (в те времена мы еще были друг другу «товарищи»), я обязательно пошлю на спектакль родителей. Пусть они посмотрят и поймут, что у нас не так...» А на гастролях в Кемерове во время действия вдруг поднимается рослый мужчина, видимо шахтер, и в сердцах говорит о Торвальде: «Тьфу, ну разве это мужик?!»

В третьем томе собрания сочинений Генрика Ибсена (М.: Искусство, 1957) на странице 560 в качестве иллюстраций рядом опубликованы фотографии французской актрисы Габриэль Режан и Галины Короткевич в роли Норы.

Николай Павлович Акимов появился в Новом театре в 1951 году. И у театра началась новая жизнь! Работа с этим великим режиссером — подарок судьбы и счастливый миг — увы, лишь миг, — в творческой биографии актрисы Короткевич.

Работа с новым художественным руководителем началась с постановки «Весны в Москве» — спектакля, который пользовался огромным успехом, а позже по нему даже был поставлен фильм. В 1953-м Акимов поставил «Тени» Салтыкова-Щедрина — первым, до тех пор эта пьеса никогда никем не ставилась. А в 1955 году — «Дело» Сухово-Кобылина. По словам актрисы, спектакль имел огромный резонанс. В нем был прекрасно разработан пролог, где режиссер использовал авторские характеристики героев, сделал это одним из первых. И была выстроена лестница чинопочитания: царь, князь, столоначальники... Спускаясь вниз по лестнице, каждый чиновник склонялся в поклоне, причем градус поклона зависел от должности. Последний чиновник на самой нижней ступени — уже согбенный пополам. А в самом-самом низу — «частные лица, или ничтожества». Это семья Муромских, к которой принадлежала и Лидочка — героиня Галины Короткевич.

Работа в Новом театре стала этапом и в творческой судьбе Акимова. И это мнение многих. Например, театроведы Давид Золотницкий, Сергей Цимбал, которые знали Николая Павловича и до войны, и после войны, отмечали, что его расцвет в режиссуре пришелся именно на период работы в Новом театре. Акимов создавал яркие ансамблевые спектакли, благодаря чему в театре возникла целая плеяда актеров. По-новому открылся и талант Галины Короткевич.

С большим успехом шла в театре «Европейская хроника» по пьесе Алексея Арбузова. В этом спектакле Галина Петровна исполняла роль сложную — возрастную. В первом действии ее героиня еще совсем девочка. Потом она женщина на гребне успеха — голливудская звезда. А в последнем акте она, постаревшая, потерявшая голос, возвращается в Данию и приходит к своему бывшему возлюбленному, который стал известным писателем, чтобы неузнанной оставить для него незаметно букетик цветов...

Николай Павлович придумал сцену: Дагмар, напевая песенку, аккомпанирует себе на концертино, эту мелодию начинают напевать ее партнеры на сцене, и потом ее подхватывал оркестр. А замирает музыка в обратном порядке: сначала смолкает оркестр, потом артисты, и, наконец, на сцене опять звучит только концертино. Пришлось актрисе научиться хорошо играть на концертино. Именно хорошо, потому что надо было солировать...

На будущее планировались «Бег», «Сид», но режиссер вернулся в Театр комедии. Это очень недолгое время с 1951 по 1956 год, пока в театре работал Акимов, стало самым ярким периодом в судьбе актрисы, хотя большие роли, успех — все это было и потом...

Галина Короткевич: «Мне посчастливилось работать с неповторимым по таланту и по индивидуальности Николаем Павловичем Акимовым. Как интересно мы жили! Это было время, когда главные режиссеры ходили на спектакли друг к другу, даже ездили в Москву, а из Москвы приезжали в Ленинград. Симонов, Завадский, Охлопков — побывали у нас в театре. Столько было интереснейших встреч! У нас на репетициях сидели Михаил Зощенко и Евгений Шварц. И не только они: приезжал из Москвы Михаил Светлов, он тогда был уже очень болен, Эдуард Багрицкий. Даже «советский шансонье» (невероятное словосочетание) Александр Вертинский, Леонид Утесов и Аркадий Райкин были гостями театра. После спектакля собирались в красном уголке и начинались разговоры... Обо всем.

Но потом Акимов вернулся в Театр комедии, в Театре Ленсовета какое-то время менялись режиссеры и худруки, пока не пришел Игорь Владимиров. И все завертелось в другую сторону, в том числе и моя судьба».

Театр им. В.Ф. Комиссаржевской — это вся оставшаяся жизнь. Долгая жизнь — испытание: слава остается позади, как и молодость. Вот она: оборотная сторона профессии.

Ее известность была полной, особенно после выхода фильма «Весна в Москве» (режиссеры И. Хейфиц и Н. Кошеверова). Непритязательная история о зазнавшейся аспирантке Наде Ковровой, которая все осознала, исправилась и, наверное, потому очень полюбилась зрителям. Актрису тогда завалили письмами — трогательными и забавными. Вот только один из множества забавных случаев: как-то на премьере в Мариинском театре публика в антракте прогуливается в фойе. Идет группа: солидный мужчина в окружении молодежи — профессор со студентами. Смотрит на Галину Короткевич укоризненно и высказывается в том смысле, что некоторые неблагодарные студенты забывают здороваться со своими профессорами. А студенты его поправляют: это не ваша аспирантка, а аспирантка из «Весны в Москве»...

Галине Петровне повезло: ей довелось исполнить две роли, которые играла Вера Федоровна Комиссаржевская, — Нору («Кукольный дом») и Лизу («Дети солнца»). Лиза — это уже работа на сцене Театра им. Комиссаржевской, куда она перешла в 1962 году. Вводиться пришлось в уже готовый спектакль. Было и легко, и трудно. Трудно — до нее роль прекрасно играла Эмма Попова; легко — роль была сделана еще в институте. Оставалось просто достать свою студенческой поры тетрадочку с антресолей и заново «выучить урок» спустя 15 лет.

И все же перед первым выходом на сцену, на которой работала Вера Федоровна Комиссаржевская, актриса Короткевич испытывала трепет и волнение — выйти на ЕЕ сцену, в ЕЕ роли... Выбрав час, когда в театре было пусто, Галина Петровна пришла в зал. Постояла на сцене, и поклонилась ей, ее смятенной душе, которая, может быть, слабым, затухающим во времени эхом, но еще присутствует в зале...

Эту роль очень тепло встретили зрители, а Давид Золотницкий написал замечательную рецензию. И с тех пор, с 1962 года актриса верна одному театру — имени Комиссаржевской.

Ей довелось сыграть здесь немало спектаклей — и острохарактерных, и комедийных, и драматических, которые полюбились зрителям и шли с аншлагом долгие годы. Например, «Миллионершу» в одноименной пьесе Бернарда Шоу она сыграла 786 раз! У ее героини — Епифании сменилось несколько партнеров — Сергей Боярский, Игорь Дмитриев... Беда случилась, когда она играла с Ильей Резником. Сейчас «широкая публика» больше знает его как автора песен для Аллы Пугачевой, а петербуржцы помнят еще и артистом. В спектакле есть сцена: Епифания отправляет в нокаут своего бывшего возлюбленного, он валится ей на плечи, она поднимается с «ношей» по лестнице и ударом в челюсть «выбивает» его со сцены за кулисы. Чтобы понять пикантность сцены, надо представлять Галину Короткевич — маленькую, хрупкую женщину, на неизменно высоченных каблуках! И Резник — под метр девяносто в меру упитанный мужчина...

Конечно, сцена драки была поставлена профессионалами. Нагрузка распределялась так, что маленькая женщина вполне могла поднять по лестнице и выкинуть со сцены здорового мужчину. Но перед «дракой» надо размяться, как, скажем, в балете, подготовить тело к определенным нагрузкам... В тот раз партнер был «не в форме», он так плюхнулся на плечо, что актриса не могла его удержать, они оба полетели, что называется, вверх тормашками... Сказать, что Короткевич травмировала палец — ничего не сказать, потому что на самом деле фаланга треснула вдоль... Открытый перелом. И палец, и актриса, и партнер, и сцена — все в крови. Позже, когда операцию делали, фактически собирали палец по кусочкам, около трех часов. Но операция была после. А до того — повязка, новокаиновая блокада, и актриса доиграла спектакль.

...А потом наступило время «маленьких ролей». Острая характерность, яркая индивидуальность актрисы не вполне вписывались в тот театр — публицистический, ансамблевый, который создавал Рубен Сергеевич Агамирзян. У них не сложился «творческий роман», но они всегда с большим уважением относились друг к другу. И надо сказать, что и в спектаклях Р.С. Агамирзяна Галина Петровна сумела создать яркие, запоминающиеся работы — даже если это были всего лишь эпизоды. Например, спектакль по роману Юрия Бондарева «Выбор», в котором Г.П. Короткевич необычайно глубоко и драматично сыграла роль матери. Сын приехал на родину (тогда это был Советский Союз) как турист через двадцать лет после войны. И они встретились... Для нее он двадцать лет был погибшим, двадцать лет — оплаканным, а она все эти годы была одной из миллионов матерей, не дождавшихся сына со всенародной великой войны. И она со всем народом делила и свою гордость, и свою боль. А что теперь?.. В этой небольшой эпизодической роли Короткевич раскрылась как большая, глубокая драматическая актриса.

В спектакле Владислава Пази «Самоубийство влюбленных на острове небесных сетей» у актрисы несколько ролей, маленьких и колоритных. Пара эпизодов в спектакле по пьесе М.А. Булгакова «Чичиков» («Я там не играю, я там хожу»), но эпизодов запоминающихся.

Галина Короткевич: «Моя голова никогда не кружилась от успехов. Во время периода славы мама говорила: «Галя, ты на сцене актриса, а дома — просто человек». Так и было. В жизни я не актриса, я — мама, кухарка, маляр, няня. Никогда не доводилось кокетничать своей известностью. Безумно много работала. Никогда не получала больших денег. Но никогда от этого не горевала. Я всю жизнь отвечала за многих — и своих близких, и своих родных. На себя мне никогда не хватало ни времени, ни денег. Помню смешной случай. Возвращаюсь из магазина. Сзади слышу:

— Смотри — миллионерша! Да вот же: несет картошку! Вот та — в ситцевом платье.

Молчание.

— Да иди ты!

Не поверил зритель, что миллионерша может авоськи с картошкой таскать.

Я всегда с радостью выходила на сцену. Конечно, каждый мечтает сыграть Гамлета или Офелию. Но если выпадает сыграть эпизод, если ты выходишь перед зрителем, даже на секунду, независимо от того, в ЖЭКе ли или на сцене Кремлевского дворца, ты отдаешь все, что у тебя есть на душе, — все, чем одарил тебя Господь. Мы не за деньги работаем, мы за внимание зрительское, за их понимание... Я не утверждаю, что так должно быть, я просто так чувствую.

55 лет — это весьма солидный срок работы на сцене. Целая жизнь, в которой были успехи, известность, были замечательные встречи. Много хорошего было в жизни. Но если спросят: чему меня научила моя длинная жизнь? Раньше не очень задумывалась, но вот задумалась и поняла: все прошло, и только зритель оказался самым дорогим, самым близким моим другом. Самым надежным».

Да, зритель оказался самым надежным другом. Годы прошли, а зрительское признание осталось. Кажется, в 2000 году театр был на гастролях в Уфе. И вдруг выходит огромная рецензия с названием крупными буквами: «Надя Коврова? Честное слово, это — она!» Ее вспомнили и узнали через 45 лет после выхода фильма «Весна в Москве»!

Игорь Евсеев

# Сергей Курышев

Сергей Курышев закончил факультет журналистики Петербургского государственного университета. Даже успел немного поработать по специальности в какой-то дыре. В университете же и к театру пристрастился, втянулся. Читал чеховские отрывки, этюды готовил в музыкально-драматической студии. Однажды, на исходе учения, его педагог артист БДТ Евгений Николаевич Соляков спросил: «Сережа, ты как дальше без театра собираешься жить?» — «Никак», — ответил Курышев и поступил на курс Льва Додина в Институте театра, музыки и кинематографии (который ныне называется Академия театрального искусства). Семнадцать лет назад.

Дебютировал, как и его однокашники, на сцене МДТ в выпускном спектакле — «Старик» по Трифонову.

Но настоящий успех пришел, когда Курышев сыграл героя Достоевского — Кириллова. После премьеры «Бесов» по городу поползли слухи, что у Додина появился необычный парень. Угловатый, похожий на Маяковского. Большого роста, под два метра. «Интересный и способный». В те годы, в начале девяностых, никто, кроме новобранцев и зэков, не стригся наголо и бритая большая голова (на самом деле обритая потому, что до «Бесов» вышел спектакль «Гаудеамус» по калединскому «Стройбату», где все, игравшие солдат, были бриты наголо), хорошо вылепленная, огромные руки со вздувшимися венами — обращали внимание. Он и разговаривал в «Бесах» все больше руками. Словно глухонемой, освобождающийся от недуга. Тискал в руках теннисный мячик, когда хотел сосредоточиться в слове. Но слова — часто — выходили из него тяжело, как мычание. И не всегда точно выражали владевшую Кирилловым мысль, и он очень стеснялся и мучился, когда вместо важных для всех «мессиджей» — посланий — выходила какая-нибудь неловкость.

### Природа русского хаоса

Десять лет назад брат и сестра Лебядкины, воплощавшие природу русского хаоса, были главными героями премьеры. Марья Тимофеевна Татьяны Шестаковой, несчастная хромоножка, что-то горячо бормотала, сбиваясь на легкие слезы — о ребеночке, которого будто бы родила, но утопила в пруду. И непонятно было, случилось ли это на самом деле или ей лишь приснилось. «Россия — игра природы, но не ума», — смачно поддакивал ей капитан Лебядкин, совершенно гениальный в исполнении Игоря Иванова — настоящий русский военный, пьянчужка, поэт и, кажется, вор, вдохновенно сочинявший стишки про таракана и постепенно в течение трех спектаклей — от полудня до десяти вечера уподоблявшийся ему, превращавшийся в большое исстрадавшееся насекомое.

В первых «Бесах» все было как в романе — были бесы и беснующиеся, «наши» и «не наши», революционеры и просто бандиты, были Чайльд-Гарольды и Фаусты. Все темы и образы романа сходились, собираясь в узлы, и расходились, воссоздавая в строгой сценографии Эдуарда Кочергина сумеречное пространство разомкнутого сознания.

Спектакль был ровный. Петруша Верховенский Сергея Бехтерева и Ставрогин Петра Семака задавали две оси креста, который был вбит, как осиновый кол, в основание русского мира. «Бога нет — значит, все дозволено». Хочешь — завтра Лизу приведу, хочешь — Иваном-царевичем сделаю, хочешь — судорогу по всей России-матушке пущу. И в этом желании, а главное, в умении запустить судорогу, да такую, что весь мир покатится с основ и застонет стоном земля, — открывается сегодня, спустя десять лет, удивительная, похожая на усмешку, догадка авторов: «Да что же это я за Колумб такой, — удивляется Мефисто с соломенными волосами, — без Америки?» Веселые Бесы шигалевщины, десяток лет назад воспринимавшиеся как типичное творение национального духа, сегодня шагнули в мир, на просторы вселенной. А чуть постаревшие за десять лет «мальчики Достоевского» по-прежнему вовлечены в тяжелую канитель бесконечного познания. Им снова и снова, из вечера в вечер предлагают «карту звездного неба», и они переправляют ее. И кровь струится из-под их стремительных перьев.

«Если Бога нет, буду я — бог!» — тяжело мычит Кириллов Сергея Курышева: «Я заявлю своеволие. Я начну, и кончу, и дверь отворю. И спасу!»

В сентябре 1929 года Максим Горький отвел автора «Чевенгура» в сторонку и высказался в том смысле, что человек он, бесспорно, очень талантливый. Обладающий, несомненно, очень своеобразным языком. Надо только подумать, надо сделать так, — предположил классик, — чтобы счастье вдохновляло человека сильнее, чем нужда и необходимость. Окрыленный Платонов бросился к столу, полтораста страниц насиловал Музу, потом сдался и снова ударил мировую материю в самое нежное место. «Сволочь», — начертил на полях Сталин. «Трудно, — выдохнул Сергей Курышев после того, как сыграл в «Чевенгуре». — У нас ведь нет физически легких спектаклей. «Бесы» изматывают в высшей степени, «Гаудеамус» — постоянное физическое действие, в «Чевенгуре» у меня роль поменьше, но тоже тяжкая».

Два года репетиций. По четыреста страниц текста для каждого артиста. Забавные образы Дна. Доведенные до абсурда идеи «Бесов». Листы Вечной книги, черпающие, как драга, все новые слои человеческого безумия. Девять мучеников, бредущих по девяти кругам ада, и постепенно, от спектакля к спектаклю, становящаяся все более отчетливой курышевская тема: «Слушай большую идею: стояли в середине земли три креста. Один на кресте до того веровал, что сказал другому: «Будешь сегодня со мной в раю». Кончился день. Оба померли и не нашли ни рая, ни воскресения. А если так, если законы природы не пожалели даже чудо свое, то, стало быть, вся планета есть ложь и диаволов водевиль».

**Игра**

«Диаволов водевиль» с элементами мелодрамы разыгрывается с участием Сергея Курышева в конце XX века где-то в Ирландии, в маленьком городишке Бэллиберг. На сцене

Малого драматического театра — Театра Европы заброшенный пляж с напоминающими коконы плетеными шезлонгами. Безработный муж, не стесняясь, плачет. Опустившийся доктор, не стесняясь, пьет. Все получилось: слепая леди Молли Суини Татьяны Шестаковой «хотела обожраться этими удивительными пейзажами мира зрячих, этими цветами, которые знает лишь по запаху», — обожраться и вернуться, пресытившись, обратно. Хотела экскурсии — получила этап.

Новизна и необычность пьесы Брайена Фрила в том, что актеры ни разу не обращаются друг к другу: Молли к доктору, доктор к мужу. Только быстрее начинают вращаться шезлонги — такая бормашина с тремя сверлами, которыми Лев Додин вонзается произвольно — куда попадет. Попадает, понятно, в зрителей, и довольно жестоко. Человека, на месте которого может оказаться любой из сидящих в зале, вытряхнули из привычного мира и заставили жить в чужом, который кажется нормальным только таким неудачникам, как доктор Петра Семака и Моллин муж Сергея Курышева. Человек сорок лет был вполне самодостаточен — уверенно отличал свет от тьмы, у него была работа, семья, маленькие экстремальные увлечения вроде прыжков со скалы, но пришли два других и «от нечего делать погубили его». Они не знали, что из-за дисфункции коры головного мозга Молли не сможет совместить зрительные и осязательные энграммы. Вместо картин, которые она радостно готовилась увидеть, прозрев, вместо изысканных линий прекрасных соцветий увидела опухшую рожу мужа и банан, который все почему-то называли огурцом. Никто и никого не насиловал — операция пустяковая. Но удалили не катаракту, а запрет на вмешательство в частную жизнь. Человек впервые увидел цветы, о которых так много слышал хорошего, и ужаснулся тому, что они отвратительны. Он ничего не понял, все перепутал и вернулся в кокон. Навсегда.

Брайен Фрил, прибывший на премьеру, подтвердил, что все дело — в подробностях. Можно предположить, что мы знаем всю правду о чьей-то судьбе. Скажем, о судьбе Молли Суини или судьбе артиста Сергея Курышева. Но прийти и сказать: «Вот правда!» — глупо. Удивительное, волшебное, трагическое великолепие правды слишком ярко для нашего восприятия. Только театр — и, возможно, пока только такой, как Малый драматический театр, — одновременно и защищает нас от правды, и позволяет приблизиться к ней. «Как маленьким детям показывают молнию с подобающим ласковым объяснением, так и Правда приходит, чтобы воссиять не скоро, постепенно. Иначе весь мир ослепнет».

Загадка Сергея Курышева существует, и он, возможно, испытывает особое воздействие прожитых ролей. Артист в свои неполные сорок лет знает про эту жизнь все, как знал про нее «все» Платонов в свои двадцать семь или дядя Ваня в свои сорок семь. Он родился в пору застоя, по ролям прошел новую и — не по ролям — новейшую историю России от начала прошлого века до конца нынешнего. Он знает, что жизнь в России всегда будет равно мучительна и непригодна для жизни — одинаково уродлива и опасна.

Герои «Бесов» придумали социализм, герои «Чевенгура» построили его, герои «Братьев и сестер» — защищали и жили — до самой смерти — советской жизнью. Усталость перед новым витком истории — российской ли, всеобщей ли — совершенно очевидна, — и она в глазах Курышева — смертельная. Он, исполнитель чужой воли, часто думает о том, что будет после финального свистка. Скорее всего, это будет продолжением нашей жизни. Со всеми ее уродствами и потерями. Принято считать, что человек совершает любую ошибку случайно. И главное, имеет возможность ее исправить. Не имеет. «Потому что, — успевает произнести Михаил Платонов, которого Сергей Курышев играет в чеховской «Пьесе без названия», — есть только одна врожденная для всех ошибка — убеждение в том, что человек рожден для счастья».

**Произвол**

Кокон одиночества, сотканный в «Молли Суини» из самых тонких человеческих болей — из надежды и чувства вины, Лев Додин превратил в «Чайке» в пыльный мешок, и двинул этим мешком писателя Тригорина, чтобы рассказать о трагедии авторства.

На другой день после самой первой «Чайки», а давали ее также осенью, 17 октября 1896 года в Александринке, в бенефис комической актрисы Левкеевой, — Чехов вылетел из Петербурга как пробка. Подобно Треплеву, он казался себе маленьким неуклюжим писателем, которому не везет, с душой, воспаленной от неудач, человеком, «чью личность освистали». Провал всегда — и тогда и теперь — объясняли одинаково: питерская публика, разогретая репертуаром легким, мелодрамами и водевилями, и пришедшая на комедию, — придиралась ко всякому поводу, чтобы посмеяться. Газеты гудели, называя Чехова «дутой величиной, созданием услужливых друзей», печатали про «Чайку» глупые стишки, издевались над Верой Комиссаржевской, игравшей Нину Заречную. Спустя два года — в 1898 году — случился чеховский триумф в Московском Художественном театре, Станиславский играл Тригорина.

Но лишь сегодня, спустя сто лет, «Чайка» открылась — во всей своей странной красоте — иррациональная, далекая от «нормы» — построенная по принципу абсурдистской драмы, очень холодная. К человеку, к слабости его — безжалостная и безразличная.

Художник Алексей Порай-Кошиц выставил со сцены на всеобщее обозрение исподнее Театра — хорошо выстиранные и накрахмаленные простыни с вензелями, служащие кулисами в дачном, рубежа веков, любительском театрике. Место — странное — в куполе храма, затопленного зацветшей, болотного цвета, водой. Банда очень веселых, очень профессиональных, очень наглых артистов из начала века приезжает на велосипедах на пикник на берег колдовского озера и от нечего делать или от любви к «святому искусству» играет — как небольшой этюд — сюжет из чеховской «Чайки». Пьеса так «заезжена», они так часто ее играли во всех театрах мира, что за отодвинутой шторкой — лишь черная дыра абсолютно Пустого Пространства. А в нем — «нечто декадентское» с головой Медузы-горгоны, с мертвенным взором, превращающим все живое — в театр.

Отдавая должное утомительным условностям — престижным гастролям по всему миру, театральным премиям всех мастей, заслуженной славе, которой-таки приходится соответствовать, то есть быть понятным большинству, — Лев Додин давно уже превратил свой театр в подобие закрытой лаборатории по выработке специального театрального электричества. Между двумя разбитыми железными полусферами — полоска воды. Искра, если возникает,валит наповал. Если не валит — как в «Чайке», значит, алхимия по намагничиванию «очищенной духовной субстанции» продолжается годами. Нынешняя «Чайка» слишком автобиографична, чтобы быть успешной. Она набита цитатами и отсылками под завязку. На внутреннюю поверхность полусферы затопленного храма — все новые и новые лицедеи прикрепляют все новые и новые поминальные записки. Так Лев Додин поминает добрым словом Питера Брука с флейтой из его знаменитого «Гамлета» или Джорджо Стреллера с его маленькими игрушечными вагончиками из «Вишневого сада». В одном из таких вагончиков Борис Вульфович Зон, учитель Додина, убывает «Красной стрелой» в столицу, пешком идет от вокзала в Камергерский переулок и ведет долгие беседы с основоположниками МХТ.

Какой-нибудь паршивый автор какой-нибудь паршивой театральной лабуды — тот же Треплев Константин Гаврилович — может позволить себе искать новые формы. Беллетрист Тригорин знает, что никаких новых форм нет. Как нет и проблемы авторства — едва закончив один рассказ, про девушку, которая жила на берегу озера и которую случайно погубили, как чайку, он берется за другой — про Геную, где живописная людская толпа так похожа на всемирную, развесистую, как клюква на болоте, мировую Душу.

Какая-нибудь бездарь, вроде Треплева в блистательном исполнении Александра Завьялова, может позволить себе быть ранимым и тонким, может отождествлять себя с Гамлетовой флейтой. Сергей Курышев, вмещающий в своей роли всех тех, у кого нет, да и не может быть своей воли — от Станиславского и Немировича-Данченко до Чехова и Додина, — играет смертельно уставшую деревяшку. Дудку. Грубый, без всяких финтифлюшек, инструмент, обычный свисток. Через который «отец мировой материи» из века в век вдувает и выдувает без передышки — только поминальные листки шевелятся. «Игра однообразная, скучная. (Он произносит: «скушная».) Но если привыкнуть — то ничего».

**Русский Гамлет**

Сугубо театральные категории — игра и произвол, которые, по последним данным, и составляют суть всевластия Времени, безукоризненно совмещены в лучшем спектакле МДТ — в «Пьесе без названия». Когда у Платонова — в светлом сюртучке, со спутанными влажными волосами — спрашивают: «Что болит?» — он отвечает просто: «Платонов болит». Поначалу в спектакле все как у Чехова. Студент любил девочку. Девочка — Ирина Тычинина — любила студента. И генеральская вдова — Татьяна Шестакова — любила студента. И глупая добрая жена Саша — Мария Никифорова — любила, и дикое количество каких-то других тетушек и дев. В додинском спектакле каждая из них предлагает Платонову — подвыпившему, неопрятному, небритому, в несвежей сорочке — бежать куда угодно, куда глаза глядят. Лучший из героев Сергея Курышева знает, что бежать некуда — темная книжица Ветхого Завета валяется тут же, он ее внимательно читал.

Закачав в резервуары под сценой семьдесят тонн воды, Лев Додин создал в «Пьесе» («Почему без названия?» — «Потому что жизнь не имеет названия...») симметричное подобие вертепа — простого, как мироздание, площадного кукольного театра. Сверху — Небо, внизу — Вода и между ними — узкая полоска суши — Преисподняя. В которой и разыгрывается притча о грехопадении. Всемогущий Бог Завета, творец вселенной, создал из праха человечка, которого в спектале Додина зовут Миша Платонов. Дал ему Еву — ту самую девочку. И поставил их, обнаженных, на краю ослепительной пропасти. Сцена грехопадения — в вихре изумрудных искр — становится в эффектной конструкции МДТ и частным случаем библейской истории, и началом «кровавой битвы сущностей», проявившихся в первый же момент творения. Той битвы, которая продолжается до сих пор и которую трудно вообразить вне общей атмосферы резни, смертельных мук и пролитой за тысячелетия крови.

Нам казалось, что мы знаем Чехова раннего и позднего, авангардного и классического, иронического и пророчествующего, но всегда гуманистически настроенного. Лев Додин самой ранней чеховской пьесой эти наши наивные представления опрокинул. Чехов — мрачный и жестокий, как Иегова. И реальность его пьес — темная, тяжелая и беспросветная. И главный герой его — в исполнении Курышева — не сельский учитель, ведущий беседы о добре и зле со случайным попутчиком. А изгнанный из рая Адам, перевалявшийся в земле червь, лишенный бессмертия ветхозаветный гад, который так и не мог позабыть о райских наслаждениях и райском покое. Песок арены, по которому он ползает, и страховочная сетка напоминают цирк, но только в спектакле. В начале XXI века Человеку так же тошно, как и в день падения. Он ходит — этот курышевский Платонов — в шкуре убитых животных, обладает женщиной и покойно ждет, когда наступит его очередь возвратиться в прах — слиться с рябью воды в осеннем пейзаже. Лев Додин итожит век минувший и начинает новый без всякого сожаления и без всякой надежды. Первый и пока единственный великий Платонов русской сцены не хочет ни мечтать, ни бороться. Ему, в общем, даже безразлично — быть или не быть.

Елена Боброва

# Кирилл Лавров

15 сентября 1950 года на сцене Киевского театра имени Леси Украинки в толпе идиллических крестьян, окружавших графа Альмавиву и Фигаро, в золоченом парике стоял молодой человек, для которого этот день был особенным.

В этот сентябрьский день ему исполнилось 25 лет, позади были годы учебы в военном авиационно-техническом училище, служба техником летной эскадрильи в армии на далеких Курильских островах, а впереди...

Впрочем, тогда, 15 сентября 1950 года, столь малозаметно дебютировавший на профессиональной сцене Кирилл вряд ли мог даже предположить, что он станет одной из ключевых фигур советского театра. И едва ли не легендой...

Меняются власти, поколения, а Кирилл Лавров по-прежнему является сакраментальной персоной не только театрального мира, но и России в целом. Не случайно его называют «олицетворением характера русского человека XX века», «кумиром» и даже «лицом эпохи».

Лавров со своим открытым, улыбчивым лицом был определен как образцовый типаж советского человека без каких-либо следов рефлексии героев Достоевского. Как писали еще не так давно газеты: «Лавров умело показал черты человека свободного труда, труда на благо всего народа; полно раскрыл характер человека-победителя».

Поэтому именно Лавров мог стать «лицом от театра» в спектакле БДТ, поставленном Товстоноговым в конце 1960-х годов к очередной революционной дате, «Правду! Ничего, кроме правды!..». Находясь в зрительном зале, Лавров, словно от своего имени, комментировал происходящее на сцене: суд сената США над Октябрьской революцией. Вряд ли кто-либо другой из товстоноговской труппы мог столь безоговорочно приниматься зрителями как олицетворение беспристрастности, честности и гуманности советского человека.

К семидесяти годам благодаря морщинам с лица Лаврова стерлись пресловутые черты «социального героя». На его лице теперь скорее прочитываются усталость, несуетность и мудрость. Моральный авторитет Лаврова велик даже среди собратьев по искусству, болезненно ревнивых и тщеславных.

Не видевший «Правду! Ничего, кроме правды!..» Темур Чхеидзе не случайно назначил Лаврова «лицом от театра» в «Борисе Годунове», поставленном на рубеже XX и XXI веков. Никто иной не мог стать старцем Пименом — свидетелем и летописцем безумия народа и власти Смутного времени. Кто произносит пушкинские строки: «Недаром многих лет свидетелем Господь меня поставил» — Пимен или Лавров?

Но что хрестоматийный Пимен! Лавров наделил мудростью и не столь однозначную фигуру — стареющего фермера Эфраима Кэббота в постановке того же Чхеидзе «Под вязами». Критики не смогли пройти мимо искушения сравнить Эфраима Кэббота — Лаврова и Кэббота — Евгения Лебедева, который в то же время играл на сцене Малого драматического театра. Слишком «выпиралось» личностное начало каждого актера в этой роли: «Если лебедевский герой — Сизиф, то лавровский — Диоген. Вечно предается созерцанию в кресле-качалке».

На самом деле Лавров был и есть плоть от плоти той самой «невоинствующей интеллигенции», которая, не теряя собственного достоинства, сумела выжить и сохранить культуру в условиях внешнего и внутреннего тоталитаризма.

Не случайно опять же именно «правильный» Лавров, этот символ непреходящего оптимизма советского народа, стал в то же время и выразителем мироощущения позднего Товстоногова, далекого от казенной бравурности империи. «Какая еще там новая жизнь. Наше положение, твое и мое, безнадежно», — отрешенно констатирует чеховский доктор Астров. «Все напрасно» — эту мысль еще раньше постулировал со сцены другой герой Лаврова — Шаманов в спектакле «Прошлым летом в Чулимске», полагавший, что не стоит сопротивляться чему бы то ни было.

Не стремившийся к партийной карьере и будучи ею, как молохом, подмятым, Лавров смог и здесь найти себя. Сохраняя при этом главное — юмор. Чего стоили записочки, которыми перекидывался Лавров с другими страдальцами — товарищами по партзаседаниям, или рассказы о том, как сдавались в райкомах экзамены перед выездом на гастроли за рубеж.

И весь вынужденный конформизм явственен в словах Лаврова о советском фарисействе: *«Да элементарно мыслящему человеку было и при Хрущеве ясно, что так называемый «моральный кодекс», вывешенный на стенах присутственных мест, был не чем иным, как упрощенным, обкорнанным изложением евангельских заповедей»*.

То, что в Лаврове особо почиталось и народом, и властью — воля, упорство, целеустремленность, надежность — своего рода «набор сильной личности», — вряд ли имело отношение исключительно к «человеку социалистической формации». Скорее, здесь проявились гены дедов — офицера царской армии, с одной стороны, и директора императорской гимназии — с другой. Да и армейское воспитание — три года в авиационно-техническом училище, пять лет службы на Дальнем Востоке, по мнению самого Лаврова, сделали его человеком прямолинейным, считающим, что во всем необходимо доходить до самой сути.

Здесь кроется один из парадоксов Кирилла Лаврова. Качества, персонифицирующиеся в сознании народа, сам актер в себе не замечал: *«Меня всегда увлекали сильные характеры. Мне нравятся одержимые люди, которые обязательно сомневаются (я не признаю людей, лишенных сомнений!), но все равно сильны. Вероятно, это потому, что самому мне такой силы и одержимости не хватало, хотелось создать эти качества и в себе самом»*. Жесткий, требовательный и бескомпромиссный на сцене, он в быту мягок и уступчив. Так, по его собственному признанию, за четыре с лишним десятка лет совместной жизни с женой он так и не сумел определить, кто же глава семьи на самом деле.

Но это в личной жизни. А на сцене Лавров — это прежде всего Платонов в «Океане» по пьесе А. Штейна.

**Вот что писали об этом герое критики**

**«Его уравновешенность производила впечатление сухости. Его подтянутость граничила с педантизмом. Его привычка к анализу, строгая самодисциплина свидетельствовали о полной подчиненности логике. Но за внешней сухостью Платонова зритель угадывал скрытую страстность мысли, одержимость идеей и даже душевную тонкость» (*Беньяш Р.* По стрелке времени // Нева. 1964. № 9).**

**«Роль создана средствами почти аскетическими, но они раскрыли характер емкий и содержательный. Он не скажет лишней фразы, не сделает лишнего движения. Более того, в иные минуты лицо Платонова бывает непроницаемым и отчужденным. Но его молчание всегда наполнено острой пульсирующей мыслью» (*Пляцковская Н.* Зрелость актерской мысли// Ленинградская правда. 1967. 6 дек.).**

Этот Платонов стал одним из поворотных образов в актерской судьбе Лаврова. Еще, казалось бы, несколько лет, и Лавров навсегда «закостенел» бы в зрительском сознании стереотипом положительности. Именно на репетициях «Океана» Товстоногов произнес судьбоносную фразу: «Понимаете, Кира, я увидел 1021-го положительного героя», вроде Бориса Прищепина, обаявшего ленинградских зрителей середины пятидесятых годов в одной из первых постановок Товстоногова в БДТ с символичным названием «Когда цветет акация».

**«Занозистый непоседа, он ходил по общежитию в своем светло-синем тренировочном костюме и острым озорным глазом фиксировал все, что происходило вокруг. Бурлившая в нем энергия находила выход в лихих кульбитах, головоломных прыжках, внезапных и длительных стойках. Но суть характера складывалась не только из этих мальчишеских ухваток. В поведении его просматривалась душевная верность и стойкость в дружбе. Все в герое Лаврова было непосредственно и выверенно, непринужденно и точно, симпатично и основательно» (*Беньяш Р.* По стрелке времени // Нева. 1964. № 9).**

Товстоногову требовалась другая ипостась Лаврова. Неизвестно, был ли знаком Товстоногов с историей, произошедшей в Театре имени Леси Украинки, когда Лавров «упрямо» пошел на заведомо проигранный идейный конфликт с директором театра (кстати, зятем всесильного тогда Никиты Сергеевича Хрущева), или он «учуял» за обаятельной улыбкой Лаврова что-то иное, — сегодня уже не важно. Важно то, что тогда, в 1961 году для 36-летнего Лаврова кончилась эпоха белозубых обаятельных розовских мальчиков и началась «ковка» того человека и актера, которого мы знаем сегодня. Лаврова, который в духе своего Платонова, получив из рук мэра диплом о звании «Почетный гражданин Санкт-Петербурга», способен выслушать панегирик в свой адрес и, сохраняя невозмутимость, воздержаться от ответного панегирика.

...Однако вернемся еще раз к тому конфликту, что разразился в 1954 году за кулисами киевского театра. Жизнь и актерская судьба Лаврова полна парадоксов. Из-за этой опасной и бессмысленной борьбы с хрущевским зятем, могущей обернуться для Лаврова непредсказуемо тяжелыми последствиями, актер оказался в Ленинграде, в БДТ. И уже далее — народный артист СССР, лауреат Государственной премии, депутат Верховного Совета, любимец народа, отмеченный всеми мыслимыми премиями и наградами.

Удивительно и то, что Лавров попал на сцену именно Большого драматического театра. Тем самым он, возможно, исполнил то, что было предначертано его отцу, известному артисту Юрию Сергеевичу Лаврову, 14-летним мальчишкой пришедшему в БДТ, но так и не связавшему с этим театром свою судьбу.

...Будучи одним из столпов знаменитой товстоноговской труппы, Лавров всю жизнь сомневался в своей актерской состоятельности. Возможно, подспудно «виноват» в этом был и отец, категорично не советовавший Кириллу идти в актеры — слишком хорошо были известны превратности актерской судьбы Юрию Сергеевичу Лаврову (прошедшему свой тернистый путь от БДТ через театр Всеволода Мейерхольда и Ленинградский государственный театр драмы имени А. С. Пушкина к Киевскому театру им. Леси Украинки). Лишь через десять лет (!) после актерского дебюта сына Лавров-старший признает: «Кажется, в тебе что-то есть». А между тем задолго до этого признания отец и сын в спектакле Киевского театра «Новые времена» Г.Мдивани сыграли соответственно отца и сына (уже в 1960-е годы Юрий Лавров не сочтет зазорным сыграть с сыном отрывок из этого спектакля на первом творческом вечере Кирилла в ленинградском Дворце искусств). Но тогда, в 1952 году, Кирилл играл тех самых белозубых мальчиков, с которыми смог распрощаться, лишь став Платоновым в постановке Товстоногова.

Но до Платонова он сыграл роль короля прессы Чарльза Говарда в «Четвертом» К. Симонова. Роль, позволившую Лаврову-старшему произнести скупое, но долгожданное признание.

**«Его узкая фигура в черном стройна и подтянута. Сухой, остро отточенный силуэт графичен. Он похож на увеличенное для рекламы вечное перо. Автоматическая улыбка, внезапно выскакивающая на холодном лице и так же внезапно исчезающая, не меняет выражения непроницаемой маски. Говард действует расчетливо, как хорошо налаженный часовой механизм. Говард — Лаврова — зловещий механизм атомного века, для которого жизнь и счастье другого человека — анахронизм, смешной придаток крупного бизнеса» (*Беньяш Р.* По стрелке времени // Нева. 1964. № 9).**

Лавров-актер был непредсказуем. Как непредсказуемы поступки человека, ведомого не логикой, а интуицией. Для Лаврова *«всегда очень важны внутренняя работа, поиски в области интуиции, внутренних нюансов, личных наблюдений, включение собственной фантазии. По всей вероятности, это моя собственная «система» работы над ролью, потому что я не имею театрального образования, не знаком с теми законами, которым учат в институте. Я шел от роли к роли собственным опытом».*

Возможно, именно эта нешаблонность помогла Лаврову создать один из самых своих легендарных образов, переломивший стереотип восприятия хрестоматийного персонажа — грибоедовского Молчалина.

**«Его Молчалин — это не просто пресмыкающийся червь, льстивое ничтожество, каким мы знаем грибоедовский персонаж**

**по многим постановкам. Молчалин Лаврова «метит в Наполеоны». И он уверенно идет к вершинам карьеры, тонко играя на слабостях и пороках власть имущих. При Софье он надевает маску страстотерпца, который вынужден выслушивать унизительные наставления. И такого Молчалина, загадочного и страдающего, любит Софья. К Фамусову, Хлестовой он обращается с затаенной усмешкой, как взрослый умный человек к капризным детям. В нем сквозит снисходительность даже в разговоре с Чацким: ему смешон этот чудак, пытающийся пробить стену лбом. Лавровский Молчалин — фигура значительная и зловещая. Это не ископаемое, давно исчезнувшее существо. Это чинуша, сделавший свой принцип — «умеренность и аккуратность» — тем ключиком, который должен открыть ему доступ к власти над людьми» (*Афанасьева Т.* Кирилл Лавров. Творческий портрет // Комсомольская искра. 1965. 29 авг.).**

На счастье Лаврова, эту непредсказуемость самого положительного героя СССР почувствовал Товстоногов, который сделал все возможное, чтобы вопреки общему мнению о Лаврове, актере и человеке, Кирилл Юрьевич реализовал свой актерский потенциал. Да и сам Лавров признает, что особенно дороги ему роли, казалось бы творимые «от противного», в коих так мало или вовсе нет знаменитого «лавровского» обаяния — Молчалина, Городничего, Соленого, Нила, Костылева, Ивана Карамазова.

То, что без Товстоногова актерская судьба Лаврова сложилась бы, скорее всего, не столь эпохально — давно стало трюизмом. Это правило, которое касается истории каждого актера ядра БДТ товстоноговской эпохи, будь то Владислав Стржельчик или Ефим Копелян, Зинаида Шарко или Валентина Ковель...

Однако... судьба Лаврова парадоксальна. Встреча молодых Лаврова и Товстоногова могла случиться еще в 1950 году. Когда буквально вчера демобилизовавшийся Кирилл приехал в родной Ленинград «становиться» актером и первым делом пошел показываться режиссеру Театра им. Ленинского комсомола. Этим режиссером и был молодой, но уже знаменитый режиссер Товстоногов. Но — судьба Лаврова, на дюйм пройдя рядом с тем, что ей было предназначено, сделала вираж в другую сторону, — Товстоногов не захотел встречаться с молодым человеком без актерского образования.

Это уже потом все сошлось — и случайный, по сути, вызов из Ленинграда киевского актера, и почти одновременное назначение Товстоногова на роль спасителя разваливающегося БДТ. Не только спасителя, но и Демиурга актерских судеб. Как вспоминает Лавров: «Товстоногов неоднократно говорил: *«Кира, меня беспокоит, что вы стали много появляться в кино в одном и том же виде, вам надо сыграть другое...» И я получал Соленого в «Трех сестрах», Чарльза Говарда в «Четвертом» — что-то совершенно противоположное»*.

Да, «зловеще неприкаянный» убийца барона Тузенбаха Соленый был невероятно далек от политрука Синцова в экранизации романа Симонова «Живые и мертвые», в чьих «стылых, сжавшихся в мучительные точки глазах — боль всей страны».

Возможно, для Товстоногова более всего была важна именно эта «гуттаперчевость» лица Лаврова, которое, не преображаясь под воздействием грима, накладок и прочих ухищрений, тем не менее обретало совершенно неизвестные черты.

Однако, что было хорошо для мэтра, могло не устраивать зрителей. Народ не хотел видеть Лаврова «отрицательного». Как писала Лаврову одна его поклонница — учительница, возмущенная ролью композитора Пахульского — зловещего завистника Чайковского, сыгранного им в фильме «Чайковский»: «Я на Ваших положительных героях детей воспитываю, а Вы зачем-то стали отщепенцев разных играть!»

Газеты пестрели заголовками вроде «Народному артисту — доверие народа!». Легендарной стала история о том, как не разрешили Лаврову — идеальному исполнителю Ленина, играть Николая Второго. Народ хотел только «хорошего» Лаврова. Такого, как мужественный Башкирцев в фильме «Укрощение огня» и его прототип — легендарный академик Королев.

Именно этого опасался Товстоногов.

Но и мудрый Товстоногов не «уберег» Лаврова от напасти иного рода — актеру до сих пор крайне тяжело пересилить расхожий стереотип восприятия его как актера. Ведь прежде всего Лавров ассоциируется с вождем мирового пролетариата. Хотя, казалось бы, в количественном соотношении Ленин отнюдь не доминировал в его творчестве — всего два спектакля и два телефильма. И все же в массовом сознании произошло слияние Лаврова-актера, играющего Ленина, и Лаврова-депутата, сидящего в зале Верховного Совета или принимающего страждущих (кстати, по признанию самого Лаврова, на эти приемы он, переживая свою практическую беспомощность, шел как на Голгофу). Лаврову постоянно поминают Ленина, словно актер советского театра был волен выбирать роли. И даже вспоминают анекдот: «Вошел в роль и так и не вышел».

Ответы Лаврова в таких случаях звучат достойнее вопросов: *«Играл и нисколько об этом не жалею, наоборот, очень рад, что в моей жизни была такая роль. Потому что считаю Ленина все-таки весьма значительной фигурой в истории XX века. А сейчас сыграл бы с еще большим интересом»*. В этом ответе весь Лавров — не открещиваясь от прошлого, принимает настоящее.

А в настоящем на сцене руководимого Лавровым БДТ идет спектакль «Федра» Расина, сочетающий чувственность и «высокий штиль» древнегреческой трагедии. Спектакль, чья эстетика, казалось бы, невероятно далека от «эмпирической» эстетики Лаврова. И все же, по признанию Лаврова, «Федра» его завораживает: *«Сколько бы раз я ни смотрел этот спектакль, он не надоедает. Эта вещь действует на какие-то трудноопределимые струны моей души, на мои эстетические представления о времени, о трагедии, об актерском мастерстве. Я как профессионал искренне завидую актерам, ведь они получили неожиданную возможность попробовать себя в чем-то совершенно ныне неведомом»*.

...Не умаляя актерского таланта Лаврова, надо отметить, что его уникальность — в органичном сочетании взаимоисключающих величин. Как можно было быть принципиальным в эпоху тоталитаризма, говорить правду, причем в условиях противопоставления общему мнению, не скрываться за спасительным молчанием, характерным для интеллигенции (не буди лиха, пока оно тихо)?! Лавров мог при всесильном Романове в одиночку встать и выступить поперек его директивы, поперек тремстам голосующим «за мудрое решение партии». И в то же время оставаться не просто любимцем обкомовцев, но и человеком, к чьему мнению должно прислушиваться.

Когда на легендарной партконференции изничтоженного Ельцина чурались, как прокаженного, Лавров из принципа демонстративно подошел к нему. А известная всему театральному миру история с отказом занять место тогда еще здравствующего Товстоногова (Лавров вообще, как громоотвод, часто отводил беды от БДТ)! С одной стороны, отказ Лаврова был элементарен, на уровне инстинкта самосохранения успешного актера — кто же будет кусать руку дающего? С другой стороны, им руководило и полузабытое понятие — порядочность. Именно порядочность заставляла на партийных мероприятиях связывать наличие ленинградских коммуналок с «моральным оскудением общества». Лавров произносил эти слова с высоких трибун.

Что же, Лавров не боялся? Думается, боялся, как и все. Что такое страх — липкий, туманящий разум, коверкающий человека, — Лавров знал. И это знание выразилось в гоголевском Городничем, чье воплощение в «Ревизоре», поставленном Товстоноговым, оказалось столь же нетрадиционным, как и образ Молчалина.

**«Кирилл Лавров, пренебрегая надоедным театральным каноном, сыграл Городничего моложавым, динамичным, умным, но неспособным совладать с неожиданными приступами панического ужаса и трусливой запальчивости. То и дело теряя самообладание, срываясь на истошный крик, Городничий — Лавров изрыгал гневные вопли, проклятия, брань. Немыслимо было предугадать, когда, в какой момент, почему начнется и когда — столь же неожиданно — уймется извержение этого титанического темперамента» (*Рудницкий К.* Театральные сюжеты. М., 1990).**

**«Со школьных лет мы знаем гоголевского Городничего как человека трусоватого, изначально ограниченного и в этой бурбонской ограниченности и плутоватости — смешного. Но вот благодаря Лаврову возник перед нами новый Антон Антонович — эдакий растерянный тяжелодум, для которого**

**случившееся в подведомственном ему городке обернулось целой душевной драмой» (*Цимбал С.* Он сам и многие другие // Театр. 1975. №10).**

Советская критика любила рассуждать об идеализме, присущем ролям современников Лаврова — от конструктора Андрея Башкирцева в «Укрощении огня» до исправившегося вора-рецидивиста Лехи Лапина в фильме «Верьте мне, люди!».

Однако этот «идеалист» и «кремлевский мечтатель» сегодня говорит о том, что его все больше поражает провидчество Босха, рисовавшего страшные картины ада, и что он видит именно апокалиптические ужасы, касающиеся человечества как такового, потому что сейчас в полную силу проявляется зло, всегда дремавшее в человеке. Так, пожалуй, дремало зло в Соленом, в этом претенциозном пехотном капитане, в одночасье ставшем убийцей.

**«Фиглярство Соленого может сначала показаться банальностью наизнанку. Но это не так. Лавров не только не высмеивает своего Соленого, а даже не дает зрителям ни одного повода посмеяться над ним. Глубочайшая серьезность, собранность, подтянутость, отличная офицерская выправка, гордая поза отчужденности…**

**Он страдает оттого, что ему бесконечно нравится моральный климат прозоровского дома, оттого, что ему завидно мила необычная и непривычная красота интеллигентской, чистой и благородной жизни, оттого, что проникнуть в эту жизнь, войти в нее как равный, он не может.**

**Он напрягает все свои силы, чтобы дотянуться до остальных, при этом пыжится, глупо и напряженно острит, нарывается на неприятности, задирает барона и с аффектацией говорит о любви, хотя вряд ли влюблен, возбуждает в себе ревность, хотя вряд ли ревнует…**

**Лавров впервые обнаружил в поступках Соленого логику, диктуемую ситуацией отверженности. Разрушителем, дуэлянтом, убийцей Тузенбаха он стал только потому, что его не поняли и не пригрели. С ним не поделились духовным богатством, без которого, оказывается, и Соленому жить невмоготу» (*Рудницкий К.* Возвращение Чехова // Театр. 1965. № 3).**

Кажется неслучайным, что еще в 1988 году на одном очередном съезде партийный атеист Лавров едва ли не первым заговорил о пересмотре отношений к Церкви. И при этом признается, что, хотя его душа и требует высшего, духовного, считать себя по-настоящему религиозным человеком не может: *«По натуре своей я — абсолютный практик, напрочь лишенный способности к теоретизированию. У меня для абстрактных разговоров нет ни образования, ни времени, ни склонности, я к тому попросту не приспособлен»*.

Наверное, поэтому едва ли не единственный раз Лавров стал Иваном Карамазовым, чья «трагедия — трагедия интеллекта» (Иван Пырьев).

Да, казалось бы, Платонов, Синцов, Городничий — абсолютно разные у Лаврова. Да и что может быть общего между опаленным войной коммунистом и раздавленным страхом провинциальным градоначальником Сквозником-Дмухановским?

И все же — это люди, как они были придуманы и как были воплощены Лавровым. Они несли в себе единое начало — эмпиричность. Их жизнь укладывается во вполне осязаемые действия. Не таков Иван Карамазов, один из самых противоречивых образов русской литературы.

**«Герой Достоевского сжигает себя на костре исступленно взвинченной мысли и вместе с тем внутренне расколот, заживо раздираем ненавистью и состраданием.**

**Иван — Лавров загадочен и непроницаем. Можно лишь догадываться о сложности внутреннего мира. Лицо — аскета и подвижника. Настолько сосредоточен на мыслях, его обуревающих, что внешний мир проплывает перед его взором расплывчатым пятном. Но вот на какую-то брошенную вскользь реплику Карамазова он вдруг резко поворачивается — и ненавидящая, чуть мефистофельская улыбка кривит рот, сползает по уголкам узких, крепко сжатых губ. В напряженнейшем разговоре-объяснении с Катериной Ивановной что-то жуткое, почти безумное сверкает и гаснет во взгляде его потемневших голубых глаз...» (*Яснец Э.* Кирилл Лавров. Л., 1977.)**

Этот человек, всю взрослую жизнь исполняющий множество самых разных функций — от актера, художественного руководителя до мужа, отца и деда, оказывается, прожил жизнь «наедине со всеми». Ибо жил с ощущением того, что все вмешательства в жизнь человеческую продиктованы любопытством, а по-настоящему помочь никто не может, и в результате человек оказывается один на один с собой. Лавров очень много понял про человека, и, казалось бы, не осталось у него никаких иллюзий. И поэтому удивительно пронзительно звучат слова Лаврова по поводу его последнего спектакля «Перед заходом солнца»: *«Этот старик, Гауптман, так точно знает и чувствует человека, перешагнувшего определенный возрастной рубеж. Мне мало надо было фантазировать и очень легко было соединить то, что написал он, с тем, что происходит со мной. Ощущение неизбежно приближающегося окончания спектакля, именуемого жизнью, и ощущение того, что каждый человек подходит к этому абсолютно одиноким. Не потому, что у него нет друзей, родных, близких. Просто, вероятно, в силу заложенных Господом Богом психофизических законов каждый умирает в одиночку. Все это так не ново, так повторяется из поколения в поколение, но от этого проблема не уходит. Смена поколений, то, что идет на смену принципам и законам, по которым жил всю свою жизнь я, — все это рушится, приходит другое. От понимания этого не делается легче. Борьба бессмысленна, а не бороться нельзя, поэтому, наверно, в результате Маттиас Клаузен и приходит к Марку Аврелию и принимает «сахар с запахом горького миндаля»...»*

«Борьба бессмысленна, а не бороться нельзя» — в этом Лавров 1990-х... Казалось бы, и великие спектакли Товстоногова, и роли Лаврова в них уже давно покрыты благородной патиной истории. Поколение 30-летних не видело Кирилла Лаврова в ролях, составивших ему народную славу: умного карьериста Молчалина, излишне прямолинейного Нила из горьковских «Мещан». Изредка по ТВ можно увидеть Ивана Карамазова в пырьевском фильме по Достоевскому. Кому-то повезло увидеть Лаврова в роли мерзкого старикашки-крохобора Костылева в последнем спектакле Товстоногова «На дне». Лишь однажды возобновили легендарного «Ревизора»...

И, казалось бы, Лавров потерял надежду на творческое счастье, которое для актера было *«главным образом связано с Товстоноговым. Ощущение какой-то удивительной причастности к тому процессу, который мог создать во время репетиций Георгий Александрович. Когда получалось то, что он хотел, и когда он уже заражал меня и всех, и когда это начинало каким-то образом получаться, — это было оно самое, счастье».*

Он пытается еще раз обрести это актерское счастье, играя вот уже больше десяти лет Президента в «Коварстве и любви» Шиллера и, конечно, Маттиаса Клаузена, что «перед заходом солнца» своей жизни переживает любовь и предательство: *«Учитывая то, что эта обуза под названием БДТ последние 10 лет очень много занимала меня, я просыпался с думами о том, что будет сегодня. И только когда я взялся за Гауптмана, он постепенно отвлек меня, и я стал думать о своей профессии, об этой роли и обо всем, что с нею связано. Я почувствовал, что занимаюсь своим делом. Я снова ощутил жизненный интерес».*

**«Лавров играет Президента так интересно и так глубоко, как он играл у Г.А. в свои лучшие годы. Он играет властолюбие, поработившее и опустошившее некогда свободную душу. И он играет искаженную страсть, отцовскую любовь прожженного политикана. Перед нами совсем не потомственный аристократ.**

**Президент Лаврова вышел из тьмы, он сделал головокружительную карьеру. Как то случалось в добрые старые времена, Лавров не очень-то понятными путями дает увидеть предысторию своего персонажа. И совсем не понятно, как он играет финал: пронзительно, но не переходя на крик, и очень грустно, и потрясенно. И эта нотка грусти, чудом пробившаяся в одеревенелую речь, становится трагической кульминацией, очищающим катарсисом спектакля» (*Гаевский В.* «Коварство и любовь»// Московский наблюдатель. 1991. № 2).**

Тема ухода Лаврова с поста художественного руководителя БДТ вот уже несколько лет как стала притчей во языцех. И то, что Лавров пребывает в перманентном состоянии ухода, — характерно для него самого, постоянно раздираемого сомнениями. Но Лавров действительно стал заложником своей любви к родному театру и обостренного чувства ответственности. Он говорит, что устал искать идеального преемника, чтобы передать ему сохраненные им, Лавровым, традиции БДТ, устал бояться совершить ошибку и тем самым разрушить собственный театр.

Сам же Лавров выражение, адекватное его сегодняшнему состоянию, ищет в восточной философии, согласно которой человек проживает четыре этапа. Первый — это, естественно, детство. Второй — познание. На третьем этапе человек должен отдать обществу знания и духовный опыт, накопленный с годами. И наконец, четвертая ступень развития — это когда человек, закончив активную деятельность, посвящает свою жизнь созерцанию.

Лавров говорит: *«Один человек мне как-то сказал: «Вы лишили себя четвертого этапа и застряли в третьем». И это так. А я очень хочу просто созерцать»*. Он уже давно внутритеатральным коллизиям предпочитает что-нибудь несуетное — тихонько возиться с деревом на дачном верстаке, предвкушая воскресные семейные обеды, гулять с внучкой Олей, которая обожает своего мягкого и сентиментального деда.

Но, пожалуй, наиболее точно нынешний духовный разлад Кирилла Юрьевича Лаврова в свое время выразил Виктор Астафьев: «Слышал... ты хочешь уйти... Как же будешь без маеты этой?..» К словам писателя, старого друга БДТ, Лавров всегда прислушивался. И кстати, чуть не единственный из столичной творческой интеллигенции, ничуть не афишируя свой поступок, зимой 2002 года полетел отдать последний поклон Астафьеву.

А без «маеты» у Лаврова действительно не получается.

Наташа Иванова

# Анвар Либабов

**Жил-был мальчик... Вот так сразу и скажу — история рождения клоуна, впрочем, зачем же только клоуна, клоунады вообще, обязательно должна начинаться словами: жил-был мальчик. И это оттого, что каких бы правильных и сложных книжек про клоунов умные люди ни сочиняли, им все равно никуда не деться от простого — все мы родом из детства. А уж клоуны — точно из особенного детства, находящегося в таких дистанциях с обыкновенным миром, что и после их не перекрыть — хоть в полете, хоть ползком.**

Короче, жил-был мальчик. Жил он на неком полустанке Среднего Урала. Был у него папа — путевой обходчик и мама — домохозяйка. Еще — старшая сестра. Мальчик был подслеповат, но ни он, ни кто другой об этом не догадывался. Мальчик был лопоух, худ, некрасив и смешон — об этом не знал только он. При рождении мальчику дали татарское имя Анвар, но русская глухая провинция непохожесть не жалует — и все его звали Саша.

Но все это сущий вздор, потому что любое детство, и клоунское тоже, состоит не столько из драм и страхов, сколько из счастья и побед.

В то время, когда весенний рассвет только поднимает голову, папа запрягал бричку, забрасывал в нее полусонного Анвара-Сашу, пса, ружье и, пли! — охота! охота! охота! Там — забавы мужские, жизнь взрослая, и у Анвара сердце подпрыгивает в предвкушении скорого участия в ней. Но всякий раз подпрыгивающее сердце успокаивается сном и пробуждение, омытое горькими слезами, случается лишь с последними выстрелами.

Впрочем, вышеописанная история с нечаянным засыпанием повторялась и после, однажды даже став завязкой спектакля. Дело было во Франции. На берегу красивого моря в маленьком домике на колесиках Анвар сладко спал, разглядывая сны. Но, проснувшись, обнаружил себя запертым.

— Я проспал свой выход на сцену! — воскликнул он в отчаянии и, на всяких языках моля о помощи, начал раскачивать караван и биться о его стены.

Хохот собравшихся зевак скоро перевел отчаяние в спасительное искусство, а незадачливость закрепилась постоянной репризой.

Однако разговор шел о детстве, где большие пуговицы из маминой швейной машинки крутились пластинкой из патефона и тоненько шипели голосом Анвара: тына-тына-умар-тына. И где студеным осенним вечером встречали коров с пастбища, с запинающимся восторгом грея ноги в лепешках, что те оставляли после себя.

Радиоприемник был магическим миром, который населяли маленькие человечки. И не однажды фантазии заставляли выкручивать радиолампы, чтобы после долгого и пристального — не мигнув, вглядывания в них, рассмотреть певунов и плясунов.

А уж в плясунах Анвар знал толк! Да и как же ему не знать, если сам был таким? Поводом для танцев обыкновенно были домашние праздники. А в глубинке что ж за праздник без гармошки? И когда все песни спеты, подвыпившая душа требовала еще чего-то этакого, с заковыринкой.

— Анварка, давай!

И, чувствуя, что начинается его игра, Анварка «давал». Под растяжку мехов гармошки завязывался Анваркин абсурдный танец. Лишенный смысла и не затянутый в форму. Поперек ритма, нелепо ломаясь и дергая тщедушным тельцем, он топотал и перебирал ногами.

— Хватит! Хватит! — кричали гости, утирая слезы.

Куда там! Его искусство было высоко и не желало отдыха. Одно было странно — отчего оно вызывает безудержный смех?

Как-то похожий танец сплясал на елке для детей начальников. Услышав музыку в здании вокзала, «надышал» в окошке дырочку для глаза, а глаз высмотрел сказочную елку с гирляндами и рядом — живого Деда Мороза. В том запретном мире танцевала красивая девочка в белом. А Дед Мороз дарил ей конфеты. И Анвар решился.

— Пойдем, я тоже станцую, и Дед Мороз даст мне конфетку, — потянул он сестру.

— Я стесняюсь, туда нельзя, — отнекивалась та.

Все-таки они попали вовнутрь.

— Дедушка Мороз, давайте я вам спляшу, — смело сказал Анвар. И, сбросив шубейку, в валенках, без музыки, страшно волнуясь, засучил ножками и затрясся.

Сколько он там плясал — неизвестно, но за танец Дед Мороз вручил Анвару две конфетки, одна из которых была честно отдана пунцовой от стыда сестре.

Здесь добавим, что сестра порой сама была зачинщицей его спектаклей. Как в истории с пожаром.

Взрослые пацаны пошли печь картошку в лес, а малышей не взяли, научив:

— Там скирда стоит, разройте под ней ямку, положите картошку, а сено подожгите. Картошка быстро спечется.

Что Анвар с дружком умело сделали. Но зачем-то скирда как заполыхала! Идущие мимо женщины как заверещали! Поджигатели, обжигаясь крапивой, нырнули в канаву и по ней смылись с места происшествия.

А дома — сестра, в окно смотрит.

— Пожарные приехали, в поле что-то полыхает, гарью пахнет, — говорит.

А через какое-то время задумчиво добавляет:

— Сарай сгорел. И две скирды сена — весь наш запас, что отец накосил.

— Слушай, — в страхе прошептал Анвар. — Это я поджег. Мне теперь влетит.

— Давай скажем, что ты умер, — вдруг глухо сказала сестра.

— Как это умер?

— Ляжешь, я накрою тебя белым полотенцем и буду оплакивать.

Анвар, напуганный предстоящей взбучкой, был готов на все. Лег на кровать, а поверх белого полотенца руки сложил. И даже глаза закрыл. Слышит — кто-то идет. Один глаз приоткрыл — а это пожарный в военной форме, с ним — мать и отец, которого трясет от ярости.

Сестра же сидит над поджигателем и рыдает:

— Анварка умер. Рассказать вам ничего не сможет.

Вдруг пожарный говорит:

— Мальчик, очнись! Тебе ничего не будет.

— Правда ничего не будет? — открыв оба глаза, спросил Анвар.

— Слово даю, что не будет.

Тогда Анвар воскрес — ведь военные такие благородные и честные люди! Кто в фуражке и кителе — те добрые милиционеры Дяди Степы. Впервые приехав в город, он уже его видал живого — постового с палочкой. Мама, ругаясь, оттаскивала сына за руку, а Анвар, разинув рот, в остолбенении таращился — надо же, Дядя Степа машет палочкой и все машины подчиняются ему.

Правда, и первое детское разочарование мальчика с полустанка было связано с формой. На станции часто стояли составы — солдат на целину возили. И мальчишки носили им в свисающих рубахах помидоры, яблоки, меняя на значки, кокарды, пилотки. Однажды солдаты обманули — набрали яблок, а взамен дали лишь одну звездочку.

Ну а чем закончилась история с твердым словом пожарного — сами догадайтесь.

Хотя всякий ребенок к обману скоро привыкает, и обман перестает быть удивлением. И постепенно маленькие люди становятся простодушными обманщиками.

Когда Анвара отдавали обучаться игре на баяне, то сперва купили баян. Продавец пришел в дом сам — отлично сыграл, немало выпил, хорошо закусил и был таков. Потом оказалось, что треть клавишей хрипит. Видать, баянист лихо нажимал на кружочки, избегая сломанных.

Впрочем, для будущего клоуна запах канифоли был привлекательнее баянных клавишей. Поэтому, приходя на класс баяна, он выкидывал ноты и отправлялся заниматься радиоделом.

Но сейчас не об обмане — о драме.

Раз по весне в огороде случился какой-то детский интерес — то ли ручейки пускали, то ли кораблики по воде. Наш герой так заигрался, что засосало его в чернозем. От страха он закричал, заплакал — погибель пришла. Вдруг зареванный глаз воткнулся в стоящих за забором родителей. И что поразительно — они хохотали в полный голос.

Что одним — трагедия, то другим — смешно.

После его вытащили. Сапоги остались в земле.

А в одно прекрасное время случился день, в который Анвара впустили в другую жизнь.

До этого дня никому в голову не влетало, что мальчик плохо видит. Спотыкается, падает — просто рассеянный. У самого какое было восприятие? Сестра старше — она и видит лучше. Вырасту — и стану видеть лучше. Она выше — так и я вымахаю. Буду старше, выше, сильнее, и зрение улучшится.

В общем, незадолго до школы мальчика отвезли к окулисту. И когда доктор надел ему очки, то мир мгновенно приобрел новые очертания. Стал гораздо меньше и четче.

— Как хорошо я вижу, — разглядывая свои руки, сказал Анвар.

Потом, осмотрев кабинет, увидел плачущую маму, возбужденно повторил:

— Как хорошо я вижу.

— Попробуем еще вот эти линзы, — говорит доктор.

— Я еще лучше вижу.

— У вашего сына скверно со зрением, — обратился доктор к маме. — Я выпишу рецепт, но боюсь, очки в райцентре будут готовы только через полгода.

— Так отдайте мне очки, которые я мерил, — плача, умолял Анвар.

А потом, когда очки появились, тайком от родителей стал их прятать — дразнили очкариком. Он и так был нелеп в вещах на вырост — откровенно сильно подшитых штанах, в пальто на два размера больше, шапке, съезжающей на глаза.

Школа дала первое ощущение того, что смешон. И первое стеснение своей непохожести.

В детстве все хотят быть похожими.

Постепенно он научился представлять себя театрализованным персонажем в игровом мире, хотя делать актерство профессией не собирался. Стеснение же совсем ушло, когда стал человеком публичным. Когда осознал — очки, оттопыренность больших ушей, сутулость и стать «жертвы Бухенвальда» — это фактура.

Несмотря на этакую стать, в школьных театральных опытах его зачастую определяли на роли толстяков. В первом спектакле — «Р.В.С.» Аркадия Гайдара — он играл попа.

Из картона вырезали крест, напялили рабочий халат, а под халат засунули подушку. Картинку испортил пионерский галстук, позабытый попом на шее. Еще как-то, обложившись подушками, играл шар. А толстая девочка — точку.

Позже, уже в Ленинграде, получил замечательный комический опыт выступления в составе ВИА на конкурсе художественной самодеятельности, который проводился в Доме творчества на Рубинштейна.

«Над землей летели ле-е-е-е-е-беди», — ладно заливалась вокальная группа девочек под слаженный аккомпанемент мальчиков. Внезапно возникла проблема. По имени ударник Либабов. В действительности незадача была в том, что Анвару не повезло с излишком длинной концертной рубахи. Ее плечи доходили до локтя и там встречались с атласными рукавами, засученными тоже аккурат до локтя. Они без конца распускались. Поправляет — сбивается с ритма. Сбивается с ритма — пытается его догнать. Догоняет — рукава распускаются.

Зал, повизгивая, радостно надрывал животы. А за кулисами маячило грозное лицо руководителя.

И зря — ВИА отметили за хороший комический номер.

Но как бы то ни было, в артисты Анвар никогда не собирался. Более того, семейный совет постановил — отпрыску, окончившему восьмилетку, необходима хорошая профессия. Хорошая — значит либо пчеловода, либо коневода, либо зоотехника, либо ветеринарного фельдшера.

Профессия фельдшера показалась заманчивее — люди уважать станут. Не споря, Анвар покорно собрал чемоданчик, сел в проходящий поезд и уехал в Троицк. Где более чем благополучно — с отличием — закончил техникум.

Шел парнишке в ту пору восемнадцатый год. Жажда странствий иссушивала, яркий свет окон загадочных дворцов с позолоченными залами тянул, пригрезившиеся звуки большого города отстукивали — поезжай.

Одним словом, случилась классическая история — мальчик из провинции отправился за знаниями в столицу.

Выбор пал на Ленинград.

Синие клеши, желтая рубаха, ботинки на платформе, длинные волосы и авоська в руках. Получив талон на поселение, поехал в общежитие — бывший публичный дом. С девочкой, которая тоже техникум с отличием закончила. За окном троллейбуса — чужая жизнь, наполненная незнакомыми ароматами, спешащая, пульсирующая, красивая и такая вожделенная!

И Анвар на троллейбусе въезжает в этот прекрасный мир.

— Смотри, Невский, — кивнув на воду, говорит он подружке.

— Нет, молодой человек, это набережная Фонтанки, — вежливо объясняет какая-то интеллигентная бабуля.

Ему было невдомек, что Невский — вовсе не набережная Невы. Вечером того же дня, заблудившись, вышел на ее набережную. Народу — тьма, и вдруг ка-а-а-а-к жахнет! Но испугался напрасно. То был салют.

Так в 1977 году Анвар впервые увидел салют. А через месяц, хотя с салютом это никак не связано, поступил в Ленинградский ветеринарный институт.

Как всегда денег катастрофически не хватало. Но студенты в институте были замечательно ушлыми и, найдя хорошую работу, всегда передавали ее друг другу. И он работал сторожем, дворником, даже клей размешивал на фабрике «Скороход». А потом весьма кстати освободилось место гардеробщика в ДК Капранова. Анвар к тому времени уже был заядлым театралом — сам играл в студенческом театре и поэтому, конечно, пересмотрел весь репертуар. Но поразила его пантомима — особенный, элитарный, непостижимый жанр.

Любовь случилась внезапно. И Анвар пропал. Это был 1979 год. Театр «Эксперимент». Спектакль ансамбля «Лицедеи». Открытие, восхищение, потрясение читались как Слава Полунин, Саша Скворцов, Коля Терентьев, Феликс Агаджанян и Галя Андреева.

Страсть к «Лицедеям» стала болезнью. С одержимыми тем же недугом по окончании спектакля торопились в соседний подъезд, взбегали на второй этаж и через окошко вглядывались в улицу — ждали, когда выйдут «Лицедеи». Притворясь пешеходами, провожали до метро, с пьянящей радостью и восторгом вслушиваясь в их разговоры — какие планы, куда собираются. Смотрели все и на всех сценах, где бы «Лицедеи» ни выступали.

С Сашей Бачмановым, который теперь в Филадельфии занимается академической наукой, Анвар организовал кружок пантомимы при студенческом театре. На двоих. Выучив наизусть лицедейский репертуар, разыгрывали сценки по их образу и подобию. Эрзац-лицедеи имели особенный спрос в деревнях, куда товарищи приезжали в составе студенческой агитбригады.

В конце концов удача подмигнула Анвару и он поступил в студию к Александру Скворцову, откуда сбежал к Полунину. Из той студии при театре «Лицедеи» вышли Наташа Фиссон, Наташа Пивоварова, Антон Адасинский, Леня Лейкин, Витя Соловьев.

В Ленинград, совсем как в «Лицедеев», уже был влюблен накрепко. Изменить ему не представлялось никакой возможности. Но вдруг — диплом ветеринара. Распределение. Выбрал Калининскую область. Отправили в колхоз имени Мичурина. Места красивые, но глухомань жуткая.

А в Ленинград и театр приезжал по любому поводу. Однажды твердым голосом сообщил председателю колхоза, что поступает в Институт культуры.

— Ты ж главный ветврач колхоза, — начал было председатель, — зачем тебе учиться на культуру?

«Клуб тебе отскреб, свет провел, звук поставил. Из города зеркальный шар привез, и такую цветомузыку на новогодний вечер устроил, что у всех был шок. Снежный городок с фигурами, подсвеченными огнями клуба, построил, катальную горку поставил, а ты все толдычишь «ветврач», — подумал Анвар, но бодро произнес:

— Потому что я — сельская интеллигенция. Мы с учительницей и механизатором провели Новый год и Масленицу.

— Да-с, ваши занятия клубной деятельностью только на пользу колхозу, — поскреб в затылке председатель.

— Что на пользу — уж точно. Может, и направление от колхоза на учебу дадите? — быстро вставил Анвар.

— Ладно. Но только на заочную форму обучения.

В итоге получил направление и даже сделал какие-то липовые справки. Не хватало лишь фотографий 3×4. Ничего страшного — из большой вырезал маленькую. Но в нужный размер не влезли уши. Пришлось отдавать в приемную комиссию без ушей.

Поступив в институт, завис в городе — друзья, театр, жизнь, одним словом. Справку, оправдывающую прогулы, смог достать только через знакомых из КВД. Ее текст гласил, что у Либабова А.З. аллергические явления на цитрусовые.

Но сперва пришлось натереть ноги солью, чтоб в КВД поверили — экзема действительно в наличии.

В поезд, везущий обратно в колхоз, приковылял на костылях, прихрамывая на забинтованную ногу, — вдруг односельчан встретит? Сердобольные соседи уступили нижнюю полку.

В итоге, опять проспав, теперь — свою станцию, он лихо вскочил и, схватив костыли под мышку, бодро побежал выгружаться. Спрыгнув на платформу, разглядел ошарашенные лица попутчиков, удивленных быстрым исцелением пассажира. А тут — односельчане навстречу. Пришлось встать на костыли, но в спешке перепутал здоровую ногу с больной — стал не на ту прихрамывать.

Жил он в доме бабки Максимихи, черты которой после как-то чудно проявятся в лицедейском образе Анваровых бабулек. Занятная была старушка.

По приезде сидит Анвар на завалинке, почесывается — ноги, натертые солью, еще долго зудели.

— Анварка, а че ты тут делаешь? — бархатным голосом спросила Максимиха.

— Так делать нечего, телевизор не работает... — ответил не подозревающий подвоха Анвар

— И то верно. Лампы у его сядут. Вот скоро «Время» кажут — так включу. А че чешесься-то?

— Так аллергия у меня. На цитрусовые.

— Какие такие цитрусовые? — подозрительно спросила Максимиха.

— Да апельсины там, мандарины.

— Знаем мы ваши лергии, — недоверчиво сощурилась Максимиха.

И на всякий случай отселила на неделю Анвара в сарай, раструбив на всю деревню, что у него почесуха.

А муж ее, привычно куря махорку, покашливал, задумчиво смотрел на Анвара и все приговаривал любимое: «Эвоно как».

Пугал Анвар деревенских не только почесухой. Чтобы не потерять навыки техники пантомимы, он, натягивая трико, уходил к лесу за кладбище и там занимался. И вот изображает он волну, стенку, решетку, канат, ходит против ветра, а мимо бабуля — шмыг. Прибежала в деревню и как раскричится:

— Бабы, там врач наш в черном одеянии весь корчится!

— Могет, с ним падучая случилась? — зашелестели одни.

— Могет, умом тронулся? — запричитали другие.

— А может, сектант? — засомневались третьи.

Но скоро он перевелся поближе к Ленинграду — в молочный комплекс «Лаврики». Интереса к театру не потерял, каждые выходные бывал в городе. Но «Лицедеи» часто и надолго уезжали на гастроли. Анвар оказался в отрыве от театра, хотя к творческой деятельности тянуло.

И он занялся наукой. Фармакологией. Его шеф, главный врач, ко всему передовому относился положительно. Новаторство приветствовал. Следовательно, у Анвара была широкая дорога для научных экспериментов. Он почти накопил материалы для диссертации.

Раз, прочитав статью про новое поколение какого-то лекарства типа пептиды, вместе со своим научным руководителем, доцентом ветеринарного института, Сашей Светковским, поехал в Москву в лабораторию кардиологического центра. Вырядились в старые пиджаки, широкополые шляпы, взяли ридикюли и в образе киногероев пятидесятых годов заявились в лабораторию. Им выдали сухой препарат, но дома с порошком не заладилось...

Сперва пришло разочарование в науке, а после наступила перестройка. Вместе с предложением от Вячеслава Полунина бросить сельское хозяйство и прийти в театр работать.

Из «Лавриков» отпускали с трудом. При всей комичности и чудаковатости он был хорошим ветеринарным специалистом высшего звена. И, как говорится, с перспективой.

Профессиональная актерская деятельность началась с успешной поездки в Одессу. Первого апреля 1987 года на Дне смеха Анвар выступал с «Лицедеями». В уличной «Катастрофе» абсурдно комментировал действие. Одновременно на расстоянии вытянутой руки комментировал то же действие и Александр Филиппенко.

«Юморину» снимало телевидение. Он позвонил домой.

— А мы тебя в поселке смотрели по Центральному телевидению, — сказала сестра.

— Сынок, вернись в ветеринары, — заплакала мама. — Столько лет обучения, хорошая карьера. Такая хлебная и надежная профессия...

Дальше — обыкновенная работа театра — выступления, гастроли. Очень быстро накрыли своим талантом Запад. Да так, что Париж без устали полгода рукоплескал русским. Впрочем, немцы и французы скоро решили, что «Лицедеи» — их земляки.

До покорения Запада успели провести фестиваль уличных театров — «Лицедей-Лицей». Прежде Анвар уже участвовал в фестивалях, но занимался всем подряд, кроме выхода на сцену. Зато в программе «Лицедей-лицей» он реализовался по полной — в уличных акциях, в экспериментах, в перфомансах. Играли «Катастрофу» в нескольких местах — раз. Десанты по пригородам, вроде парада клоунов в Кронштадте, гала-концерта в Ломоносове или водной феерии в Сестрорецке — два. Маленькие смешные «Посекачи» в ЦПКО — три. Спектакль в фонтане Александровского садика «Путешествие вокруг света» — четыре. А еще шествие по Невскому проспекту и демонстрация клоунов.

Потом придумали «Караван мира». Хорошее было время, романтичное. Каждый на своей машине и со своим же прицепленным караваном — он же дом путешествовали по миру, останавливаясь в кемпингах, на побережье.

На обложках глянцевых журналов, на страницах черно-белых газет, на рекламных проспектах, афишах — физиономия Анвара. И не потому, что он главный «Лицедей». Наоборот — репертуара мало. Зато много уникальной внешности рожденного быть клоуном. Но это так, в сторону.

Летнее турне — зимнее турне. Фестивали-гастроли. Гастроли-фестивали.

Уж не почудилось ли России, что «Лицедеи» жили здесь?

И вдруг — ра-а-а-аз, и все изменилось. Выросшие дети взбунтовались и ушли от Славы. Вернулись домой.

Слава Полунин после эволюционного расхождения предлагал Анвару остаться с ним — отказался. В тревожное время, когда Лейкин с Кефтом отправились в цирк Du Solei, оставив театр с репертуарными пробоинами, которые сразу не заклеить, Слава опять зазвонил — и опять отказ. Звал в Англию — нет. Зовет и сейчас — Анвар не соглашается. Хотя благодарность учителю велика. И уважение не меньше.

Наверное, это патриотизм — родина, город, театр. Перемешанный с идеализмом. Где яркого идеалистического гораздо больше.

Скорее, просто детство не кончилось.

Когда ушли от Славы, в задоре доказывания всякому и якому, скоро сочинили великолепную «Безсолницу». И Анвар здесь стал уже заметен. Прежде он был выпукл лишь в уличных представлениях. И еще в давно улетучившихся «Снах».

В общем, сочинили «Безсолницу» — прорвемся! Дальше — «Доктора Пирогова». Театр, покинувший создателя, Станиславского от клоунады, легко запустился и начал набирать обороты. Как вдруг — это нечаянное вдруг — искушение. Приглашение в цирк Du Solei. Но не всех «Лицедееев» — только клоунов. Цирку требовались актеры, а в театре — службы, цеха. Даже не скрипнув зубами, отказались — театр главнее.

Новое приглашение. Дело кончилось тем, что Валера Кефт и Леня Лейкин подписали контракт с Du Solei. Думали, что только на год. Не случилось. Теперь они в Лас-Вегасе. В Цирке на воде. Это тоже Du Solei.

У Анвара два близких друга — Саша Бачманов да Валера Кефт. Нынче оба в Америке работают.

Было время, когда из-за этой Америки, скорее — из-за собственных представлений о чести актера и из-за своей любви — театра, Анвар не снялся у Леши Балабанова в «Счастливых днях».

Леша как увидел его, так сразу ладони причудливо выгнул, со стула привстал.

— Иллюзионист, — только и выдохнул.

Просто тогда его любимым фильмом был «Иллюзионист» Стерлинга. И Балабанов искал в «Счастливые дни» подобного иллюзиониста. Анвар оказался не то чтобы фигурой или лицом схож, а странностью, способом мышления. Но он уезжал на длительные гастроли в Америку.

В «Счастливых днях» замечательно снялся Виктор Сухоруков. После Анвар с ним же в балабановском «Замке»

**Сергей Курышев**

**«Клаустрофобия»**

**«Клаустрофобия»**

Петя Трофимов
**«Вишневый сад»**

**«Клаустрофобия»**

Копенкин — Сергей Курышев (*слева*)
**«Чевенгур»**

Ълатонов
**Пьеса без названия»**

Кириллов
**«Бесы»**

*Наверху*
В гримерке во время **«Бесов»:** Петр Семак,
Сергей Курышев и Галина Филимонова

Нина Заречная — Ксения Раппопорт,
Тригорин — Сергей Курышев
**«Чайка»**

алина Петрович — Сергей Курышев,
о жена — Вера Быкова
**Дом»**

**Кирилл Лавров**

Давыдов (*сидит справа*)
**«Поднятая целина»**

Катя — Людмила Макарова,
Слава — Кирилл Лавров
**«Пять вечеров»**

Иван Карамазов
Фильм
**«Братья Карамазовы»**

Соленый
**«Три сестры»**

*Наверху:*
Платонов — Кирилл Лавров,
Часовников — Сергей Юрский **«Океан»**

Молчалин
**«Горе от ума»**

Синцов
Фильм **«Живые и мертвые»**

Костылев — Кирилл Лавров,
Васька Пепел — Юрий Демич
**«На дне»**

Городничий
**«Ревизор»**

С дочерью Марией на даче

С сыном Сергеем

На репетиции спектакля
**«Ревизор»:**
Георгий Товстоногов,
Сергей Юрский, Кирилл Лавров

Эфраим Кэббот — Кирилл Лавров,
Абби — Елена Попова
**«Под вязами»**

Инкен —
Александра Куликова,
Клаузен — Кирилл Лавров
**«Перед заходом солнца»**

С внучкой Олей

**Анвар Либабов**

На Венецианском карнавале

*Наверху:*
На уличном фестивале

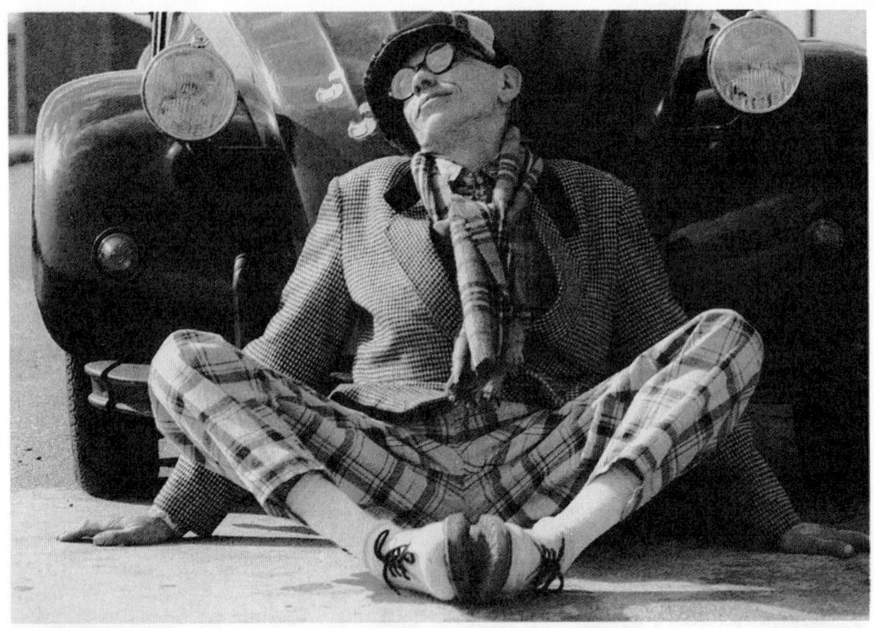

Портрет с машиной

В гримерке с «Лицедеями»
Маска «бабушка»

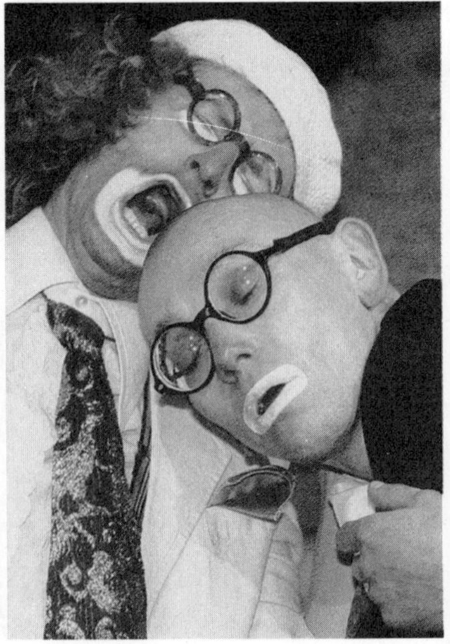

С семьей — дочерью Евгенией,
женой Наташей
и боксером Рэгги

С Валерием Кефтом

С Михаилом Шемякиным

«Лицедеи»

С Леонидом Лейкиным

сыграет роль Артура. И они разделят «Созвездие» за лучшие мужские роли второго плана. Правда, здесь съемки опять совпадали с гастролями.

Парадоксально, но Анвар в кино (может, пока?) не очень пригодился. Хотя наш кинематограф ленив, в нестандартное вглядывается долго. Справедливости ради скажем, что сейчас его пригласил Алексей Герман в «Трудно быть богом».

Сам мечтает о трагикомической роли. С абсолютным перевоплощением. Чтобы легкие ноты комического образа в начале фильма к финалу собрались в мощный трагический аккорд.

Ему бы удалось. Эскизно же в «Замке» получилось.

Пока Анвар выполняет функции ректора школы-студии при «Лицедеях». Кому-нибудь ведь надо этим заниматься. Тем более, что инициатива набора нового курса во многом принадлежит ему.

Может, это простая мечта вернуть дух студийности, нежелание расстаться с молодостью? Или идеализм? Или болезненное чувство ответственности перед театром, которое четыре года назад сподвигло его принять пост директора театра? Хотя теперь, когда дела «Лицедеев» более-менее наладились, он спрыгнул с директорского пьедестала. Понял, что и на сцене решает проблемы погрузки-разгрузки, дворников и сторожей.

Кстати, про пьедесталы, скульптуру и живопись. Важным человеком, который своим уважением к таланту Анвара помог тому крепче поверить в себя, стал Михаил Шемякин. Болтают, что художник, разглядывая Анвара, видит в нем свои ожившие работы. Всматривается, вслушивается в непохожесть того. Но уверена — Миша любит в нем и младшего брата. Короче, они дружат.

A porte — задумав в Мариинке «Щелкунчика», Шемякин на роль Крыселье — Короля Мышей полагал только Анвара. Почему не случилось? Правильно, репетиции совпали с гастролями «Лицедеев».

Анвара про Шемякина лучше не спрашивать:

— Что говорить? Это же Личность, Художник. И оба слова с большой буквы. Пояснения требуются?

Негусто, как говорится.

Они сдружились в Венеции, в тот год, когда Шемякин открывал там памятник Казанове. Анвар, летая, бродил Падшим ангелом.

Шемякин не любит, что называется, материальных подарков. Тогда Анвар задумал подарить Мише шемякинского же Петрушку, переведя застывшую бронзу в живую пластику. И на последний Венецианский карнавал явился в костюме Петрушки. Мучительно искал пластику — в маске работать сложно. Нашел ее ломано-изогнутой, близкой к графике Шемякина. Работал на рваном ритме, от очень медленного, плавного, до эксцентрического.

Если вы поинтересуетесь у Анвара результатом этого выступления, скорее всего, он ответит:

— Это не моя работа. Это — Мишина работа. Моим было только желание.

А Шемякин расскажет, какой фурор произвел Петрушка на фестивале. Как, хотя Петрушка не вполне вписывается в эстетику венецианских карнавалов, толпясь и толкаясь, его наперебой снимали все камеры мира. И какой шквал аплодисментов оглушил площадь Святого Марка, когда Анвар поднялся на сцену, представляя костюм:

— Михаил Шемякин. «Петрушка». Из цикла «Карнавалы Петербурга».

А ведущий, перекрикивая площадь, будет пытаться объявить:

— Россия.

Взрослый клоун любит эксцентричные старые машины — у него чуть ли не единственный в городе «Ситроен Чарльстон» и «Мини-остин». Думает покупать старого же «Фольксвагена-жука». И машину «Победа».

Собирает клоунов. В коллекции — больше ста штук.

По-прежнему обожает танцевать. Чаще — нон-стопом.

Еще у него дом в деревне Кикерино под Гатчиной, где бывает часто — воздухом дышит, в земле копается, садом занимается.

Жена, дочь и боксер по кличке Рэгги. Знакомые находят удивительное сходство Анвара с его псом.

Когда же вам померещится на крыше худенькая фигурка, спасающая котят, или, наоборот, из люков вытаскивающая собак, а пьяниц—из канав, как знать, может, это тоже будет Анвар.

Лариса Абызова

# Ульяна Лопаткина

Полюбившихся танцовщиц нынче все чаще называют звездами. Так говорят — и справедливо! — про Ульяну Лопаткину, хотя ее хочется величать на старинный манер — примой-балериной. Это звание (не важно официальное или нет) всегда много значило в русском балете и закреплялось только за избранными. То были не просто исполнительницы главных партий, балерины высшей квалификации. Здесь требовался особый артистизм, способность тронуть зрительские сердца, умение дать ролям свою неповторимую интерпретацию. Совокупность перечисленных качеств определяется кратко: индивидуальность и талант. Ульяна Лопаткина счастливо обладает этими достоинствами и по праву может считаться примой-балериной прославленной труппы Мариинского театра.

Поклонники Ульяны Лопаткиной видят в ее танце торжество классического балета, противники — упадок. Но и те и другие сходятся на том, что именно она является символом его сегодняшнего состояния. Парадокс не в единодушии разных сторон, а в том, что на место символа заступила балерина с качествами, ранее считавшимися не подходящими для классического танца. Высокий рост, длинные руки, ноги с большими ступнями. Таким ногам трудны искрометные pas, заноски, фуэте, нелегки и прыжки. Дарованные от природы данные лимитируют возможности освоения виртуозной партерной техники, создают проблемы с вращением. Однако, как показывают примеры легендарных балерин прошлого, именно технические ограничения побуждают истинных творцов к поискам собственных средств выражения. Так случилось и с Лопаткиной.

**В образе Павловой**

Неординарность Лопаткиной была замечена в школьные годы. Кроме того, ей просто повезло. Не каждому воспитаннику Академии русского балета им. А. Я. Вагановой удается участвовать в конкурсе учеников балетных школ — такие конкурсы достаточно редки. Ульяне посчастливилось, и на Втором всероссийском конкурсе имени Вагановой она завоевала первое место. Через год — успех на выпускном спектакле в «Тенях» из «Баядерки», и особенно в номере Джона Ноймайера «Павлова и Чекетти». Но как громко ни рукоплескал бы Петербург, звезд делает Москва. И в этом Лопаткиной вновь повезло. Очень кстати на сцене Большого театра случился бенефис Наталии Михайловны Дудинской, педагога Ульяны.

На фоне блестящих, но традиционных для академической сцены дуэтов и вариаций вставная новелла из «Щелкунчика» Ноймайера выделялась своей необычностью. В длящейся всего несколько минут миниатюре, показывающей ежедневный экзерсис, девушка со строгими, серьезными глазами не изображала великую предшественницу. Она передавала дух ее творчества, атмосферу и стиль петербургской балетной школы, но одновременно заявляла о себе.

В класс Ульяна входила, как в храм, где Учитель (его роль исполнял Вадим Десницкий, в действительности педагог Лопаткиной по дуэтно-классическому танцу) был не просто мэтром, а наставником-священнослужителем. Обязательный урок, урок, который танцовщикам суждено делать на протяжении всей жизни, обретал в интерпретации Лопаткиной и Десницкого красоту культового обряда.

Москва — со столичным максимализмом страстей — влюбилась в Ульяну с первого взгляда, и с тех пор ни один ее спектакль на сцене Мариинки не обошелся без внушительного десанта из Первопрестольной.

Казалось бы, такой дебют — прямой путь к главным партиям. Однако Лопаткина не потеряла ясности ума и не торопила судьбу. Она начала с кордебалета и маленьких сольных партий. Для танцовщицы не было проходных ролей, поэтому каждый выход на сцену запоминался: и вариация в «Пахите», и подруга Раймонды, и одна из Невест в «Лебедином озере».

Считается, что в начале пути Лопаткина медленно набирала обороты. Но это заблуждение, ведь в первый год она станцевала Жизель. Впечатление несуетного поступательного движения создавали несколько факторов: разборчивость в выборе ролей, тщательность их подготовки, отсутствие премьерского гонора. Артистка (редкий случай по нынешним временам), уже исполнявшая ряд главных партий, спокойно, без обид и истерик продолжала танцевать в кордебалете.

**На столетнем озере**

Дебют Лопаткиной в партиях Одетты-Одиллии окутан мистическим туманом, словно случился давным-давно, а не на наших глазах. О нем написано столько восторженных отзывов, что некоторые сами могут быть причислены к художественным творениям. Часто уже невозможно отделить правду от фантазий. Как, например, прикажете относиться к уверению, что почти все фотографии, сделанные во время спектакля, оказались засвеченными? А те, что уцелели, действительно похожи на снимки вековой давности...

В «Лебединое» Лопаткина входила постепенно — побывала на озере в четверке больших лебедей и на балу одной из Невест. Символично, что главную партию танцовщица впервые исполнила в год, предшествующий столетию постановки балета на Мариинской сцене. Одетта-Одиллия Лопаткиной появилась в день закрытия сезона — 6 августа 1994 года, и этот день уже вписан в историю театра.

Одетта-Одиллия... Самый загадочный образ балетной, а возможно, не только балетной сцены. Нет, Лопаткина не предлагает, как порой случается, отгадки. Напротив, две ипостаси непознаваемой женской натуры обретают у нее еще большую тайну. Партия стала одной из лучших в репертуаре балерины, и на каждом спектакле решается по-разному. Но главное было схвачено сразу, на том первом «Лебедином».

Одетту и Одиллию объединило нечто общее — самодостаточность и тема женского одиночества. Сейчас, по прошествии нескольких сезонов, такие качества воспринимаются столь естественно, что их приписывают самой балерине.

Хотя соотнести характер и судьбу Одетты со своей собственной едва ли реально для любой исполнительницы.

Одетта Лопаткиной живет в мире, где Ротбарт не столько злой волшебник, ее заколдовавший, но, скорее, знак внешних обстоятельств. Она не жертва и не мучается под гнетом, не ищет освобождения. Эту Одетту невозможно подчинить — даже не потому, что так крепок ее дух, а потому, что в мир, где она пребывает, нет доступа никому. Временами кажется, что лебедем она стала по доброй воле, а не по умыслу колдуна. Но если в ее закрытый мир нет входа силам Зла, то и Добру туда нет дороги. Зигфрид, как и Ротбарт, не в состоянии нарушить целостность границ.

Зигфрид появился. Испуг? Трогательная беззащитность? Нет, настороженность, сдержанный интерес и способность к отпору. Взметнулись руки. Крылья? И да, и нет. Теперь на сцене часто изображают лебедей почти натуральных. Лопаткина поймала суть — не лебедь, но и не девушка. Она — Одетта... И она — Ульяна...

Но вернемся к Зигфриду. Он все больше и больше увлечен Одеттой. А она? Да, отвечает ему, но недоверчиво, отстраненно. Клятва... «Не клянись, — говорит она, — не клянись». Она знает свою судьбу, но у нее нет страха остаться под чарами злодея, нет мольбы не предавать. Как трепетны и печальны pas de bourree, уносящие Одетту в призрачные воды озера...

Падает занавес, и весь антракт думается: как сможет Зигфрид забыть такую Одетту? Как-то справится со своей задачей Одиллия?

И вот она: Одиллия! Нет страстных взглядов, не летят искры из-под пуантов. Нет суеты, мишурного блеска, чувственной обольстительности. Это ли порождение Злого гения? Похоже, она — не его творение, не его дочь, любовница или соратница. Она — сама по себе, она — сама Демон, могущественный и беспощадный. Что же Ротбарт? Но был ли он на балу? Да-да, кажется, был кто-то рядом, но так — мелкий бес, вроде пажа. Не могла же дама явиться на приличный бал одна. А цель визита? Уж меньше всего — выполнить чужую волю или насолить Одетте. Утвердить свою власть над мужчиной — пожалуй, да. Но без восторга, без радости победы. Даже горчинка сквозит, что и этот, наверное, лучший из принцев поддался, не устоял. Впрочем, иначе и быть не могло. Спокойный и само собой разумеющийся триумф. Ведь она — Одиллия... И она — Ульяна...

Когда на своем первом спектакле Лопаткина бросила букет, он (случайно? или вправду под действием мистических сил?) не разлетелся по сцене зловещими искрами колдовского фейерверка, а попал в Зигфрида. Сколько длился эпизод — мгновение? Но казалось, остановилось время, рухнул мир — такая боль была в глазах Зигфрида — Александра Куркова, когда он отрывал и никак не мог оторвать от себя эти дьявольские, вцепившиеся в него цветы...

И снова Одетта... Предательство свершилось. Страдания, боль? Конечно. Но незыблем ее мир, нет ни отчаяния от краха надежд, ни проклятий. Впрочем, прощения изменник тоже не получает. Только печаль и мудрость достойно принять свой крест, свой жребий и судьбу. Доминантой становится не лиризм, а глубокий внутренний драматизм образа.

На спектаклях Лопаткиной особенно остро вспоминается бывший когда-то трагический финал. Собственно, этот финал и звучит у Лопаткиной, независимо от изображаемого согласно современному сценарию happy end.

**Краса гарема**

Две героини Лопаткиной — Зарема из «Бахчисарайского фонтана» и Зобеида из «Шехерезады» — живут в гареме, и обе гибнут по воле супругов. Есть и еще одна общность — хореографический текст не дает богатого материала и, чтобы тронуть зрительские сердца, требуется незаурядное актерское мастерство. Здесь очень к месту пришлось умение Лопаткиной внести в исполнение нервный драматизм и зафиксировать внимание зрителей на отдельном движении — взмахе руки, повороте головы, взгляде.

Красива ли Зарема Лопаткиной? Да. Но чтобы ответить на этот вопрос, нужно специально прокрутить в памяти «кадры» прошедшего спектакля. Во время действия об этом не задумываешься, поскольку артистка не делает ставки на внешность своей героини. Нет, не красота, не ум, даже не преданность делали ее Зарему любимой женой Гирея. Балерина рисует личность, равную по масштабу самому хану.

Если бы Зарема Лопаткиной заговорила, ее мироощущение исчерпывающе ясно определили бы строки Марины Цветаевой:

В мире, где всяк
Сгорблен и взмылен,
Знаю — один
Мне равносилен.

В мире, где столь
Многого хощем,
Знаю — один
Мне равномощен.

В мире, где все —
Плесень и плющ,
Знаю: один
Ты — равносущ

Мне.

Именно осознание своей «равносильности», «равномощности» и «равносущности» с Гиреем движет поступками Заремы. На первый план выходят не ревность, не трагедия преданной любви или утрата идеала. Нарушение «равноправия» заставляет ее свершить возмездие. Мария не вызывает у нее интереса, сострадания или гнева, она вообще не вызывает у нее никаких чувств. Разве Зарема карает изменившего любовника? Своим жутким поступком она восстанавливает равновесие мира, вновь вставая вровень с Гиреем. Из всех Зарем Мариинской сцены, пожалуй, только героиня Лопаткиной не жаждет перед казнью взгляда возлюбленного, принимая свой конец с удовлетворением исполненного долга.

Самобытная трактовка артисткой партии Заремы, скорее всего, родилась под влиянием внешних обстоятельств. Лопаткина очень чутко воспринимает спектакль в целом, хорошо чувствует партнеров. Найдись в сегодняшней труппе достойный любви Гирей и Мария, которую можно счесть за отнявшую счастье соперницу или за олицетворение неведомого мира с иным духовным началом, и Зарема у Лопаткиной была бы другой...

При некоторых общих красках Зобеида совсем не похожа на Зарему. В «Шехерезаде» Лопаткина показала редкую способность играть нюансами, деталями — и психологическими, и пластическими.

Поднимается занавес. Зобеида нежится с Шахриаром, и вдоль всего ложа — какой изумительный штрих, глаз не отвести! — тянется длинная нога Лопаткиной.

Казалось бы, все хорошо у этой влюбленной пары. Но Шахриар неожиданно встает, идет на середину сцены. Зобеида, ласкаясь, — за ним. Вдруг Шахриар резко отстраняется — еще не было намерения ехать на охоту, но он резко отстраняется — и это движение для героини Лопаткиной решает все. Она отшатывается и окаменевает. Мгновенную смерть любви артистка передает с потрясающей глубиной.

Во время отъезда супруга Зобеида стоит как изваяние: чувства не столько оскорблены, сколько вообще исчезли. Автоматически, сдержанно прощается с шахом, не требует, не просит, а спокойно приказывает евнуху впустить Раба. А дальше — как у Шарля Бодлера: «В твоих глазах ни тени чувства, /Ни тьмы, ни света, — / Лишь ювелирное искусство, /Блеск самоцвета. /Ты, как змея, качнула станом, /Зла и бездушна, /И вьешься в танце непрестанном, /Жезлу послушна».

Даже самый обольстительный из Рабов — Фарух Рузиматов не в состоянии пробудить ответной страсти героини Лопаткиной. Чувственность пластики балерина гасит внутренней холодностью. Оргия не ее стихия. Сдержанность жеста полностью отвечает установкам Михаила Фокина, видевшего задачу исполнительницы в том, чтобы добиться большой силы впечатления минимальными средствами: «Все выражалось одной позой, одним жестом, одним поворотом головы. Зато все было точно вычерчено, нарисовано. Каждая линия продумана и прочувствована». Так балетмейстер восхищался первой Зобеидой — Идой Рубинштейн, а сказано, словно о Лопаткиной. И дальше тоже: «Особенно значительным мне кажется момент, когда она сидит неподвижно в то время, как кругом идет кровавое побоище. Смерть приближается к ней, но ни ужаса, ни страха. Величаво ждет в неподвижной позе. Какая сила выражения без всякого движения!» Потрясает, когда изобличенная в измене Зобеида Лопаткиной печально опускает голову, а затем тянется руками к шаху, чтобы сказать, как любила, а возможно, все еще любит его... И смерть в финале не кара за измену, а освобождение от жизни без любви.

**Служительница богов**

Дебют Лопаткиной в «Баядерке» не был принят так однозначно восторженно, как в «Лебедином». От балерины ждали ярких любовных страстей. Их отсутствие сначала озадачило, потом заставило задуматься, затем понять трактовку артисткой образа Никии. Сейчас эта роль числится одной из лучших в ее послужном списке, но после первого спектакля только Алла Шелест, когда-то бывшая знаменитой Никией, несмотря на ряд серьезных замечаний, сразу и безоговорочно признала, что партия принадлежит Ульяне по праву.

В анналы балетного театра вошли незабываемые Никии Марины Семеновой, Наталии Дудинской, Аллы Шелест. Но даже на фоне творений великих предшественниц заслуга Лопаткиной очень весома, поскольку именно она вернула балету его сакральный смысл, которому Мариус Петипа придавал огромное значение.

Традицией советского балета был подход к «Баядерке» с позиций классовой борьбы, и содержание спектакля пытались свести к столкновению неимущей героини с богатой и знатной дочерью раджи. Затем нравы смягчились, и на первый план вышла история преданной любви. Сейчас находятся охотники обругать балет наивно-бутафорским, назвать его драматические эпизоды слишком декламационными, а интригу — мелодраматической. Как же понимает свою задачу Лопаткина?

Подлинная баядерка, то есть служительница богов, Никия Лопаткиной в большей степени орудие божественной воли, чем земная любящая женщина. При первом появлении Никия выходит из храма, как из другого мира, — отрешенная до суровости. Строгое одухотворенное лицо, опущенные или устремленные вдаль глаза, скупые жесты, молитвенная сосредоточенность — все говорит о фанатичной отстраненности баядерки от жизни и людей. Признание брамина вызывает гнев, потому что мешает ее покою.

Отказываясь от изображения страсти, Лопаткина ломает сложившуюся современную традицию, но не замысел Петипа. Не история любви была для балетмейстера главной. Доказательство тому Петипа оставил самое серьезное: не дал Никии и Солору любовного дуэта. (Дуэт в I акте нынешнего спектакля Мариинки поставлен Вахтангом Чабукиани.)

Чувство Никии к Солору во многом определяет его клятва у священного огня. Для баядерки он становится не просто возлюбленным, но соучастником в обряде священного таинства. По этой причине столкновение Никии с Гамзатти обретает у Лопаткиной свой подтекст. Вдумаемся: может ли быть причислена к положительным персонажам героиня, пытающаяся из-за мужчины убить кинжалом соперницу? В классическом балете — едва ли. Поэтому некоторых танцовщиц подводят не технические трудности партии, а эта так называемая «сцена соперниц» порой становится провальной, превращаясь в чуть ли не бытовую свару. Никия Лопаткиной поднимает руку на Гамзатти не из-за женской ревности. Она защищает священные устои. Солор для нее равен (или почти равен) Богу. Тем страшнее его измена.

У Лопаткиной все находит обоснование и глубокие внутренние связи. «Танец со змеей» перестает вызывать у зрителей вопросы: зачем Никия пришла на празднование помолвки Солора? Почему ее скорбь во время танца резко сменяется ликованием? На спектаклях с Лопаткиной не требуется неправдоподобных пояснений: баядерка, мол, радуется, думая, что корзину с цветами прислал Солор. Наивности в Лопаткиной нет. Никия в отчаянии: ради возлюбленного она предала своих богов. Жрицу ждет страшная участь, ведь у индуистов грядущее перевоплощение души происходит по закону о карме, то есть воздаянии за земные дела. Аллегро со стремительными pas de basques и emboitès не выражение радости от якобы подаренных Солором цветов. Это самозабвенный экстаз человека, готового принести себя в жертву. И боги становятся благосклонны: Никия принимает смерть от змеи — священного в Индии существа. Как тут не вспомнить Матильду Кшесинскую, которая подчеркивала, что сознательно идет навстречу гибели, и сама вынимала из корзины змею.

Баядерка добровольно выбрала путь, и Лопаткина особенно внятно акцентирует справедливость постигшей кары. Ее Никия уходит из жизни без ненависти и проклятий, но с глубочайшим просветлением, которое позволяет сделать особо возвышенной и значительной картину потустороннего мира — акт «Теней». Здесь завораживающая кантилена пластики Лопаткиной, протяженные арабески, масштабность движения, патетика танца достигают апогея в самозабвенной отрешенности жрицы.

Согласно индуизму, один из высших богов Брахма отождествляется с мировой душой, стоящей над всем сущим. Став в совершенном облике тени частицей этой божественной субстанции (о чем свидетельствует хореография Петипа), грешная душа Никии обрела прощение. Вот такую, далекую от наивности историю поведала нам старая «Баядерка» с Ульяной Лопаткиной...

**Героиня Баланчина**

Баланчин говорил, что любит высоких балерин, и пояснял — «возникает возможность больше увидеть». Отвечающая этому требованию Лопаткина дала бы маэстро возможность не только больше, но еще и дольше видеть собственную хореографию, поскольку интерпретирует ее в соответствии со своими пристрастиями к замедленному темпу. Самое удивительное, что с этим смирились даже строгие зарубежные ревнители Баланчина.

В «Симфонии до мажор» на музыку Жоржа Бизе Лопаткина исполняет вторую часть — Adagio. Этот балет при своем рождении на сцене Парижской оперы именовался «Хрустальным дворцом». Очень точное название. Оно обещает сказочное видение и не обманывает: хореография сверкает чистыми гранями классического танца, звучит гимном его красоте.

Три из четырех частей балета обозначены как Allegro vivo и Allegro vivace и требуют виртуозного, динамического танца. Мариинская труппа справляется с задачей блестяще, а кульминацией спектакля становится... Adagio с Лопаткиной. Под негромкую музыкальную тему гобоя партнер высоко поднимает балерину. Длинные ноги Ульяны медленно вычерчивают в воздухе идеальные дуги, завораживающие, как магические знаки. Кажется, что танцовщица без посторонней помощи плывет в пространстве, подхваченная нежной мелодией. Аккомпанирующий солистам кордебалет множит движения танца, словно раздвигая пределы сцены.

В «Драгоценностях» («Изумруды» на музыку Габриэля Форе, «Рубины» на музыку Игоря Стравинского, «Бриллианты» на музыку Третьей симфонии Чайковского) Лопаткина солирует в последней части. Составляющие триптиха контрастны по музыке, хореографии, цвету, даже костюмам: в «Изумрудах» — длинная тюника, «Рубинах» — миниюбочка, «Бриллиантах» — классическая пачка.

Названия частей условны. Образа камней нет, хотя идея балета, по словам Баланчина, пришла к нему в ювелирном магазине. Скорее можно согласиться с «баланчиноведами»: это реминисценция трех эпох классического балета: «Изумруды» олицетворяют французский романтизм, «Рубины» — американскую классику; «Бриллианты» — русский Императорский балет. Но не только его дух воссоздается в танцах кордебалета и солистов, финальном полонезе для всей группы из 34 танцовщиков. Здесь отголоски петербургских метелей и великосветских балов, атмосфера родного города Баланчина. Главным бриллиантом этой части сверкает Ульяна Лопаткина, а достойной оправой ей часто служит Игорь Зеленский.

Лопаткина не боится идти против Баланчина, постоянно твердившего, что его «не интересуют танцовщики, стремящиеся выразить в танце душу». Без души Ульяна танцевать не может. Балерина доказала, что мягкость ее рук, кантилена удлиненных линий, выразительность замирающих поз, игра корпуса прекрасно сочетаются с баланчинской эстетикой. Допущенные Лопаткиной «вольности» стали не нарушением стиля, а, напротив, его квинтэссенцией. Сей парадокс, вероятно, возможен по единственной причине: и хореограф и танцовщица — оба вышли из стен одной петербургской школы. Общий канон у них в крови. Лопаткину и Баланчина разделяют годы, они никогда не видели друг друга, но словно об Ульяне знаменитый балетмейстер сказал: «Балерина — это прежде всего личность. А личность всегда подразумевает импровизацию. Индивидуальность всегда чувствует, что она должна дать публике нечто большее, чем от нее ожидают. То, что дал балетмейстер, яркой индивидуальности всегда мало, и она привносит в замысел что-то свое. Таким образом, хореографический текст — лишь атмосфера для балерины».

**Девушка и Смерть**

Лопаткина исполнила роль Смерти в двух очень разных спектаклях. На такую партию в своем балете «Гойя» ее выбрал испанский танцовщик и хореограф Хосе Антонио, увидев балерину на репетиции... «Раймонды».

В балете-дивертисменте на тему творчества Гойи Лопаткина явилась неким фантомом. Смерть, правящая бал жизни, единственная, никому не подвластная сила, стала внутренним стержнем всего действа. Способность Лопаткиной погрузиться в стихию испанского танца дала возможность представить эту аллегорическую фигуру в образе демонической красавицы махи.

Премьера на сцене Мариинского театра балета Ролана Пети «Юноша и Смерть» вызвала многие споры. Эта работа хореографа на музыку «Пассакальи» Баха увидела свет в 1946 году и была хороша в эпоху создания. Балет типичен для творчества Пети, всегда отдававшего должное «театру ужаса». Роковые женщины-убийцы, вампиры, фантомы — персонажи с двойственной природой, сочетающие притягательно-прекрасное с мерзким и опасным — частые герои хореографа. Психопатический кошмар, мистика, близость смерти, обостряющая жажду сильных ощущений — привычная атмосфера Пети. В прошедшем долгий путь балете танцевали многие знаменитые артисты. Первыми исполнителями были Жан Бабиле и Зизи Жанмер. Позже в спектакле участвовали Наталья Макарова, Рудольф Нуреев, Михаил Барышников. Каждый вносил что-то свое, не нарушая мрачного неоромантизма, рожденного послевоенным французским кинематографом. В последней версии Парижской оперы акценты сместились. Юноша превратился в потерпевшего неудачу «маленького человека». Его отношения с Девушкой стали напоминать ссору в кошмаре бытовых неурядиц.

В Мариинском театре родилось собственное прочтение опуса Пети. Исчез весь хлам, олицетворяющий богемную обстановку мастерской художника. Кровать, прикрытая белой простыней, красно-кровавый занавес и виселица — вот и все на голой черной сцене, превратившейся в бесконечное космическое пространство. Герои в исполнении Ульяны Лопаткиной и Фаруха Рузиматова ведут бескомпромиссный диалог-поединок. Девушка Лопаткиной — в черном парике, черных перчатках до локтей и ярко-желтом платье — очень эффектна. Но внешняя соблазнительность явившейся к Юноше нежданной гостьи не имеет ничего общего с привлекательностью живого человека. Лопаткина, как оборотень, — дразнящая, неуловимая, необъяснимая. Ее стремительные движения вокруг Юноши — словно затягивающиеся петли той веревки, в которую сунет голову герой после ухода таинственной посетительницы. Поэтому появление Смерти в белом балахоне и маске не вызывает у зрителей сомнений: это тот же персонаж. Роковая Девушка-Смерть у Лопаткиной превращается в образ Вселенской Смерти. Когда она шествует с Юношей по крышам ночного Парижа, трудно определить, куда она ведет художника — на Голгофу или на Олимп.

Еще одним (и снова связанным с художником) инфернальным персонажем Лопаткиной стала Фея в балете Алексея Ратманского «Поцелуй Феи» на музыку Игоря Стравинского. Сюжет по мотивам сказки Андерсена не столько сказочный, сколько философский. Идея, что человек, наделенный талантом, отмеченный искрой Божией (в данном случае поцелуем Феи), ради своего предназначения должен пожертвовать многими радостями — не новая, но вечная тема искусства.

Значительность облика балерины, безупречная форма, свобода жеста в сочетании с ломкой экспрессивной пластикой делают Фею Лопаткиной похожей на Ледяную Деву неземной красоты. Серьезность фатального конфликта, земного и идеального, не мешает присутствию изрядной доли юмора. В балетах принято помпезно обставлять появление героини, особенно если она существо фантастическое. У Ратманского же Фея вылетает на сцену задом наперед. Свита может носить ее в положении «бревна на субботнике». Удивительным образом это не сказывается на репутации волшебницы.

В репертуаре Лопаткиной Фея осталась пока единственной ролью, где в пластике присутствуют элементы юмора. Пусть очень фрагментарные и не определяющие портрета героини, они исполнены Лопаткиной с таким мастерством, что вызывают серьезное желание увидеть артистку в настоящей комедийной партии.

**Стилистка и эстетка**

Редкий дар торжественной кантилены, владение парадной манерой, тяга к доведенным до совершенства, изысканным, эстетским линиям танца позволяют Лопаткиной утверждать почти утраченную ныне идею центризма Балерины, тем самым возвращая классическому балету его большой стиль.

Высокая степень самосознания, музыкальная чуткость, способность к поэтической обобщенности дают артистке возможность по-своему интерпретировать известные pas. Затасканный по концертам «Умирающий лебедь» (его танцуют все — от девочки-ученицы до Майи Плисецкой, наградившей птицу незабываемыми змееподобными руками) наконец-то обрел у Лопаткиной дух своего создателя Михаила Фокина. Орнаментальный модерн начала прошлого века балерина трактует как трагический излом пластического рисунка, и номер получает одновременно и ретро и современное звучание.

В «Спящей красавице» (в редакции Константина Сергеева) Лопаткина танцевала Фею Сирени. В ее исполнении этот важный персонаж занял подобающее место. Сирень — райское дерево, древо жизни, и Фея Сирени — самая могущественная из фей. Чтобы убедительно передать победу добра, показать величие происходящего, нужна особая выразительность пластики. У Лопаткиной значителен каждый жест. Строгое одухотворенное лицо, плавность движений рождают атмосферу безмятежного светлого покоя. Арабески и экарте покоряют царственным размахом. Когда ясно прорисованные, словно умытые теплым майским дождем арабески — эти чудные арабески Лопаткиной! — заставляют отступить Карабос, победу одерживает не только добро. Над злом, безобразием, уродством, всем, что есть некрасота, — торжествует прекрасный классический танец.

В «Жизели» Лопаткина исполнила роли героини и Мирты. Их образы традиционно и справедливо считаются антагонистическими, но балерина высветила общую черту — истовое служение Танцу. У Мирты это танец смерти. Верится, что он способен погубить, закружив в дьявольском вихре. Стремительные прыжки и вращения таят угрозу, повелительные жесты и величественные, будто веющие холодом арабески не оставляют сомнений в могуществе и власти беспощадной девы. В этой беспощадности нет ненависти к людям, к Альберту. Мирта действует по принципу «движение — все, цель — ничто».

Одержимость танцем становится у Лопаткиной и лейтмотивом «Жизели». В I акте балерину упрекали за выход без прыжка, скованность, излишне сдержанную мимику. Кажется, что напрочь лишенная простодушия и наивной непосредственности девушка физически не способна включиться в танец подружек-крестьянок. Нельзя забыть, как Жизель Улановой гадала на ромашке. Невозможно вспомнить, как это делает Ульяна. Совсем не потому, что артистка не в состоянии конкретизировать жест, наполнить его реалистическим смыслом. Лопаткина подчеркивает, что связь героини с внешним миром минимальна и отвлекающие, бытовые детали могут нарушить образную конструкцию, выстроенную ею. Ее Жизель не выше, лучше, духовнее окружающих. Она другая. Вот впервые сердце Жизели сжало неясное предчувствие. Здесь исполнительницы обычно изображают испуг. Лопаткина, напротив, будто на миг оказывается в своей стихии — потусторонних сферах, а затем нехотя возвращается обратно. Тема исключительности, одиночества заявляется артисткой изначально, но особенно сильно звучит в сцене сумасшествия, когда в ужасе мечется не растрепанная безумица (Лопаткина не распускает волос), а аккуратное создание, похожее на пойманного ангела, загнанное существо из другого мира. Вокруг все чужое, страшное — убежать, убежать...

Откровением становится II акт, где совершенный танец Лопаткиной обретает особый смысл и свободу. Жизель сильна и неподвластна Мирте, но не имеет целью занять ее место. Она противостоит повелительнице вилис не потому, что спасает возлюбленного от гибели. Она защищает свое право карать или миловать. Жизель—Лопаткина не дарует обманщику прощения, но допустить, чтобы кто-то другой вмешался и осуществил правосудие, не может.

И еще. Она словно отстаивает свою «систему танцевания». Тающие арабески, исчезающие в туманной дымке размытые контуры танца вдруг обретают мгновенную четкость. Так, судорогой боли вспыхивают в ночи неясные воспоминания. Затем позы вновь обретают гармонию неземного покоя. Стилистика романтического балета у Лопаткиной естественна, как дыхание, и, оставаясь в рамках традиции, носит очень современную окраску.

Большинство ролей балерина выстраивает так, что пластика кажется отражением внутреннего мира ее героинь. Но есть исключение. В роли Мехмене-Бану в балете Юрия Григоровича «Легенда о любви» она пошла от обратного: пластический рисунок партии «управляет» образом. Каждая поза, жест доведены до предельно величественного — царственного совершенства. Мехмене-Бану отдает красоту во имя жизни Ширин не из-за любви к ней. Она приносит жертву потому, что в ее понимании это царский поступок и царский (не сестринский!) долг. К сожалению, интересно представленная роль не получила должного развития, потому что артистка пока выступила в «Легенде о любви» только один раз.

Часто говорят, что для полного раскрытия Лопаткиной необходим большой спектакль. Это справедливо, если иметь в виду способность балерины стать центром действа и от акта к акту держать в нарастающем напряжении зрительское внимание. И это не совсем справедливо, если учесть умение артистки реализовать себя в очень маленьких работах. Одним из таких примеров может служить «Монолог Офелии», исполненный Лопаткиной в марте 1995 года на концерте, посвященном 85-летней годовщине со дня рождения Константина Михайловича Сергеева.

Фрагмент из балета Сергеева «Гамлет» Ульяне доверила Наталия Михайловна Дудинская, которая после концерта призналась, что была до слез потрясена своей ученицей.

Восхищало многое: ощущение стиля, актерское мастерство (ему Лопаткина училась у Сергеева), тонкое чувство драматического подтекста. Балерина явила настоящее чудо: всего за несколько минут она исчерпывающе глубоко выстроила сложный образ и передала историю героини. Краткий номер имел удивительную законченность, и в этом тоже сказалось стремление Лопаткиной к совершенству во всем, к чему бы она ни прикасалась.

**Под звуки пустых страниц...**

Без боязни впасть в излишний пафос можно сказать, что весть о четырех премьерных показах на сцене Мариинского театра в мае 2001 года спектакля Джона Ноймайера оказалась в центре мировых балетных новостей.

Ноймайер — культовая фигура на Западе, хореограф, имеющий славу гения. Через десятилетие после миниатюры «Павлова и Чекетти» Лопаткиной повезло встретиться с ним снова в специально поставленном для Мариинской труппы балете «Звуки пустых страниц» на музыку Альфреда Шнитке. Как тут не вспомнить строчки Марины Цветаевой: «Я — страница твоему перу./ Все приму. Я белая страница./ Я — хранитель твоему добру./ Возвращу, и возвращу сторицей».

Концерт для альта с оркестром композитор сочинил в 1985 году по просьбе Юрия Башмета. Через десять дней после окончания работы у Шнитке случился инсульт. «Как будто предчувствуя то, что будет, — рассказывал он, — я написал музыку, которая характеризуется ощущением торопливого бега по жизни во Второй части — и медленной и грустной ретроспективой на грани смерти в Третьей части». Ноймайер был другом Шнитке. О чем же его «Звуки пустых страниц»? «Моя концепция в том, что центр всего человек», — заявил хореограф. Эта краткая фраза точно передает суть работы мастера. Более конкретному словесному описанию его творение не подлежит.

Гениальность Ноймайера (если гениальность вообще кто-то в силах объяснить) состоит в том, что его язык нельзя подменить. То, о чем и как он говорит, способна выразить только хореография.

«Звуки пустых страниц» — это тайна. Тайна Ноймайера. Она будоражит воображение, и у каждого зрителя отзывается своими звуками. Действующие лица в балете безымянны. В центре — творец, художник (Андриан Фадеев), окруженный некими персонажами, среди которых двое женских. Сразу разгорелись споры: как понимать тот или иной образ?

Кто она, эта героиня в черном Ульяны Лопаткиной — судьба? линия жизни? музыка? А Диана Вишнева в темно-красном — муза? любовь? творческий дар? Ответа нет. Ведь муза может быть и судьбой, и музыкой, и любимой женщиной, а талант может стать жизнью или смертью. Или не быть и не стать...

Черный силуэт Лопаткиной, устремленный в бесконечность, чарует безукоризненным, каллиграфическим рисунком. Четкость законченных движений и поз, соединяясь с их загадочным смыслом, создают драматический и эмоциональный эффект.

Вторая встреча с Ноймайером вновь стала счастливым событием в творчестве Лопаткиной.

**Легенда и быль**

Лопаткина получила все мыслимые в балетном мире награды, Государственную премию и звание заслуженной артистки России. Слава Ульяны перешагнула границы сцены, ее имя знают даже те, кто не ходит в театр. Недаром же в числе самых избранных 25 женщин России артистка попала на прием в Кремль, и весь день 6 марта 1998 года страна смотрела по телевидению, как президент Борис Ельцин целует ручку стройной красавице с черной бархоткой на длинной шее.

В легенде о балерине есть несколько неизменно повторяющихся постулатов (порой взаимоисключающих). Часто слышится, что она достигла успеха только благодаря одержимости, невероятной трудоспособности и упорству. Она якобы математически просчитывает каждое движение, до мелочей выверяет каждую позу и избегает импровизаций. В то же время говорят, что у артистки нет двух одинаковых спектаклей, и это плохо вяжется с утверждением о ее холодном расчете.

Ныне, когда в балете исчезло понятие амплуа, создается впечатление, что молодые балерины задались целью перещеголять друг друга количеством исполненных ролей. Для некоторых артисток главной доблестью стало освоение всего идущего в театре репертуара. Лопаткина же не всеядна. Она исполняет только близкие по духу партии, и это одна из причин, определяющих ее постоянный успех. Родственность между артисткой и теми героинями, которых она представляет на сцене, явственно проступает в общих чертах и мотивах. Лопаткину постоянно волнует достаточно узкий круг тем: достоинство человеческой личности, стойкость души, гармония внутреннего мира.

Приверженность героинь Лопаткиной идеалам любви и добра удивительным образом соседствует с их неспособностью к прощению. Ее Одетта, Жизель, Никия, Зарема, Зобеида (как много в балете женщин, которых предавали!) не в силах принять измену возлюбленного.

Манера Лопаткиной лишена сентиментальности, красивости, игривого кокетства. Зато балерина не боится величавости, пафоса, экстатического выражения эмоций. Огромный внутренний темперамент сдерживается чувством меры, в результате чего артистка не переступает границ вкуса, не нарушает стиля.

Лопаткина не может станцевать некрасиво. Она умеет возвыситься над повседневностью, довести образ до поэтической обобщенности и, оставаясь в рамках петербургской академической школы, дать собственную интерпретацию классическому наследию. В результате журналисты называют Лопаткину то гостьей из прошлого, то «тургеневской девушкой XXI века». Вряд ли такое возможно. Ремесленник способен работать под старину или авангард. Лопаткина, как всякий большой художник, принадлежит своему времени. То, что в ее исполнении хореография Петипа воспринимается актуальнее творений многих ныне здравствующих комбинаторов движений, стало откровением не для публики, а для балетоведов. И это хорошо. Может быть, хор голосов, жаждущих постоянного обновления, запоет наконец о необходимости сохранения классики. Ведь не требуют же самые рьяные поклонники Ильи Глазунова заменить его картинами полотна Рембрандта в Эрмитажных залах. А для балета подобная ситуация стала нормой. В передовой статье журнала «Балет», посвященной творчеству Лопаткиной, перечислив партии артистки в классических спектаклях, автор печалится: «От такого постоянства балетной жизни (и уже на пороге XXI век) становится немного грустно: никакого просвета и никаких новостей!» Статья так и названа «Танцовщица из другого века», и ей предпосланы пушкинские строки «Она в семье своей родной / Казалась девочкой чужой». С этим совсем невозможно согласиться! Лопаткина — плоть от плоти петербургской балетной школы и Мариинской труппы. При всей своей вдохновенной погруженности в собственный мир она никогда не смотрится в спектакле «чужой девочкой». Чувство ансамбля, партнеров (включая кордебалет) — одно из самых сильных составляющих мастерства балерины. Конечно, Лопаткина уникальна, как любая индивидуальность, когда-либо блиставшая на петербургской сцене. Кшесинская не была похожа на Павлову, Спесивцеву, Карсавину, Уланова — на Дудинскую. Вот и Лопаткина не похожа на Алтынай Асылмуратову, Юлию Махалину, Диану Вишневу, Светлану Захарову, что вовсе не говорит о ее «чужеродности». У каждой звезды неповторимый свет...

Лопаткина умна. По крайней мере, не делает глупостей. Свой имидж она срежиссировала сама, и нужно признать, сделала это талантливо.

Главное правило — никаких публичных речей. Заповедь предков «молчание — золото» нарушается крайне редко. Автору этих строк довелось брать у балерины первое в ее жизни интервью. Оно предназначалось для газеты Мариинского театра, и отказаться Ульяна не решилась. Но удовольствия явно не испытывала. Вопросы в письменном виде, мучительные поиски ответов (тоже письменных)... На фоне бойких товарок, не упускающих случая порассказать о себе, своих ролях, планах, поклонниках, нарядах, диетах и прочем, такая закрытость казалась старомодной. Время показало — она уже тогда была мудрой. Публика, падкая до подробностей о жизни звезд, насытив любопытство, остывает. «Неопознанный объект» не перестает разжигать воображение, позволяет приписать любые качества и нарисовать портрет кумира, выбрав краски по собственному усмотрению.

Над созданием мифа о Лопаткиной старались многие, но всем почему-то мнилось, что сама балерина в этом не участвует. На Тверской москвичи с удивлением смотрели на электронное табло, где вместо привычного мелькания сигарет и пива Лопаткина билась в «Умирающем лебеде». Улицы Лондона украшали изображения Ульяны в полный рост, и прохожие могли сфотографироваться с ней «на память». Родной Петербург обходился без подобных штучек, зато вносил в легенду невероятно трогательные строки.

Уже занявшая в Мариинке место примы, Лопаткина несколько лет не спешила покинуть общежитие. Тамошнее существование в изустных рассказах смахивало не на жизнь, а на житие. Молва доносила страшные подробности о крысах, обледенелых ступенях, на которых девушка рискует сломать свои божественные ноги. Было ли это правдой? Город, где среди главных святых Ксения Блаженная, а половина населения до сих пор обитает в коммунальных квартирах, таким вопросом не задавался. Впрочем, ответа все равно никто бы не получил. Лопаткина продолжала молчать, ограничиваясь на пресс-конференциях несколькими словами: «да», «нет», «спасибо».

Такая тактика неожиданно обернулась еще одной положительной стороной. Балерину попытались было обругать в прессе, но, не получив никакой реакции, быстро успокоились. Более того, негативные отзывы в ее адрес стали признаком дурного тона. Лопаткину сделалось модным хвалить, а моде следуют, как известно, все. Даже балетные критики.

И все же что-то мешает до конца поверить в слепленный образ великой молчальницы, затворницы и отшельницы. Своими силами журналисты здесь обошлись едва ли. К примеру, свадьба балерины была окружена завесой строжайшей тайны. Слухи, что Ульяна очень недовольна интересом к своей личной жизни, казались весьма натуральными. Особенно подчеркивался факт полного отсутствия на торжестве чужих глаз. Но... В газетах появились фотографии не просто свадебного акта, а самого сокровенного момента — венчания в сельской церквушке. Такая утечка секретной информации вряд ли могла произойти без ведома главных действующих лиц. На подобный случай с любой другой артисткой труппы никто не обратил бы внимания. Но

Лопаткина стала заложницей собственного мифа. Поэтому настоящую бурю в Интернете вызвало и ее недавнее лондонское интервью. Ничего криминального там сказано не было. Любит читать Лескова, слушать классическую музыку... Однако публика от своей любимицы не хочет ни банальных, ни мудрых мыслей. Молчание — таков суровый приговор.

Впрочем, суровый ли? Дело балерины — танцевать. Этим мастерством Ульяна Лопаткина владеет в совершенстве. Тем и интересна.

**Из досье**

Лопаткина Ульяна Вячеславовна. Родилась 23 октября 1973 года в Керчи. Отец директор судоверфи. В 1983 году поступила в Академию русского балета имени А.Я. Вагановой. Первым педагогом была Галина Петровна Новицкая. В старших классах училась у Наталии Михайловны Дудинской.

В 1991 году принята в труппу Мариинского театра. С 1995 года — солистка. Первые сезоны работала с педагогом-репетитором Ольгой Николаевной Моисеевой, затем — с Нинелью Александровной Кургапкиной.

Партии: Жизель и Мирта («Жизель»), Одетта-Одиллия («Лебединое озеро»), Раймонда и Клеманс («Раймонда»), Никия («Баядерка»), Зарема («Бахчисарайский фонтан»), Зобеида («Шехерезада»), Китти («Анна Каренина»), Медора (Корсар»), Мехмене-Бану («Легенда о любви»), Смерть («Гойя»), Солистка («В ночи», III часть), Фея («Поцелуй феи»), Солистка («Симфония до мажор», II часть), Солистка («Серенада»), Солистка («Драгоценности», часть «Бриллианты»), Солистка (Grand pas из «Пахиты»), Девушка (Юноша и смерть»), Солистка («Звуки пустых страниц»), Уличная танцовщица («Дон Кихот»), «Умирающий лебедь», «Pas de quatre» (Мария Тальони), Офелия (фрагмент из «Гамлета»).

Лауреат премий: «Душа танца» (1994), «Золотой софит» (1995), «Божественная» («La Divina». 1996), «Benois de la dance» (1997), «Золотая маска» (1997), «Балтика» (1997), «Evening Standart» (премия лондонских критиков и журналистов. 1997), «Лучшие люди нашего города» (Петербург) в номинации «Солист балета года» (1999). Лауреат Государственной премии России (1999). Звание заслуженной артистки России (2000).

Семейное положение: 25 июля 2001 года обвенчалась с петербургским архитектором и писателем Владимиром Корневым. В мае 2002 года родилась дочь Маша.

Евгений Соколинский

# Сергей Мигицко

**Увертюра (общий рентген)**

Он — большой. Высокий — 190 сантиметров (как добавил бы Пеликан из «Мистера Икс»: «Прелестно сложенный юноша»). Зубы внушительные. Улыбающийся рот полумесяцем от уха до уха и длинный, в прямом смысле, язык. По ходу монолога Репетилова он высовывает его быстрым, словно ящерица, рывком сантиметров на десять, а может, и двадцать. Ноги не помещаются под столом, и Мигицко перегораживает ими полсцены. Большие руки загребают воздух и при надобности обхватывают петровские дубы.

Когда он волнуется, в секунду у него выскакивает, обгоняя друг друга, до тридцати слов. Обильные эмоции переполняют атлетическое тело, и ему трудно себя остановить. «Я человек азартный», — с гордостью признается Мигицко. Этот верзила любит поесть, поспать, вообще любит жизнь, себя в ней и людей вокруг себя. Из всего вышесказанного явствует: Сергей Григорьевич Мигицко — симпатичнейший человек и актер.

Да, не все симпатяги входят в «звездную команду» петербургских артистов. Нужны восторги и экстазы. Восторги также при нем. Бенефис Мигицко в мае 1999 года произвел на публику и на меня ошеломляющее и в то же время странное впечатление. Бенефиса обычно удостаиваются актеры «канонизированные», преклонного возраста. Бенефис Мигицко состоялся не потому, что надо было его провести, а потому, что захотелось. Правда, повод нашелся — присвоение звания народного артиста России. Андрей Толубеев, тогдашний председатель Петербургского отделения Союза театральных деятелей, почетный гость многих юбилеев, отметил непривычность ситуации: «Тебе еще не 75, а я уже здесь».

Талант Мигицко осознавали все, но никогда еще масштабность его дарования не выступала столь наглядно. В бешеном темпе возникали один за другим совершенно разные персонажи. Водевиль сменялся драмой, драма — фарсом. И в каждом жанре обнаруживались многочисленные умения мастера. Он пел комические куплеты со слезой (дуэт стирающих белье наполеоновских генералов из комедии И. Губача «Адъютантша его величества»), лихо отплясывал эксцентрический танец из спектакля по пьесе Т. Стоппарда «Ты, и только ты» («Отражения»), изображал стариков, молокососов, дураков, интеллектуалов, мужчин и женщин (Атаманша из «Снежной королевы»).

Впрочем, дело не в калейдоскопе красок. В каждом фрагменте достигалась максимальная концентрация смысла, чувства, формы. Даже в сценах из посредственных спектаклей бенефициант выглядел блистательно. Между прочим, на праздник приехал секс-символ России, Олег Меньшиков, однако в сцене Чацкого — Репетилова рядом с Мигицко выглядел довольно бледно.

И вторая половина чествования с поздравлениями и капустником оказалась на редкость смешна. Признаться, любовь к капустникам у нас несколько подувяла, на юбилеях выступают все чаще с одними и теми же номерами — меняются только адресаты. На сей раз звучали специально написанные хохмы. Народный артист смеялся до слез, только что не вываливался из директорской ложи, и зал заливался вместе с ним. Актерский бенефис обычно остается в рамках «семейного» театрального праздника — этот стал общекультурным событием. Актеров талантливых в городе десятка три-четыре, но этот — уникальный. Из «своего парня в доску» Сережи он превращался на наших глазах в актера-звезду.

Разумеется, это затертое выражение применительно к петербургским реалиям требует оговорок. Если под звездой подразумевается человек, который непременно представительствует на новогоднем «Голубом огоньке», постоянно мелькает на телеэкране, то таких звезд в Петербурге нет. Даже Алиса Фрейндлих, Олег Басилашвили и сам Михаил Боярский — не частые гости Центрального телевидения. Молодые коллеги Мигицко по Театру Ленсовета, «менты»

Михаил Пореченков и Константин Хабенский сегодня, благодаря детективным сериалам, более популярны, чем он. Если актер-звезда должен непременно обладать нагловатой самоуверенностью, Мигицко — не звезда. Он скорее застенчив. Застенчив настолько, насколько может быть застенчив человек, принадлежащий к актерской профессии. Наш герой утверждает: «Не ощущаю себя звездой». Охотно верю. И все же он — звезда, так как речь идет о художнике, чье появление на сцене сразу поднимает эмоциональный градус происходящего, усиливает «натяжение» между сценой и зрительным залом.

Его любят журналисты, правда, любовь проявляется несколько однобоко: в неисчислимом количестве интервью. Из них мы узнаем про его страсть к кошкам, женщинам, футболу и бог знает еще к чему. Что же касается описаний игры, подробных творческих портретов, то их почти нет. Или они пропали среди курсовых сочинений студентов-театроведов. Мало кто не подпал под обаяние актера, хотя в чем оно состоит, объяснить трудно.

Высок, но не величав; удлиненный череп, но не сражает духовной силой Пастернака; похож на клоуна, но и это качество не столь ярко выражено, как в Никулине; темпераментен, но нет эротической зажигательности Бельмондо. Он, конечно, снимался в кино («Соломенная шляпка», «Жизнь с идиотом», «Инкогнито из Петербурга», «Мой муж — инопланетянин», «Дорогое удовольствие») — в кинематографе сыграно около двадцати ролей, и все же киноактером по преимуществу не стал.

Его кузен Бобен с вечными поцелуями был очарователен в своем идиотично-провинциальном простодушии, настоящий лабишевский герой. Но, скажем, Хлестакова Мигицко сыграл рановато, в 24 года, сам это признает. И не с помощью же Леонида Гайдая постигать глубины «Ревизора»!

Среди его актерских баек есть рассказ, как он страшно робел перед тем, как поцеловать Нонну Мордюкову — Анну Андреевну, а она его защищала от режиссера: «Перестаньте его ругать! Он очень хороший мальчик». После сцены вранья Анатолий Папанов уносил Хлестакова на руках, баюкая, словно младенца.

При всей органике его игра слишком броская для кино- и телекамеры. Существуют, конечно, кинокомики, которых я называю «комиками гримасы» (Де Фюнес, Фернандель), но этот тип комизма чужд индивидуальности ленсоветовца. Притом что на Фернанделя (с известной примесью Челентано) Мигицко, как уже замечали не раз, похож.

**Самоделание и «толкачи», или границы Мигицко**

Актер-звезда всегда эгоцентричен, сам по себе. У Мигицко есть чувство театра-дома, чувство ансамбля. На все соблазнительные предложения: уехать из Петербурга, перейти в другой театр — Сергей отвечает пока отказом. Хотя не избалован вниманием режиссуры.

Мигицко искренне благодарен Игорю Петровичу Владимирову, с ним связаны учеба, радужная молодость. С грустью вспоминает о символической мизансцене, когда сидел в ногах у Мастера (Шариков в ногах профессора Преображенского — «Собачье сердце»). Учитель и ученик, действительно, совпадали в ощущении праздничности жизни, искусства, хотя Владимиров никогда не строил на него репертуар. Конечно, у Владимирова Сергей играл: Сильву, Кудимова в «Старшем сыне», Мечеткина в вампиловском же «Прошлым летом в Чулимске», Осла в «Бременских музыкантах», Бьонделло в «Укрощении строптивой», Пичема в «Трехгрошовой опере», Сержа Давыдова в «Гусаре из КГБ», Замухрышкина и Глова-старшего в «Игроках», генерала Бертрана в «Адъютантше его величества». Вместе с вводами до прихода к руководству Владислава Пази им сыграно тридцать три роли. Но за исключением «Игроков» и «Трехгрошовой оперы» — это спектакли Молодежного театра, то есть, по сути, почти студенческие или рядовые. И во всех ролях Мигицко использовали как острохарактерного, комедийного актера.

Главные роли ему доставались, как правило, в спектаклях актера-режиссера Олега Левакова (изобретатель Васнецов в «Пророке в своем отечестве», Великатов в «Талантах и поклонниках», драматург Генри в пьесе «Ты, и только ты»), а также в спектакле Александра Морозова (Шариков в «Собачьем сердце»). Сам Мигицко полагает: Шариков —

его первая главная роль. В каком-то смысле это справедливо, только роль для него не подходящая. Шариков — лишь отчасти обаятельная дворняга, в основной же своей ипостаси — наглый и жестокий хам, что совершенно не совпадает с «положительной» аурой актера. До поры до времени внутреннее и внешнее в нем редко расходились. Его до сих пор воспринимают в качестве типажа, тем более он вроде всегда на людях, легко общается, шутит, устраивает розыгрыши. Лишь на фирменных фотографиях с котом видно: на самом-то деле перед нами — человек философический. Взгляд у него потусторонний, очень глубокомысленный. Подслушать бы, какие беседы они ведут наедине с «котом Мурром»!

Если же говорить серьезно, последнее время границы его возможностей (не кота, разумеется, а Мигицко) постоянно раздвигаются. Некоторым кажется: раздвигать их не обязательно — и так хорош. Это все равно что пожелать человеку законсервироваться на уровне пятнадцатилетнего возраста.

Судьба каждого актера, как, впрочем, и любого человека, складывается из самоделания и обстоятельств, над которыми мы зачастую не властны. Большинству актеров, и Мигицко не исключение, нужен «толкач», то есть режиссер. Притом что Сергея все любят, никто его целенаправленно не толкал и не толкает.

Все же роль Владислава Борисовича Пази (сегодняшнего главного в Театре Ленсовета) в пестовании труппы недооценена. Вероятно, с ним не так весело на репетициях, как с Владимировым, однако он ставит перед актерами задачи, которые они до сих пор не решали. Сам или с помощью приглашенных режиссеров. Конечно, Бергмана непосредственно у Бергмана играют намного лучше, и для салонной игры (Шоу, Берберова) у актеров не хватает школы. Всегда ли удается Пази добиться нужного результата, вопрос особый. Тем не менее режиссер всякий раз почти каждому ставит планочку повыше, и те, кто не обленился, к ней подтягиваются. Мигицко, естественно, не обленился.

То ли это совпало с периодом человеческой зрелости артиста, то ли просто взгляд нового руководителя остановился на самом заметном человеке театра. Факт тот: Мигицко были предложены роли, которые еще вчера казались совершенно ему чуждыми: Воглер в киносценарии Ингмара Бергмана «Лицо», Ричард в «Любовнике» Харолда Пинтера. Границы амплуа веселого или, на худой конец, печального клоуна оказались порушены. Вместе с Татьяной Казаковой, выпустившей «Самодуров» Карло Гольдони накануне прихода в театр нового главного, Владислав Пази повернул ленсоветовского премьера к психологизму.

«Лицо» — выбор неожиданный для дебюта на большой сцене Театра Ленсовета. При этом очевидно: для Пази «Лицо» — спектакль программный. Малоизвестный в России сценарий Бергмана для фильма 1958 года давал повод высказать свои взгляды на театр. И для программного выступления Владислав Борисович взял на центральную роль Мигицко. В этом был резон. Мигицко органически связан с театром. Актером стал, вероятно, еще в утробе матери. Он обладает той самой манкостью, притягательностью, без которой на сцену выходить нельзя. И в то же время, глядя на него, чувствуешь, насколько он зависим от внешних условий. Мигицко — очень тонкий инструмент, остро реагирующий на зал, на человека, рядом стоящего, живущего. Собственно, об этой двойственности художника — бергмановский сценарий.

Шведский режиссер и кинодраматург рассказал странную историю о «магнетическом театре» некоего полуученого-полуфокусника Воглера. Он гипнотизер и гипнотизируемый. Существует нечто необъяснимое и подчас непонятное самому художнику. Кроме того, речь идет об окружении, в котором приходится существовать искусству, театру, творческой личности. Если Пази хотел передать трагизм, одиночество, униженность творца, то Мигицко это сыграл, пользуясь весьма скромными выразительными средствами.

Первое впечатление при появлении Воглера на сцене: заменили Мигицко другим исполнителем. Неузнаваем. Трогательно-смешной облик сменился внешностью таинственного незнакомца с какого-то испанского полотна или из ленты немецкого экспрессиониста. Черный плащ, широкополая шляпа, орлиный профиль, провалившиеся глаза, блуждающий взгляд и спутанные волосы. Хотя больше всего лицо Воглера было похоже на грим Макса фон Сюдова из фильма.

Ну какой из Мигицко неврастеник? А мистический герой Бергмана из традиционных амплуа ближе всего именно к неврастенику. Откуда взялись эти замедленные движения, тоска у веселого одессита? (Правда, на последних представлениях «Лица» он вдруг вспомнил о своем происхождении и придал в финале Воглеру совсем некстати еврейско-одесский акцент.) Уже в прологе на его лице выразилось страдание и мучительность немоты (кстати сказать, тема символическая, существенная и для Жака из пьесы Милана Кундеры). И дело не в том, что, по сценарию, Воглер лишь имитирует немого. Его язык просится наружу, силясь высказать что-то важное. Во время представления и в быту он артистичен, утончен, этот Воглер, и перед сеансом магии пальцы его машинально шевелятся, словно пальцы пианиста-виртуоза. Удивителен контраст между униженностью Воглера, когда он, разоблаченный, сразу резко постаревший, просит о помощи, и теми решительными, энергичными интонациями, когда отдает распоряжения готовиться к отъезду в королевский дворец.

Я не буду утверждать, что Воглер — одна из лучших ролей артиста — перед нами скорее стилизация, чем прочувствованный характер. И дело не в том, что жанры серьезные почтеннее комических. Эксперимент, пусть и не во всем удавшийся, приучал к ограничению формы, к лепке совершенно непривычного по фактуре персонажа, к отказу от внешне выраженного темперамента. Если раньше было очевидно, для чего пригодна индивидуальность Мигицко, теперь уже начинает казаться: он может играть чуть ли не все — от экспрессивного психологизма до беззаботного фарса и клоунады.

Впрочем, справедливости ради заметим, впервые Мигицко поколебал традиционное о себе представление еще в «Талантах и поклонниках». Здесь опять-таки мы не можем обойти тему «толкача». В данном случае Олега Левакова, постановщика спектакля. Сокурсник Мигицко по Театральному институту, один из ведущих актеров труппы, он, может быть, лучше, чем кто-нибудь другой знает возможности своего друга. Он всегда рядом, всегда поможет, хотя Леваков приносит Мигицко то истинную пользу (в случае с Великатовым или Васнецовым), то вред, позволяя ему идти по линии наименьшего сопротивления (в случае с «Сильвией» и тому подобными непритязательными представлениями).

Поначалу Великатова должен был играть актер, прославившийся в 1970-е годы ролями социальных героев (Роман Громадский). Все получалось вроде правильно, но не интересно. Тогда пришла в голову мысль привлечь Мигицко. Ситуация пьесы Островского вывернулась наизнанку именно благодаря этой перемене. По замыслу автора, Негина приносит себя в жертву ради искусства, становясь актрисой-содержанкой. Однако в спектакле 1994 года речь уже не шла о печальной необходимости продавать себя и свой талант денежному мешку. И мысли не возникало о дурных намерениях Великатова. Нет и не было таких замечательных мужчин, как Великатов — Мигицко. Высокий, стройный, с гордо откинутой головой. Весь в бороде и усах, он был неописуемо красив. Говорил спокойно, веско, с юмором. Нашел Мигицко в своем барине и некий легкий надлом.

Критик Татьяна Москвина увидела в Великатове тайну: «При всем его благополучии, богатстве, в нем есть что-то неосуществленное, несбывшееся» (Смена. 1996. 26 июня). Ну, Москвина — женщина, может и увлечься. Другого критика, Евгения Соломоновича Калмановского, в этом заподозрить труднее, однако он акцентировал внимание на нюансировке, детальной проработке образа: «Юмор деликатной пропорции мелькает во внимании и отчуждении, пристройках и отталкиваниях, движениях и застываниях на месте. Иной раз смешок прячется в подчеркнутой неспешности появления или ухода» (Смена. 1995. 26 окт.).

И все же при всей «деликатности», ненарочитости рисунка на первый план выступал Великатов-победитель. Вместе с публикой им пленена Негина (Анна Алексахина). Пленена с первой минуты. Смешно даже предположить, будто она станет выбирать между суперменом и помятым, немужественным, наивным Мелузовым (Евгений Баранов). Великатов и сам, проходя мимо неудачливого соперника, разводил руками, выражая ему сочувствие: извини, мол, ничего не поделаешь. Отъезд Негиной с Великатовым зритель воспринимал как торжество взаимной любви. Конечно, возникал вопрос, из-за чего, собственно, огород, то бишь пьесу, городить, но в данный момент это вопрос праздный — речь о Мигицко, а он был, как и положено бывшему кавалеристу Великатову, на коне.

Актеров, способных быть одинаково убедительными в эксцентриаде, фарсе и драме совсем немного. В России XX века Чацкого (хотя это драматическая роль в комедии), Хлестакова и Гулячкина играл Эраст Гарин, через несколько десятилетий Чацкого, а позже и Фому Опискина играл Сергей Юрский. Правда, и в Чацком оба оставались актерами эксцентрической школы. Мигицко в роли Воглера или Великатова меняется полностью, в том числе внешне. Единственное, чего он никогда не играл, это злого человека. Шалопая-эгоиста — пожалуйста, но злодея, жестокого человека — нет.

Характерно, он не работает с Юрием Бутусовым, интересным молодым режиссером Театра Ленсовета. Понятна одна из причин их нестыковки: Бутусов предпочитает свою команду. Но, к примеру, для «Смерти Тарелкина» пригласил из Театра комедии Артура Ваху сыграть серию масок: прачка Брандахлыстова, купец Попугайчиков, дворянин Чванкин и дворник Пахомов. В принципе это мог бы сделать и Мигицко, но Мигицко чужда жесткость мироощущения и режиссерской манеры Бутусова. Я не ставлю одного выше другого. Просто они — «разной группы крови».

После смерти Евгения Леонова, пожалуй, никто в театре и кино не воплощал столь последовательно тему доброты в самых различных формах и проявлениях. Есть, правда, Сергей Тарамаев у Петра Фоменко, однако он талантливо варьирует один и тот же образ в «Идиоте», «Семейном счастье», «Счастливой деревне». Мигицко любит контрасты. В нем странно сочетается рубаха-парень «с улицы» и «домашний» человек, тяготеющий к порядку и стабильности, поэтому он дорог самой разной публике.

**Весельчак-психолог**

Интервьюеры, значительная часть публики по-прежнему обращаются к нему, как к весельчаку, смешному Ослу из «Бременских музыкантов», Хлестакову из «Инкогнито из Петербурга». Он сам тоже любит рассказывать: был, дескать, заводным одесситом — и сетует: «укатали сивку крутые горки». Петербург проклятый засушил своей чопорностью — нет уж той свободы, бесшабашности. Вообще-то это свойственно человеку: с возрастом утрачивать свою веселость. Вот и Гамлет жаловался.

Впрочем, юмор у Сергея никуда не исчез. Просто более рационально используется. На премьере «Любовника» из всего спектакля запоминался эпизод с уголовной личностью, гориллой-автоматом. Актер купался в пародии на западный боевик — остальное было недостаточно внятно. Спустя два года на первый план проступило страдание — его испытывает Ричард, понуждаемый жить неестественной, выморочной жизнью. В жестах, манере речи сквозят усталость и в то же время беззащитность перед болезненной фантазией, напором супруги, бесхитростно любимой.

Собственно, ситуацию пьесы можно воспринять как фарсовую: вздумал ревновать к самому себе (у Лопе де Вега на эту тему есть комедия). Но почему-то не смешно, как несмешны мучения Брюно из «Великодушного рогоносца» Фелисьена Кроммелинка (кстати, еще одна роль для Мигицко). Многие сегодняшние герои Мигицко ощущают мучительную раздвоенность: Пьеро в «Сублимации любви», Грег в «Сильвии», Лунардо в «Самодурах», Воглер, Ричард.

Идея жены Ричарда (ее играет Анна Алексахина) внести в семейную жизнь разнообразие, элемент запретности, порочности раздирает на части мужа, вносит в их отношения ложь. Ричард постоянно чувствует себя актером, обязанным угодить зрителю-жене. Мы застаем его в начале действия каким-то застывшим. Он нерешительно спрашивает: «Твой любовник придет сюда?» — с надеждой: вдруг она прекратит игру. Когда муж уходит на работу, в молящем чмоке в щечку, прощальном трепете пальцев есть что-то очень жалкое.

Подавленность закономерно сменяется раздражением и, вернувшись домой, супруг начинает заводиться. Ему трудно пить, душит галстук, на лице — гримаса утомленности. При всем при том жена — самое дорогое для него существо. Вот, кажется, они могут понежничать, он буквально не надышится на нее, обнял ноги — и вдруг крик: «Что это за туфли?» (туфли жена надевает для встреч с «любовником»).

В другом эпизоде Ричард, с горя напиваясь, хочет ранить Сару, но она его мягко задавливает. Он снова сидит, в пижамке, забившись в угол, с отвращением жует пресный сыр. Собственно, жена сделала все, чтобы стать чужой. По тому, как осторожно он дотрагивается пальчиком до ее шеи, сразу видно: боится. Пальчик вообще — самый чувствительный орган. Укололся об розу — больно и обидно.

Уровень таланта в значительной степени определяется тем, сколько разнообразных чувств, граней человеческой натуры может передать актер за единицу времени. В наше динамичное время очень важны быстрые взмахи эмоциональных качелей: от страха к восторгу, от нежности к грубости, от ребенка к мужику. Это умеют избранные, и среди них Сергей Мигицко.

Вот перед нами ребеночек, которому надо на пальчик подуть, а вот вышел этакий Шварценеггер. Весь в коже, дымит трубкой. Большой подбородок (уж не назовешь его по-липатовски «незащищенный кукиш подбородка») выставлен в качестве форпоста. Гнусно осклабилась зверюга такая, животом повертела, рычит, тяжело дыша и выворачивая челюсть: «Не дадите прикурить». Одна маска сменяется другой: странный тип в корсете, слащавый до невыносимости — в маске — отвращение Ричарда к трюкам, которыми приходится поддерживать страсть супруги. Ричард-Мигицко не боится быть уродливым, противным. На какой-то момент он превращается в скрюченного тритончика, вампирчика, прикрывающего причинное место пепельницей. И вдруг этот вампирчик пускается в дикий испанский танец.

## Раскованность и закованность, или Мигицко с женщинами

Может быть, Сергей всего лишь умелый лицедей? Конечно лицедей, он получает удовольствие от своих метаморфоз, но, к счастью, этим его роль в театре не исчерпывается. Настоящий лицедей сочиняет новый облик, продумывает блоки, приспособления. Мигицко не от рассудочности идет. Ему, скорее, ближе способ Михаила Чехова, желание прозреть нового человека как целое. Если же говорить о том, что больше всего занимает его в последних работах, так это мотив человеческой зажатости и освобождения от нее. Не случайно в интервью актера постоянно возникает разговор о «рамках», в которые личность себя втискивает, о людях в «футляре». Парадоксально: образец раскованности — и вдруг тема зажатости.

Есть роли, где Мигицко «фонтанирует» от начала до конца. Так, несет в неудержимом словесном потоке Репетилова или американского потомка Дениса Давыдова в комедии Бориса Рацера и Владимира Константинова «Гусар из КГБ». Человек раскованный — имидж дорогой для Мигицко. «Если по улице идет мужчина и каждую проходящую мимо женщину до горизонта провожает взглядом, это — я». «Ради женщин я делал массу безрассудных поступков» (из интервью в «Аргументах и фактах» 2001 года). Но при всей влюбчивости, многократно провозглашаемой в прессе и отчасти подтверждаемой фактами биографии, как раз тема победительности меньше всего звучит в творчестве Мигицко (Великатов — исключение).

Что там происходит за границей сцены, бог с ним. Не «царское это дело» за актером по кулисам шастать и на Невском за ним подсматривать. Возьмем тех женщин, с которыми Мигицко встречается на площадке, на наших глазах. У Сергея на сцене Театра Ленсовета и в антрепризных спектаклях чаще всего две партнерши: Анна Алексахина и Светлана Письмиченко. Во многом они прямо противоположны, но результат их взаимодействия с героями Мигицко схожий. Эти герои вынуждены либо стушеваться перед натиском холодноватого блеска красавиц Алексахиной («Любовник», «Интимная жизнь», «Сидеть, лежать, любить», «Сублимация любви»), либо отступить перед скандалезными девицами Письмиченко («Самодуры», «Мнимый больной», «Гусар из КГБ»).

В пьесе А.Р. Герни «Сильвия» — ее в антрепризном прокате назвали «Сидеть, лежать, любить» — весь смысл заключается в том, что американский клерк по имени Грег вступает в двусмысленные отношения с приблудной собакой Сильвией, то есть относится к ней как к женщине, а не как к собаке, приводит в дом, лелеет, ревнует. Жене, естественно, это не нравится. В спектакле эротический момент почти целиком снимается. Ирина Соколова — Сильвия и Мигицко — Грег — пылкие друзья. И Мигицко настаивает на том, что его герою не хватало дома доброты и отзывчивости, потому и Сильвию привел. Отцовские чувства забивают мужские. Отцовские и романтически-рыцарские.

В «Сублимации любви» актер вроде бы выступает в роли счастливого Сирано де Бержерака. Его подставляют вместо себя, но женщина в конечном итоге достается ему, бедному, безвестному таланту. Однако и в этом случае Луиджи-Пьеро не превращается в счастливого Арлекина. Коломбина-Паола — не просто опасная и обольстительная женщина. Она — воплощение публики, ветреной, обманчивой, непредсказуемой. И в отличие от Ростана, Альдо Бенедетти и Михаил Козаков (режиссер собственной антрепризы) сочиняют отнюдь не героическую комедию про благородного поэта, который умирает, но не сдается. Нынешний художник, его и представляет Мигицко, выворачивается наизнанку, чтобы только оказаться рядом с публикой. Его устраивает роль закулисного любовника. И хотя после «ночи любви» он выходит гордый, радостно возбужденный, мы догадываемся: этот молодой человек не сумеет воспользоваться удачей. Выйти на открытую борьбу за свои пьесы, за свою женщину побоится. Финальная мизансцена спектакля напоминает знаменитый фильм Пьетро Джерми «Развод по-итальянски». Герою Мигицко уготована роль молодого матроса, имеющего возможность поглаживать ножку молодой красотки в присутствии ее престарелого мужа.

Ситуация повторяется и в других спектаклях. Жак из пьесы Кундеры, однажды подарив и получив волшебную ночь любви, вынужден смириться, что его сын растет под чужим именем и не знает, кто его настоящий отец. Генри из стоппардовской пьесы произносит длинные монологи о любви, но мирится с изменами жены — ведь и сам изменял. Мигицко, безусловно, чувственник, но никогда не сыграет Казанову. Женщина для него не вещь, не только предмет для услаждения. Он ее, скорее, опекает.

Персонажи Мигицко 1990-х годов при всей своей внешней напористости постоянно уступают, и в этом, наверно, есть своя принципиальная позиция. Большой человек боится кого-то задеть, ушибить. Мигицко — нападающий в футбольной команде, а вот на вопрос журналиста: «В жизни вы тоже атакуете?» — уклончиво отвечает: «К сожалению, сейчас особенно сильно не поатакуешь — времена не те».

**А годы-то идут**

В мигицкониадах много простодушия и бесхитростности. Обводят вокруг пальца богатея из Америки, Сержа Давыдова; вертит своим поклонником служанка Туанетта («Мнимый больной»). Правда, Полишинель намного ее старше, и поздняя любовь ранимее, беззащитнее. Вот и напевает Полишинель смущенно и грустно: «Любовь, любовь». Еще вчера Мигицко был развеселым парнишкой, а вот уже надо настраиваться на возрастные роли, нужно выращивать в себе мудрость. Конечно, он играл и раньше 60-летнего Пичема-старшего, Глова-старшего, да и сейчас его играет.

Михаил Александрович Глов из гоголевских «Игроков» — прелестный шарж, почти эстрадный номер. Рамольный старичок выползает почти на четвереньках, с трудом переставляя две палки и напоминая отчасти тростевую куклу. В небольшом эпизоде использованы чуть ли не все старческие приспособления: вываливающаяся челюсть, маразматический «заболт», внезапные выпадения из реальности в обморок, плаксивость вперемежку со вспыльчивостью, неожиданное твистование при поддержке инвалидных палок и под конец выпеваемое дребезжащей фистулой «Ямщик, не гони лошадей».

Здесь, понятно, опять-таки напрашивается сравнение с Сергеем Юрским, сыгравшим относительно недавно ту же роль. Оба любят эксцентрику, острую характерность, поразительные изменения внешности, однако Юрский, играя своих первых стариков, да и в Глове, был психологичнее — Мигицко разнообразнее. Юрский чаще идет от внешней формы к внутренней, Мигицко — интуитивист. Либо роль рождается изнутри, либо никакое сочинительство не помогает.

Возвращаясь к Глову-старшему, надо признать, это — всего лишь забавная игра в старость, даже по сюжету игра... В какой-то момент Глов забывает про свои палки, 90 лет и бодро двигается, как и положено человеку среднего возраста.

Теперь, в «Мнимом больном», речь идет уже не о масках стариков, не о Панталоне каком-нибудь. Полишинель, как ни странно, не маска, его надо прочувствовать. И Мигицко это делает. Ведь через год стукнет пятьдесят — далеко не старость, но уже реальный возраст. Когда-то был Хлестаковым — теперь предлагают Городничего. Прошлое и будущее вызывают отнюдь не только мажорные мысли. Он ищет гармонии и равновесия: сидя на берегу моря, в старых и новых ролях.

Грустный клоун Полишинель — попадание в десятку для режиссера Геннадия Тростянецкого и для Мигицко. Правда, в послужном списке у него был уже один грустный клоун в «Песне о городе», блокадной фантазии Игоря Владимирова и Юрия Волкова. Но та клоунада была жанрово бестактна и выморочна. Чаплиниады не получилось. Чаплинское вообще чуждо Мигицко, при всей соблазнительности ассоциаций. Эксцентрик Чаплин окружен миром, который ему изначально враждебен, вещи постоянно хотят его «употребить». Миниатюрность гениального комика диктует и свою психологию. Герои Мигицко могут испытывать неудобство, обиду, но над ними никто не нависает. Их беззащитность — это беззащитность большого ребенка.

Для «Мнимого больного» печальный паяц, гаер органичен, хотя буквально такой роли у Мольера нет. Ее сочинил режиссер специально для Мигицко. Он соединил Полишинеля из интермедии с непременным для пьес XVIII века резонером по имени Беральд. А сдвоенную роль поручил Мигицко. О природе и ее законах Полишинель говорит взахлеб, совершенно искренне, без мерзкого назидания, тем более что Беральд-Полишинель — человек мягкий и отчаянно влюбленный.

Вертушка Туанетта к нему снисходит. Отсюда печаль. Печаль неизменно окрашивает современный балаган. Нам не вернуть бахтинскую амбивалентность народного площадного смеха. Трудно себе представить традиционного Полишинеля патетическим оратором и лириком. Но эти краски есть в клоуне Мигицко. Более того, они — определяющие. Да, герой Мигицко обретет в финале симпатичную жену, научит брата-придурка верить природе, однако, будучи человеком творческим, непременно получит от полицейских порцию палок и щелчков по голове, расплатится с ними полновесной монетой за то, что он, Полишинель, — самостоятельная личность. Сомнениями, горечью, ревностью расплатится и за то, что взял в жены молодую женщину. Беральд-Полишинель проповедует, как важно жить естественной жизнью, но прекрасно знает: слишком часто необходимо приспосабливаться к неестественной.

Трагикомедия становится ближе вчерашнему беззаботному весельчаку, чем чистая комедия, как, например, в роли Макса, приятеля Франца Кафки («Западня» Тадеуша Ружевича). Все чаще проскальзывают патетические ноты. Нет, вру. Патетика звучала с первого его выхода на сцену Театра Ленсовета. Но тогда, в 1975 году, колбасник Бабичев во фрагменте из «Зависти» Юрия Олеши пылко провозглашал радость жизни, чуждую рефлексий и переживаний («Как нарисовать птицу»). Теперь человек Мигицко узнал и трагизм, и маету жизни. Его нынешний пафос — не плод недомыслия. Жак — Мигицко, восклицая: «Встаньте во весь рост!» — знает, что говорит.

Да, он еще играет с удовольствием Сержа Давыдова, этого доброго иностранца без царя в голове. И стоит ему появиться на сцене, словно вихрь проносится. Бежать, танцевать, целоваться! Любовь с первого взгляда, ресторан, свадьба, обман, нет, все-таки свадьба... Старый спектакль с архаичным текстом сразу приобретает упругость, динамичность, даже эскизную правду характеров. Но чаще подступают проклятые вопросы. Надо становиться солидным, деловитым, суровым.

В «Самодурах» по Карло Гольдони они с успехом идут уже более семи лет — герой Мигицко как бы преодолевает искус ложной значительности. Играет мягкого человека, который изо всех сил старается вести себя сообразно статусу главы семейства, «законоучителя». Он силится выглядеть домашним тираном, а Лучетта-Письмиченко (его дочь) тиранству сопротивляется. Мигицко, добродушный премьер Мигицко, неожиданно выходит на площадку громовержцем. Правда, его рычание может устрашить лишь человека ненаблюдательного. В попытках Лунардо орудовать плеткой столько же наивности, сколько желания утвердить себя рядом с молодой и красивой женой. Все люди похожи.

Каждый пытается утвердить свою «самость» и при этом взбрыкивает, выглядит самодуром.

Вот на сцену выходит Лунардо. Очень мрачен, кусает губы, старается выглядеть свирепым. Комплексы мешают ему быть открытым. Поэтому он предпочитает обнять самого себя, чем любимую жену, борется с желанием ее приласкать. Лунардо — неудачливый тиран, жена и дочь его не слушаются. Интонации гордого сатаниста: «Здесь моя воля!» сменяются замечательной оговоркой: «Пошла вон, пожалуйста!» Это «пожалуйста», конечно, от Мигицко. И сам удивляется, что жена послушалась, ушла. У Гольдони самодуры — действительно самодуры, все гораздо однозначнее. В спектакле речь идет о простительных заблуждениях ума и сердца.

Во втором действии Лунардо абсолютно растерзан. С одной стороны, в руках плетка и халат запахивает, словно тогу римского императора, с другой — растерянность: «Я должен решить, а я не знаю, что делать». Рычащий Кин — и полная обезоруженность перед натиском Феличе (Галина Субботина). Феличе просто подавила его своим темпераментом и самоуверенностью.

Сквозь грубоватость Лунардо прорывается нежность. Оставшись наедине с собой, Лунардо — Мигицко обращается к портрету отца и вдруг стыдливо признается: «Отец, я люблю ее» или, упрямо выпятив подбородок, с гордостью сообщает домашним: «Придут мои кумовья». В нем очень много детского. Хочет, чтобы похвалили: «Мясо лично сготовлю. Два быка» (это уже актерская импровизация).

Разговор с женщинами — подвиг. Они такие загадочные, из чего-то непонятного сделаны. Чуть нажмешь — слезы фонтаном. Как его заткнуть? С мужчинами проще. Они товарищи по несчастью. Забавно, как Мигицко удаляется на «военный совет» мужей в боксерской стойке.

В Мигицко часто, и особенно в «Самодурах», сочетается интерес к психологической детали и в то же время чересчурности, экспрессивности поведения. Большое тело требует «наполнения».

Смешно, конечно, сравнивать Гольдони с Достоевским, но у Достоевского и в «Самодурах» центральные сцены — сцены скандала. Лунардо вынужден жить в атмосфере скандала (чего терпеть не может в жизни сам Мигицко), хотя боится осуждения соседей, родственников пуще смерти. Гости пришли, все благопристойно. И вдруг нанесена нестерпимая обида: не посчитались с ним, не предупредили. Что-то неуправляемое, черное поднимается из глубины души, бросается в голову. Лунардо орет: «Козлы вонючие!» выбивает из кресел родных женщин, начинает носиться за дочерью, бросает жену на пол и стоит над ней, расставив ноги — сейчас убьет. Сам остолбенел от того, что натворил. Но вот настал момент примирения, и лицо «тирана» все скуксилось от сдерживаемых слез — свою кровиночку отдает замуж. Растрогался, рассопливился и уже ничем не напоминает того Лунардо, который вышагивал, будто статуя командора, в первой сцене. За три часа сценического времени мы переживаем с героем Мигицко целую жизнь. В одной роли сконцентрировано несколько.

**Торжественная кода**

Да, Мигицко действительно — очень большой. Он должен купаться в обилии ролей, внимании, заботе. У него много чего бурлит внутри, много нетерпения. Находясь в творческом простое, может лопнуть. Мы это видим в эпизодах спектакля «Жак и его господин». Как страдает Жак, когда вынужден молчать, не вмешиваться, не быть на первом плане! В детстве Жака заставляли ходить с кляпом во рту — история трагическая. Мигицко чувствует это кожей. Он тоже страшно боится, что его заставят замолчать, оставят без разговора со зрителем.

При этом Мигицко, в отличие от многих звезд, не пустился во все антрепризные тяжкие, хотя популярность позволяет. «Интимную жизнь» и «Сильвию» играет все в той же ленсоветовской компании, «Сублимацию любви» у Козакова «возил» очень недолго. Заметим также, что Коуард, Герни, Бенедетти — вполне достойные авторы. О Грибоедове я уже не говорю. В сериалах выступает довольно редко. Словом, ведет себя с достоинством в условиях всеобщей скачки за рублем. Утверждает, что не любит «толчеи и суматохи».

Увы, никто не будет создавать «Театр Мигицко», подобно существовавшему «Театру Алисы Фрейндлих», однако история Жака и его Господина — история поучительная и театральная. Кто такие Жак и Господин, как не ведущий актер труппы и его режиссер? Без Жака режиссер не обойдется — он совесть, сердце, гордость труппы, но приказы отдает режиссер. В его силах накормить Жака или отправить на виселицу, Жак, что ни говори, тоже нуждается в своем Господине. Он с обидой доказывает: «Не собираюсь дожидаться, пока мне преподнесут Роль» — в то же время их и не требует. Да, руководитель должен думать обо всей труппе и воплощать свои собственные мечты. Вместе с тем патетические сцены из «Мнимого больного», «Жака и его Господина» доказывают: Мигицко с нетерпением ждут романтические комедии Шекспира, Ростана, Мюссе, Тирсо де Молина, Ануя, трагифарсы Кроммелинка. Конечно, очень мило, что Мигицко гастролирует под дружеским крылом Михаила Боярского (руководителя театра «Бенефис») и демонстрирует себя народу в «Интимной жизни», однако напоминаю: он большой, ему нужна большая драматургия. И может быть, тогда критики перестанут вспоминать роль Осла из «Бременских музыкантов» как звездный час его актерского пути.

Проще всего было бы закончить статью тривиальным призывом: дайте таланту много новых ролей. Только у Милана Кундеры есть более мудрый финал. «Я хочу, чтобы вы меня вели вперед», — требует Жак от своего Господина. — «А где это вперед?» — «Вперед — это везде».

«Я стал лучше слушать на сцене, думать на сцене», — признался недавно актер. Это тоже — «вперед». В 2001 году Мигицко был признан в Санкт-Петербурге «актером года» (Независимая премия имени Владислава Стржельчика) и получил премию «Люди нашего города» в номинации «драматический артист», но, к сожалению, это не предел. Впереди черт-те что можно увидеть!

Марина Заболотняя

# Елена Попова

**Героиня**

Ретро почти всегда в моде. Ретро как эстетизированная меланхолия отличает немногих. В Елене Поповой это есть. Она будто вышла из черно-белого стильного клипа. Натуральная «голливудская» блондинка вот-вот запоет нежным шелестящим голоском Мэрилин Монро. Но тут Америка и заканчивается. За ангельским личиком скрыта исконно русская мятежность. Убийственная сдержанность актрисы побьет любого супергероя американского кино. Изящество, точеная фигурка и низкий грудной голос, скульптурная ясность формы и походка, рвущаяся в такт прерывистой речи, кажется, всегда в состоянии окаменелого конфликта. То видишь в ней женское мужество, то нежную меланхолическую слабость. Она, как мираж, существует наплывами и, как ни крути бинокль, не поймаешь, выскользнет из фокуса. Это видимая легкость существования в трудной судьбе и дает ей право быть героиней.

Она не хочет и не прячется за иронию — спасательный круг нашей жизни. Откровенность обнажения еще не гарант истины. Для романтиков она загадочный сфинкс. Для профессионалов — мастер. Для одних она Снежная королева, для других — мадонна. От нее веет свежестью и дорогими духами. Ее аристократизм прикрывает очарование простушки. Собранность, подтянутость, лапидарность, гордая стать и хрупкая нежность выразили особый, петербургский стиль. Сказались единство места, времени и действия жизни.

Соперничество между московской и петербургской актерскими школами было и в XIX веке. Два «Гамлета» — питерский и московский — той поры остались в анналах истории театра как классика. Романтический пыл, горячность, стихия, неровность игры г-на Мочалова в противоположность игре артиста Александринки, г-на Каратыгина, с ее размеренностью, гармоничностью, расчетом, были в этой роли милее сердцу самого Белинского.

Стройный, строгий Петербург хранит отпечаток времен победы над Наполеоном, установления Александринского столпа на Дворцовой площади под окнами царя-победителя и построения Александринского театра. Отпечаток эпохи Пушкина. От этого города, в котором родилась, Елена Попова унаследовала скромное обаяние. Ее иконная отстраненность, кротость и покой — одна лишь видимость. Серебристые латы классицизма ее не стесняют, в ее крови кипит настоящее время.

В патетическом театре Поповой простота — как данность — не нуждается в дополнительном антураже. Она немного пуританка. Смех ее простит. Поэтому она редко смеется. Оставаясь нашей современницей (с романтикой труда ударницы), она вернула дни приподнято-декламационного театра. Ее существование в образе, в действии, как фотобумага в реактиве: главное — не передержать. Роли она терпеливо обхаживает, приручает. Она научилась добиваться эффекта жаркой страсти в молчании, на паузе, ломающей действие, взрывающей сценический диалог. Сжилась с внутренним дискомфортом своих героинь.

Ее элегантный консерватизм определил круг постоянных привязанностей. Как всякая добропорядочная женщина, она любит дом, и этим домом стал БДТ. Она привязалась к месту жизни. Она дышит воздухом кулис. Живет в горячем, «намоленном» великими художниками пространстве. Кто здесь только не ходил! Бенуа, Кустодиев, Петров-Водкин, Стрепетова, Михаил Чехов, Качалов, Монахов, Бабочкин, Копелян и Луспекаев. На репетициях Григория Козинцева сидел за разбитым пианино Дмитрий Шостакович... Тонкий актерский организм ощущает все, слышит и пропитывается этой сферой, этими ритмами, шепотами и криками.

Кто-то из актеров и сейчас, как в старые времена, учится «с голоса». Шаляпин учился у Мамонта Дальского, Комиссаржевская — у Владимира Давыдова. Попова пришла в БДТ в 20 лет и продолжала учиться, выходя на сцену рядом с Алисой Фрейндлих, Олегом Басилашвили, Владиславом Стржельчиком. Ей повезло участвовать в одних спектаклях с гениальными Эмилией Поповой и Олегом Борисовым.

Плавно набирала она объем профессии. Наблюдая чужое умение, сохранила свой status quo, не позаимствовала ни одной чужой интонации, ни одной гримасы.

Большой драматический, как остров в океане, остался репертуарным театром без мастера, выбрав рулевым умного Кирилла Лаврова. Жизнь трещала по швам, а театр-заповедник оставался мужественно-великодержавным. Быть актером одного режиссера, как при Товстоногове, — это одно. Совсем другой тип отношений в театре фестивального типа, где приглашают на постановки мастеров разных направлений. Актер как ретранслятор сознания, воли разных режиссеров — феномен современный и очень любопытный. У Елены Поповой таких работ было достаточно.

Она послушна и признает режиссерский диктат. Трудно представить ее кривляющейся от старания, лишь бы прикрыть режиссерскую пустоту. Напротив, девиз врачей «не навреди» ей понятнее, и она отлично вписывается в любую систему партнерства. «Ученики Кацмана и Додина «прививаются» к любому дереву», — сказала Елена Попова в одном из интервью. Жизнь показала, что это правда. Кроме того, сказались сила воли, целеустремленность и готовность работать, «пахать» до изнеможения самой актрисы. Почти все художественные прививки пошли ей на пользу. Но ее режиссером стал Темур Чхеидзе.

«Думаю, что по большому счету я не стала актрисой Товстоногова, потому что актерское поколение, которое выросло при Товстоногове, к моему приходу в театр было сформировано. А для таких артистов, как я, у Георгия Александровича уже не было ни материала, ни сил, ни времени». (Из интервью Елены Поповой.)

БДТ постарался быть достойным имени своего режиссера, создавшего ему нынешнюю славу и стабильность авторитета. Достоинство, которое ясно читается в стати Елены Поповой, к лицу Большому драматическому. С достоинством она умеет даже тушеваться на сцене и применяет это по надобности, как в спектакле Николая Пинигина «Ложь на длинных ногах» по пьесе Э. Де Филиппо. Тут Попова играла кроткую бесприданницу по имени Констанца, без шансов на счастье и любовь со старым расчетливым женихом. И опять покорность и жертвенность были константой личности ее героини. Феллиниевский ход «снимается кино» мог бы вернуть нас памятью в эпоху итальянского неореализма. Однако новых «Восьми с половиной» не получилось. Поповой ничего не оставалось, как тушеваться, тактично используя краски своих прежних ролей. За 20 лет персональная мастерская по выделке ролей приобрела шик, размах и марку.

**Школа**

Она «кацманенок» — училась на знаменитом курсе «братьев и сестер» у Аркадия Кацмана и Льва Додина. А это знак качества. Именно на ее сокурсниках Малый драматический театр вырос в Театр Европы. Страстность Кацмана и подробная методичность Додина шлифовали и закаливали студентов. Очаг додинских догм, его рассудительность и фанатизм все-таки были замешены на игровой стихии тюзовских постановок: «Наш, только наш», «Банкрот». Здесь скрывалась тайна небывалой актерской роскоши в его воспитанниках. Крестным отцом ленинградской актерской школы был адепт системы Станиславского Борис Зон, а это — психология творчества, с идеализмом, предельной сосредоточенностью на работе, неразделимостью театра и жизни, высокий уровень критериев бытия. Соприкосновение с такой высотой отравляет всю жизнь. Задавалась такая крупность, которую не всякий мог потом вынести. Попова это запомнила.

Феномен в том, что во время учебы ее профессиональный механизм был заведен очень точно и «работал» в общем режиме с сокурсниками, несмотря на то что она рано от них отделилась, придя в БДТ еще студенткой. Как и остальные способные ученики, она развивалась по законам, установленным единой школой. Все они из общего гнезда, от одного корня — откуда родом и сам Додин, и Наталья Тенякова, Алиса Фрейндлих, Эмилия Попова, Зинаида Шарко...

Итак, профессиональное отцовство актрисы установлено. Но и семейная наследственность очевидна. Елена Попова — закулисный ребенок, то есть дочь музыканта и актрисы балета Театра музыкальной комедии. В актерских семьях теряется жизненный обзор, реальность призрачна. Богема, свобода творчества, художественная вольница, детские грезы, самоутверждение здесь растворяются в быту, становясь образом жизни. На людях исключительность профессии манит и возвышает, в семейной рутине теряется. Эта двойственность и есть залог актерства. Чем виртуознее, естественнее существуешь ты в состоянии двойственности, тем выше качество актерства.

Так и видится она маленькой девочкой с косицами, как ее героиня Эмили из «Нашего городка»: сидит за столом, и мама учит ее хорошим манерам: убери руки со стола! выпрямись! Можно представить, как она подсматривает из-за кулис маминого театра на сцену, видит мельканье ног, раскрашенные лица, яркие платья. Под звуки Кальмана и Дунаевского... Может быть, с этого и началась ее мечта? Может быть, она стала реальнее самой жизни?

И после детства актриса от ограничений не отошла: выбрала БДТ, им и ограничилась. Там прикоснулась к высокому и низкому. Ибо кому, как не ей, знать, что театр — и храм, и школа злословия. Коварство и любовь. Она должна была знать с детства о жестоких играх Театра, состоящего, кроме прочего, из сплетен, зависти, подсыпанной в балетные тапочки пудры из толченого стекла. Но не в том сила театра, не это в нем можно любить. Не интриги, а художественный вымысел, не будни, а праздники.

Актриса пришла в Большой драматический, когда художественная девальвация театра не замечалась. Уйдя от «братьев и сестер» в люди, она стала женой очередного режиссера БДТ Юрия Аксенова. Подобные союзы бывают творчески плодотворными. Однако Попова раз и навсегда «причастилась» к одному храму, и когда (в 1983 году) Аксенов стал главным режиссером Театра комедии, вслед за мужем не пошла.

Здесь был магнит попритягательней. Теперь о сцене БДТ актриса уже имела право сказать: «Это мой дом, здесь — моя сцена, а там, наверху, — моя гримерка».

Уже родилась ее игривая Констанца из «Амадеуса» П. Шеффера в постановке Аксенова и Товстоногова. Вон там, слева, у рояля, ее лукавая героиня кокетничала и забавлялась во время уроков музыки с учителем Моцартом: бегала, подобрав подол платья, заливисто смеялась, озорничала и... неуловимо старилась, замедляя ритм усталостью, непосильной ношей познания. Резвая хохотушка превращалась в скорбную и строгую женщину. Попова умела смеяться с тайным отчаянием, почти что навзрыд, предчувствуя будущую скорбь жены гения.

Немного правее стояла кровать, где встретилась ее Вера с раненым Женькой Тулуповым, а в другом конце сцены, на чахлой кушетке, умирал Кистерев Олега Борисова, и Вера пеленала страдальца в свою шаль. Круговорот чужих жизней был дорог актрисе. И она клонировала себя в новых ролях, множила жизнь, проживая чужие судьбы, как черновики собственной.

Поповой не близки пейзанки, голубенькие героини, хотя театральное крещение было ею пройдено как раз на ролях инженю и субреток. Ей ближе характеры резкой драматической силы. И хотя, по воле Товстоногова, как всегда, испытывающего актера на сопротивление материала, исправно работала с текстами Островского, Диккенса (даже заменила Ольгу Волкову в острохарактерной, почти гротесковой роли Рэйчел из «Пиквикского клуба»), — это была не ее стихия. Товстоногов стал ломать ее амплуа, как ломал когда-то Стржельчика с его ангелочком Лелем.

Критик Леонид Попов, написав, что у нее принципиально не получаются роли обманщиц и плутовок, что ее имидж — прямодушие (порою — до наивности), простота и бескорыстие, — попался точно так же, как обманулся герой Сергея Дрейдена ротмистр Адольф из «Отца» Стриндберга, увидев в Лауре Елены Поповой идеал вечной женственности. Инженю и субреток актриса играет азартно и технично. Галантерейных конфетных дурочек делает натурально и крепко, хотя без упоения. Ее Раиса в «Женитьбе Бальзаминова» («За чем пойдешь, то и найдешь», режиссер Дмитрий Астрахан) была похожа на раскрашенную дымковскую игрушку. Ее Глафира в «Волках и овцах» в чаду попустительства, тотального «пофигизма» была своим человеком. В агрессивном напоре обольстительницы были изворотливость и лицемерие. Чтобы «съесть» умного, тонкого, но очень ленивого Лыняева — Басилашвили, не нужно было головокружительного обаяния. Чем меньше чар, тем изощреннее должен быть ее ум. Это была чистая актерская работа, на уровне циркового трюка. Так же старательно работала актриса в «датском» спектакле, посвященном 110-летию Ленина, «Перечитывая заново». Тема обязывала, и комсомолка-бюрократка в исполнении Поповой после встречи с Лениным «прозревала» и каялась, признавая идеологические и человеческие ошибки.

Настоящую радость Поповой доставила работа с польским режиссером Эрвином Аксером, аскетично, но с «кабаретным» пылом, в полете свободной импровизации поставившего «Наш городок» Т. Уайлдера. Этюдный метод напомнил школу, актриса оказалась в родной стихии. Ей удалось передать предощущение драмы жизни: так сильно произносила ее бесхитростная и веселая Эмили заключительные слова спектакля: «О земля, как ты хороша! Если бы люди могли это понять!» Это она запомнит тоже.

Легко представить ее в спектаклях Боба Уилсона. Она умеет одухотворить механику физического упражнения. При всем графичном изяществе балерины актриса обладает мерцающей натурой. Недосказанность — сложный процесс. Попова умеет играть отточие жизни. Даже в прямолинейности делает объем вещи непознаваемым. Это вызывает отчаяние и любопытство.

Актрисы старинного театра имели свой гардероб, возили с собой платья-роли и вместе с платьем встраивались в чужие спектакли — где бы они ни игрались: в Ельце, Харькове или Тамбове, с какими актерами — не важно. Тогда драматические роли развозились по гастролям, как оперные партии. Играли роли, а не пьесы...

Если роли — это платья актеров, то некоторые артисты спят не раздеваясь. Но как они распоряжаются отжитыми ролями? Развешивают их, как платья, на плечики в шкаф? Весь артистический гардероб Поповой помещается в одном театре. Там мало ситцевых платьишек да ватников — с годами от них она ушла. Были милицейские кожанки в детективах ленинградского телевидения 1980-х годов.

Сколько процентов в Поповой от Марианны с ее прихотями, от Луизы, двух Лаур (из «Стеклянного зверинца» и «Отца»), двух Констанций (из «Амадеуса» и «Лжи на длинных ногах»)? И нет ли присутствия одной Констанции в другой? Часто новая роль обогащается красками удачно сыгранной предыдущей, тогда мы говорим о разработке темы. Куда они деваются? Костюмные, исторические, фантастические, реалистические... уродцы-гомункулусы и живые характеры. А те, которые прирастают, как маски, к лицу и начинают диктовать свои условия жизни?

**Невыносимая легкость бытия**

**Установить художественный диагноз эпохи, в которой растворилось и параноидальное искусство Сальвадора Дали, и высокий классицизм, сегодня не представляется возможным. Конфликтное время призвало нужную актрису, наделенную энергией обузданного порыва, внутренней незавершенности и стремления к гармонии.**

Степенность бытия сказывается в неслучайности отбора деталей жизни — будь то выбор театра, роли, простой фотографии. Попова существует «за стеклом», она отдает себе в этом отчет. Ее однолюбие (или консерватизм?) сказывается даже в той фотографии, что разошлась по многим печатным изданиям с ее интервью или статьями об этой актрисе. Незавершенный момент зарождения улыбки, который может привести к слезам. Летят годы, множатся лица ее героинь, а фотография из жизни, как охранная грамота, все та же. Шопенгауэр заметил, что внешность человека стала образом его внутреннего мира, а лицо — выражением совокупности характера. В портрете, о котором идет речь, обнаруживается поиск идеальной сущности женщины-актера. В него, как в зеркало, смотрится актриса.

*«Я не вижу себя со стороны. Я только пытаюсь разобраться в судьбе человека. Зачем он живет. Что собой представляет. Отвечать каждый раз на эти вопросы очень интересно. Самая большая и интересная задача артиста — не подминать под себя материал, а дорастать до этого материала, персонажа. Даже если он плохой, вырастать до его низости — это тоже путешествие по тайникам сознания. У меня такое ощущение, что я склеена из своих ролей, поэтому все роли, наверно, мне близки» (Из интервью Елены Поповой, 1999). Может быть, эта фотография — некая отправная точка путешествия личности?*

**«Братья и сестры»**

На любом актерском дипломном спектакле почти всегда начинает томить мысль о том, сколько из этих молодых, самоуверенных, талантливых сохранит себя в профессии? Кто просто выживет, а кто станет звездой? Прекраснодушие и максимализм молодости — продукт скоропортящийся.

Кто бы мог подумать, что именно она станет примадонной БДТ и впишется в силуэт его новой эпохи? И какая должна быть воля к победе, какое терпение, какое везение! Но, по-видимому, в небесной канцелярии уже спустили приказ «утвердить». Неизбежное да свершится.

Спустя шесть лет после знаменитого студенческого спектакля Додин выпустил «Братьев и сестер» по роману Ф. Абрамова на сцене уже своего Малого драматического театра. И уже тогда стало ясно, кто остался на плаву... Тем не менее тот актерский курс Кацмана и Додина образца 1979 года, где училась Елена Попова, в истории театра так и остался «братством».

Прожив целое лето в Пекашине с «братьями и сестрами», напившись воздуха настоящей северной деревни и атмосферы книг Федора Абрамова, Попова запомнилась навсегда в той первой роли. Но когда Товстоногов сделал с ней ввод в «Три мешка сорной пшеницы» на родственную ее Варваре роль Веры, Попова в нее вписаться не сумела, осталась чужеродной вставкой.

Того ввода, кажется, никто и не заметил. А между тем после отъезда в Москву Юрского и Теняковой этот ввод означал большую перемену в дальнейшей жизни БДТ. В эти роли стоит всмотреться пристальнее.

Эпическая трагедия студенческой постановки была материнским молоком для всех участников. «Ищем мы соль, ищем мы боль этой земли...» — пели студенты. Начало с такой высоты духа — старт на всю жизнь. Благородная и стойкая Варвара Поповой из студенческих «Братьев и сестер» ходила гордячкой, плясала, как никто не умел, пела частушки бабам-завистницам: «Даешь — говорят, не даешь — говорят... Буду больше давать, пущай говорят». Любила мальчишку Пряслина открыто, не таясь, а когда выжили из деревни, уехала в город, да так и осталась бобылихой на всю жизнь. Только тихо ахнет ее подруга, навестив после войны Варвару. Слишком поздно поймет, что она наделала, разрушив чужую любовь. В городском доме потухшей безжизненной Вари на полу расстелено одеялко. Одиночество замуровало в памяти жаркие встречи любви. Никакой бравады, только долгое упрямое молчание в ответ на запоздалое «прости». Мальчишеский хор неестественно громко звал: «Наш паровоз, вперед лети!»

«Три мешка сорной пшеницы», которые потрясли театральный мир и наделали шуму среди партийных чиновников, трепетно охранявших мифологию советской истории, были на три года «старше» «Братьев и сестер».

«У Веры на чистый лоб вознесены брови, глаза прячутся за ресницы, потаенно поблескивают невылившейся слезой — красива, дыхание перехватывает», — писал про свою героиню Владимир Тендряков, словно списывал портрет с Теняковой. «Три мешка сорной пшеницы» — той самой, из которой позже и проросло пекашинское зерно «Братьев и сестер», — этот спектакль органично встроился в пространство города, пережившего блокаду, знавшего о голоде и смерти не понаслышке. Это было в физиологической памяти любого коренного ленинградца, и деревенские сюжеты Тендрякова и Абрамова резонировали в глухих колодцах дворов, в нескончаемых коридорах коммуналок, в памяти одиноких старушек, оставивших свою красоту и мечты о счастье в тех военных годах. В спектакле Товстоногова мечтали о счастье и хотели быть счастливыми хоть на миг. У каждого разумение о счастье было свое. Даже у бесполых баб, что выходили морозным утром перемолачивать стожки пустого сена. И весна растворялась в войне желанием невозможного.

Светлая сцена любви стала пробным камнем и камнем преткновения и в судьбе спектакля, и в судьбе Поповой. «Я очи знал, о, эти очи! Как я любил их, знает Бог...» — взлетал под колосники нежный мальчишеский голос. Взрослый романс высветлял душу, бестелесность чувства чистотой того голоса. Беспроигрышный ход. Но и он не помогал Поповой. Вот она — кровать, торцом обращенная к залу. Из бедной военной поры. Железная, с вертикальной решеткой спинки. Вера Теняковой манила женским теплом, была русской бабой до мизинца, но с секретом: простой, да не раскусишь, жалостливой — да не умолишь. Святость в земном, чистота в грешном передавались ею органично. В живых буквах скорбного писателя отражался живой дух спектакля. Она стояла у кровати в столбе ослепительного света с закинутым лицом, и все, что она чувствовала — до щекотки от прикосновения пальцев рук юноши, стоящего перед ней на коленях и благоговейно скатывающего с ее ног грубые чулки, — чувствовал каждый в зале. Вера Теняковой была царственно проста.

«Боюсь, что роль до конца мною не сыграна», — сказала в каком-то интервью Елена Попова. Действительно. Слишком глубоко въелась в ее душу другая героиня, Варвара, из студенческих «Братьев и сестер», слишком кровно все было замешено и выращено. Попова еще оставалась в ситцевом платьишке первой героини. Спектакль Товстоногова, как всякое живое существо, хранил верность Теняковой. Неподражаемая интонация первой вызывала почти физическую боль, застревая в памяти. Голос Поповой рассеивался, как любая случайность. Навсегда запомнилась ее отчаянная Варька Иняхина, но не линейно, в развитии роли, а в убийственной финальной сцене «узнавания», где неожиданно сильно, ноющей болью прорывалось тайное страдание женщины, у которой украли любовь. Здесь был нерв высокой трагедии. Кто-кто, а Кацман и Додин умели проводить учеников сквозь огонь страдания, испытывая актерский аппарат на максимум страстей. Начало оказалось вещим. Жертвенность — ее конек. В вариациях: от неглиже с отвагой до коварства во спасение, ради высшей идеи любви, как в «Федре» и в «Отце».

Старая эпоха уводила за собой своих героев. Для БДТ ввод Поповой в «Три мешка...» связал две эпохи БДТ: театр Товстоногова и театр без него, театр его имени.

Это стало отчетливо ясно, когда актриса сыграла Абби в спектакле «Под вязами». По случайному совпадению пьеса О'Нила вышла одновременно в БДТ у Чхеидзе и МДТ у Додина. По случайному совпадению актриса Наталья Фоменко, когда-то сменившая Попову в роли Варвары из «Братьев и сестер» Додина, теперь играла параллельно с Поповой роль Абби. Теперь сестры по школе встретились в пространстве художественных сравнений уже на страницах театральной прессы. Если два серьезных художника в одном городе берут в репертуар одну пьесу, пренебрегая законами маркетинга, значит, существуют какие-то объективные процессы в современном сознании.

А процессы эти предвещали безумную жизнь «наизнанку». Начало перестройки и эйфория разрушения старого скоро преобразовались в полную потерю привычного и понятного мира как Дома. Изменился не только его профиль: мир действительно перевернулся. Оказалась несостоятельной вся система ценностей. Бессмысленность существования в такие моменты жизни порождает цинизм, безверие, потерю ориентации и согласия с миром. Вот тогда художник и начинает поиск формы, которую можно было бы чем-то заполнить. Тогда идет возврат к античности, апелляция к древним канонам. Холодная отчужденность, отточенность формы, сдержанность, прагматизм — все это в Поповой было. Как чуткий художник Чхеидзе это и использовал: сдержанное величие, гордую тишину единичности — в противовес шумной массовке эстрады.

Попова стала мадонной (в старой Италии так обращались к женщине: «моя госпожа») Чхеидзе объективно. После эстетического удара, нанесенного им БДТ первой постановкой Шиллера, «Коварства и любви», после не очень удачного, но принципиально важного для театра спектакля «Салемские колдуньи», где актриса играла сильную духом, стойкую женщину в борьбе со стихией фанатизма и страха, — Чхеидзе наконец-то определился в своем художественном высказывании. Поставленная им о'ниловская «Любовь под вязами» (слово «любовь» в названии спектакля было опущено, видимо, из-за неточности перевода английского слова «Desire», которое означает «желание»; если русский может «впасть в ярость», то англичанин легко «впадает в любовь»: «fall in love») возвратила нас к библейскому варианту «коварства и любви». Героиня Поповой, молоденькая жена мощного старика Кэббота, по-своему сражалась с призраками старой фермы, не рассчитав своей женской силы, дерзко рвалась к владению Домом, и, опустошенная, разоренная сердцем, теряла все. Изначального рационализма эта женщина не выдержала. Убийство собственного младенца, которого она прижила от пасынка, было в первую очередь убийством собственной души.

И снова на сцене стояла кровать. Даже целых две. Около одной режиссер подстроил первую встречу Абби с «дичком» Эбином. Другая же — кровать-призрак — появилась невыносимой лунной ночью, — ночью желания (desire) и греха новой хозяйки фермы и пасынка. Казалось, в углу, на супружеской кровати, Абби Поповой проживала черновик собственной жизни, безжалостно и цинично прожигая ее с нелюбимым мужем. А здесь, опьяненная легкой победой над пасынком, на кровати, где все хранило память о прежней хозяйке дома, матери возлюбленного (ее платье и чепец на стойке в голубом мареве ночи действительно казались безмолвным призраком), она ликовала, еще не думая о пирровой победе. В нестерпимо ярком свете луны серебрились набалдашники железной кровати. Абби медленно, но порывисто поднималась, цепляясь руками за спинку кровати, долго прощалась с любовником, пережив непредвиденные минуты счастья и ликования. А кроватная спинка зловеще напоминала тюремную решетку. Вместе с режиссером мы любовались стильной женщиной, ее точеной безупречной фигурой, ее пшеничными локонами, как бы случайно рассыпанными по лицу, струящимися по мраморной щеке. Любовались ее умелостью, сделанностью, точностью жеста. А вдали поднималось пшеничное море, смыкающееся на горизонте с бескрайним широкоформатным небом. Слышно было, как «выпевала» ее Абби фразы, ломко дробя придыханием вереницу слов: «Это моя ферма... это мой дом... это моя кухня... А наверху — моя спальня и там — кровать».

Из прошлого вставала иная картина, виделась иная, аскетичная кровать Веры. Та самая, что таким удивительным образом связала две эпохи БДТ, два театральных стиля, две актерские судьбы. «Неисповедимы пути твои, Господи». Но как прихотливо порой переплетаются судьбы. И над словами Абби «Я докажу тебе, что люблю тебя больше всего на свете» в высоте, где-то под колосниками, эхом отзывались то голос Женьки из «Трех мешков сорной пшеницы»: «Любовь у них выражается скорее в дружбе, а не в пылком любовном вожделении», то грубый рык мужских пьяных голосов, среди которых выделялся родной до боли, копеляновский: «Ты уйдешь — пойду с другой».

Так всеохватная мощь былых художественных свершений сменилась утонченностью и грацией движений, жестов, чувством меры и рациональной организацией композиции. Театр стал дышать ровнее и свободнее. А Попова могла теперь снисходительно вспоминать свою первую роль...

В 1978 году, за месяц до выпуска спектакля по пьесе А. Арбузова «Жестокие игры», режиссер Юрий Аксенов пригласил студентку Попову на роль. Ее маленькая Неля, последовательно, но решительно демонстрировала протест против родительской тирании в соблюдении нравственности. В конце 1970-х годов, когда Арбузов писал пьесу, нравы глубинки были строгими, а девичий романтизм высок.

Моложавой Поповой предстояло еще лет десять играть 16-летних. Обиженных и расчетливых, деловых и неземных. Но практически каждая из них несла в себе неясную обиду и крепко запертое в глубине беспокойство. Упертость в свою боль сохранится: вопреки благополучной видимости актриса по непонятным причинам и, может быть, вопреки замыслу нередко будет обнаруживать это в своих героинях. Однако прямая спинка, горделивая осанка балерины показывали, что эта хрупкая женщина справится со всеми неприятностями жизни. Ее героини были победительны даже в смерти.

Мастер (Товстоногов) укреплял тылы, латал дыры в Доме после актерского исхода Сергея Юрского, Натальи Теняковой, Олега Борисова. Попова попала в БДТ, когда другая блондинка Светлана Крючкова сыграла роковую Аксинью в шолоховском «Тихом Доне». И такое мощное поле, «горячее пространство» новенькой надо было осваивать.

По-прежнему в цене были блондинки, и в самом начале 1980-х вместе с пьесой Александра Володина «Блондинка» в театр пришла Алиса Фрейндлих. Но «Пяти вечеров» не получилось. Теперь Товстоногова спасала только классика.

Мастер выращивал спектакль-организм с нервами конкретных актеров, с единой системой кровообращения, в которой трансплантация органов не предусматривалась. В новые времена нужны были новые актеры. Но Елена Попова не была «героиней его романа». Не было царственности и чувственной стихии русской бабы, что были так нужны режиссеру в Дорониной .и Теняковой. Мудрый режиссер отдавал себе отчет, что новое поколение прагматов выбирает что-то другое...

Теперь нужна была роковая женщина типа Мадонны или Шарон Стоун — глянцевая и дорогая.

**Коварство и любовь**

После смерти Товстоногова Кирилл Лавров в интервью (Рампа. 1989. № 10. С.18) оценил свое назначение на роль художественного руководителя БДТ, «как меру кратковременную. Как переходный этап в жизни театра, за которым должен последовать приход главного режиссера... Театр, воспитанный более чем тридцатилетней деятельностью Георгия Александровича, в том числе ядро труппы, — слишком большой капитал, слишком большая ценность, чтобы ее ломать или отдать «на разграбление» режиссеру с иными позициями в искусстве».

В БДТ позвали Чхеидзе. Как искусный хирург, режиссер сделал подтяжки на лице увядающего театра. Шиллер, как в дни основания театра, опять должен был звать, заражать, будить, восхищать. Когда в революционном Петрограде Горький, Андреева, Шаляпин, Блок и еще ряд деятелей культуры задумали открыть новый театр с «героем, о котором весь мир издревле тоскует», точкой отсчета был «Дон Карлос». Чхеидзе выбрал другую трагедию Шиллера — «Коварство и любовь», — конкретно обозначив нерв жизни. Поставил спектакль изумительной красоты, чистоты, экспрессии.

Шестнадцатилетнюю героиню играла Елена Попова. «Еще один увлекательный сюрприз — Луиза. Еще одна неожиданная трактовка. Можно ли сыграть сразу и кротость и страсть? Актриса Елена Попова убеждает, что можно. И можно ли сыграть счастье любви и вместе с тем ее обреченность? Тоже, оказывается, можно. По-видимому, Шиллера у нас еще никто так и не играл. Так сдержанно, так скромно, с таким внутренним, нисколько не показным благородством». Так написал Вадим Гаевский.

С этим спектаклем потерявший было голову, но сохранивший прежние амбиции театр вновь обрел почву под ногами. Выбор пьесы был идеален. Режиссер зафиксировал момент бесформенности нашей жизни, точно передал состояние, обозначенное самим Шиллером, как «на мосту между временем и вечностью». Спектакль выразил тоску по красоте, понимаемой «как счастье обладания формой».

Дочь музыканта, мещанка Луиза Миллер, чрез меру образованная и оттого строем мыслей и чувств возвышенная, страстно и навсегда полюбила аристократа, сына президента Фердинанда (артист Михаил Морозов). Дар ей ниспослан свыше. Но трагедия на то и дана, чтоб пришла смерть. И жестокая, коварная мистификация против влюбленных секретаря президента Вурма, напоминающего действия компьютерного червя (Worm!), предопределена и неизлечима. Этот вирус разрушает любую систему. Файл надо удалить.

Чхеидзе сочинил спектакль о несовпадении идеалов, о вечности любви «небесной» и коварстве любви «земной». Проводником «небесного» был человек, им была Луиза. Все: и мещанская драма, и страсти роковые скрестились в едином пространстве спектакля. Здесь были и сила в святой покорности мудрой девочки, и слабость в оскорбленном самолюбии Фердинанда. Ангел смерти и демон жизни.

И тут, как в «Братьях и сестрах», героиня Поповой снова приносила себя в жертву, отказывалась от счастья. Только здесь ловушка была покрепче, а потому и выход был один — в смерть. Чхеидзе нужна была доадамова стерильность героини для устрашения и потрясения зрителя, наблюдающего за агонией влюбленных.

Парадокс: нетрагическая актриса Попова играет трагедию. В недосказанности — обещание вечности. В своей пуританской отчужденности Попова всегда чуть-чуть над предметом. Такие всегда побеждают. Коварство играть проще, чем любовь. Однажды выйдя из трагедии, она вновь в нее вошла.

Русский перевод расиновской трагедии, который выбрал для постановки Дитятковский, был сделан Михаилом Лобановым в 1823 году, и тогда роль Федры исполнила воспетая Пушкиным гениальная Екатерина Семенова.

Но с любимицей поэта Поповой здесь не пришлось вступать в соревнование.

Дитятковский предложил актрисе роль наперсницы царицы, которую сыграла Марина Игнатова. Сверстница царицы Энона (по традиции прочтения мы привыкли к образцу доброй старушки кормилицы, примерно такой, какую сыграла в «Отце» покойная Мария Призван-Соколова) — самый понятный и близкий, самый теплый по человеческим проявлениям образ. Слепой любовью к госпоже она позволила Федре снизойти до человеческих поступков. И страсть Федры к пасынку перестала чего-то стоить, когда она позволила себе быть просто женщиной. Несчастная Энона судила по себе и жалостью ослабила царицы волю. Вот истинно: «благими намерениями вымощена дорога в ад». Услышав слабый упрек царицы: «Ты отвлекла меня от долга моего», ужаснулась содеянному. Ее коварство во имя любви тщетно. В страшный момент прозрения своей героини Попова долго молчит. Молчание ее леденит кровь. Иступление, отчаяние, запечатанные внутри, кажется, рвут ее душу. Неподвижность ее монументальна. Мысль неизреченная подобна стреле. Это уже не расиновская Энона, это героиня античной трагедии. Заглянув в себя и ужаснувшись, она кидается в пучину моря, сходя в Аид. «Сложнейшая роль Поповой, — написала Лилия Шитенбург. — Ее героини всегда были красивы в своей слабости, и ее Энона — прелестное нежнейшее существо, сама доброта, бескорыстие, самопожертвование и человечность».

Энона — это напряженная духовная работа. Вершина творчества актрисы. Здесь меньше эффектности от Чхеидзе, — того, что запоминается изысканной картинкой. Здесь напряженная внутренняя работа. Здесь герой в трагедии безысходности, разочарования, отчаяния в себе. Попова играет человека, в котором разочаровался Бог.

Вместо котурнов — теперь подиум. «Федра» Дитятковского как дефиле высокой моды: каждый из презентационных шедевров самодостаточен и абсолютно не пригоден для жизни. Конечно, это вызов свету с выглаженными шнурками и мозгами, привыкшему к пустоте и телевизионной жвачке.

**«Черная вдова»**

> Бедра тициановской Венеры нанесли больше вреда Папе, чем все тезисы Лютера, прибитые к воротам Виттенбергской церкви.
>
> *Г. Гейне*

Герой романа Мазоха «Венера в мехах» высмотрел в картине Тициана «символ тирании и жестокости, таящихся в женщине и ее красоте» и поставил диагноз: «в своем нынешнем виде картина эта предстает перед нами, как самая что ни на есть едкая сатира на нашу любовь». Так демонстрируется нам изменчивый анализ красоты, анализ эстетики, а следовательно, и этики. Есть эпохи, когда преклонение пред красотой неразрывно с жизнью. В другие времена красота становится убежищем от надвигающейся трагедии.

Любовь — это мания, предельная концентрация внимания на объекте, его приближение до такой степени, что невольно становишься провидцем, сверхчувствительным по отношению к нему, до высочайшей степени сопереживания с ним. Актер добивается того же, чтобы влюбить в себя зрителя, заразить его, передать свое послание. В зависимости от художественного масштаба режиссера и актера это послание может быть сильнее или слабее, его может и не быть вовсе.

«Отец» — спектакль о свободе самоопределения личности, борьбе воль за право владения личностью, а значит, о тирании и жестокости. Опять сатира на любовь?

Не сметь любить мое! Не сметь иметь мое! Ротмистр: «Дом полон баб, и каждая норовит воспитывать моего ребенка... душу ее рвут на части, а сам я, более других имеющий право руководить ею, непрестанно наталкиваюсь на противоборство». И тут, как в спектакле «Под вязами», слышится интонация собственника: «Это мой дом...» Теперь борьба за душу ребенка.

«У меня отняли мою идею вечности!», — сокрушается Ротмистр. Отцовство как залог вечной жизни — идея фикс ученого конца XIX века. Плоды просвещения порой уродливы. В конце просвещенного и уже атомного XX столетия ученые еще не добрались до генетического анализа. Проблема отцовства в спектакле — не проблема научной недостаточности, а проблема веры. Это проблема века, потерявшего Бога и пытающегося найти в чем-то ином идею вечности, это борьба миров. У Дитятковского эта проблема стала всеобъемлющей, передающей дыхание fine de circle, то есть ощущение конца, как любого рубежа, за которым должно открыться что-то неизведанное или... ничего. Как в пьесе Ионеско про человека, который умел летать и однажды увидел, что за адом ничего нет.

Игра у Стриндберга — не карнавал, а лишь аспект быта, всего лишь следствие раздраженного и неустойчивого состояния духа. И уж никак не игра любви и случая. Французской легкости здесь быть не может. Но она есть в Поповой — сочетание хрупкого изящества дорогого фарфора с характером тяжелым и упрямым. Героиня Поповой с коварством на сцене уже встречалась, только прежде ее героиня была жертвой. Теперь появилась возможность использовать опыт чужого мира в новом жизненном пространстве. Режиссер сделал Попову героиней нового времени. И драматургия Стриндберга пришлась ей впору. Северянка со спрятанными страданиями, характером нордическим, сдержанным — такая понравилась бы и Бергману, и Стриндбергу, да в ибсеновских сагах была б хороша.

«Ангел смерти вечно реет / Над моею головой...» — бессознательно мурлычет себе под нос Адольф. Это он про женушку свою, Лауру. В борьбе за отцовские привилегии герой Сергея Дрейдена встречает такое изощренное коварство со стороны жены — соперницы по семейным правам, — что его смерть неизбежна. Простодушное коварство Лауры здесь не содержит и тени того достоинства, какое было в Луизе из «Коварства и любви». Там был бердяевский «богочеловек». Здесь — плебей с неодолимым упрямством инстинкта самосохранения. Смертельный номер в домашнем формате, где честь — опасный предрассудок. И тем не менее достоинство Поповой было и в Лауре. Только имело другой оттенок. Демон в ангелическом облике — это и есть ангел смерти.

Совершенно иначе здесь действуют иконная остраненность, и кротость, и ускользающая красота недосягаемой, и неземная бесплотность. Она ближе к тем дамам средневековья, что смотрят на нас с полотен немецких мастеров. Массивная драпировка, статика, замкнутость, тишина, подчеркнутая аккуратность. Ее внутренний ритм предопределяет, диктует внешнюю форму, позу, пластику, живущую самостоятельно. Психологический жест ее туго свернут. Он вырывается наружу через силу, помимо желания хозяйки, — актриса долго держит его взаперти, чтоб накалить атмосферу. Это искусство внутренних противовесов, мастерство сдерживания эмоции, затаивание до поры для создания сильнейшего напряжения, захватывающего сцену и зал — навык трудный, сродни искусству любви.

В роли Лауры Попова не боится быть неприятной. Пугает «низами» глухого голоса. Что ж, «интонация неприятного лая» (по смелому выражению Кугеля) г-жи Комиссаржевской предвещала грубость эпохи, будущих революций, презренье к романтическим грезам, символистский надрыв.

Молчание актрисы красноречивее слов. В молчании есть необходимый простор, бесконечность. Из жизни ушли кантиленность и мелодичность — и человеческая речь стала более отрывистой. Может быть, отсюда ее сложное интонирование? Как будто Попова слышит и воспринимает свою музыку — в духе Эдисона Денисова или Губайдуллиной. Ритмы этой музыки изредка прорываются на выдохе, как будто против воли самой актрисы. Прозу говорит, как белый стих, и нет пафоса даже в скандировании и чеканке фраз. Со временем это свойство оттачивалось, приобретало менее формальный характер отнюдь не в ущерб индивидуальности: она набирала мастерство и, как настоящая женщина, знала, что ей к лицу. И хотя художественная концепция личности «сурового стиля» была выработана другими художниками, именно в этой актрисе выразилось инобытие камерной формы.

Стриндберг ждал актера новой техники: актера естественности, экспрессии, музыкальности полифониста. Постановщик спектакля нашел такие качества в Поповой и их использовал. По духу своему эта актриса выражает то, чего в музыке достигает «heavy metal»: непрерывность духовной жизни, эмоциональный слалом по лабиринту судьбы.

«Einmal ist keinmal»

(«Единожды — все равно что никогда» — *немецкая пословица)*

Человек должен родить ребенка, построить дом, посадить дерево. Актеру этого мало. Дублируя себя на сцене, клонируя себя в новых поворотах чужих судеб, проецируя себя на разные плоскости и вписываясь в пространства, он создает новые миры, заполняя вакуум космоса. Настоящий актер уничтожает энтропию, останавливает время. Его страсти, эмоции, творческая энергия, как звезды, мягко влияют на наше самочувствие, потому что сама профессия основана на управлении нервной энергией.

Путь актрисы — актуализация творческого, психофизического начала в современном театральном пространстве. Это путь длиной в 20 лет. Из маленького завитка в лепке чужого здания она превратилась в несущую конструкцию БДТ им. Товстоногова. И созерцательность, и слезы, и расширение сферы контакта со зрителем через умопостижение, а не душекружение она выразила и в духе нашего времени, и в духе Дидро, по парадоксу которого актер есть душа манекена из ивовых веток, в который он заключен.

Судьбу вершат люди, боги, обстоятельства, характер и роли. Роли, как нити у кукол, управляют актером. Роли, как молитвы, ограничивают, отсекают лишнее. Роли, как платья, расцвечивают, освежают жизнь, устаревают. Роли, как жизни, внедряются в характер, открывают в нем новые черты. Роли, как судьба, приносят счастье открытия.

**Ульяна Лопаткина**

Никия
**«Баядерка»**

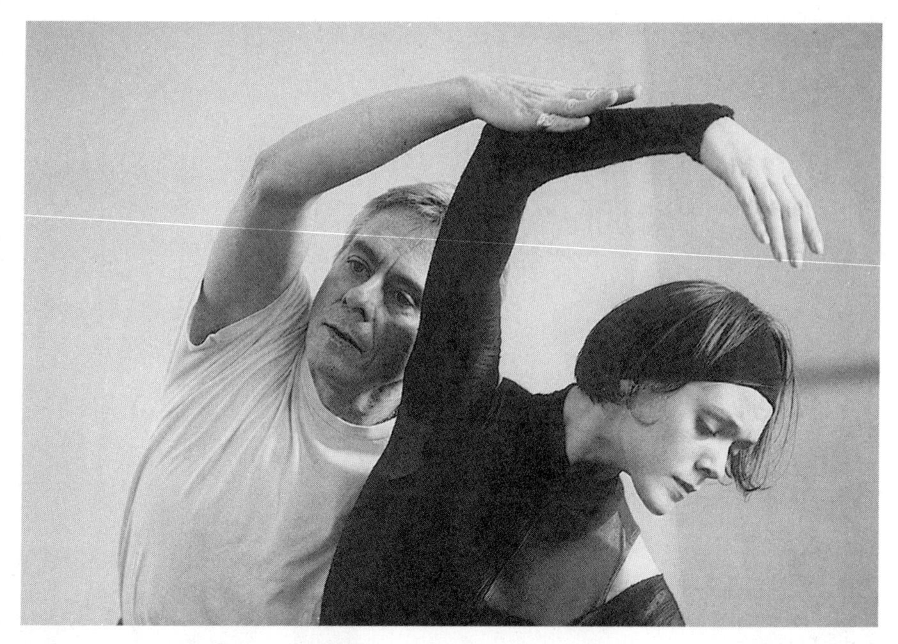

На репетиции
с Джоном Ноймайером

Жизель
**«Жизель»**

Зарема
**«Бахчисарайский фонтан»**

**«Павлова и Чекетти»**

Зобеида
**«Шехерезада»**

**«Павлова и Чекетти»**

Девушка
**«Юноша и смерть»**

**«Павлова и Чекетти»**

2002 г.

**«Жизель»**

**«Жизель»**

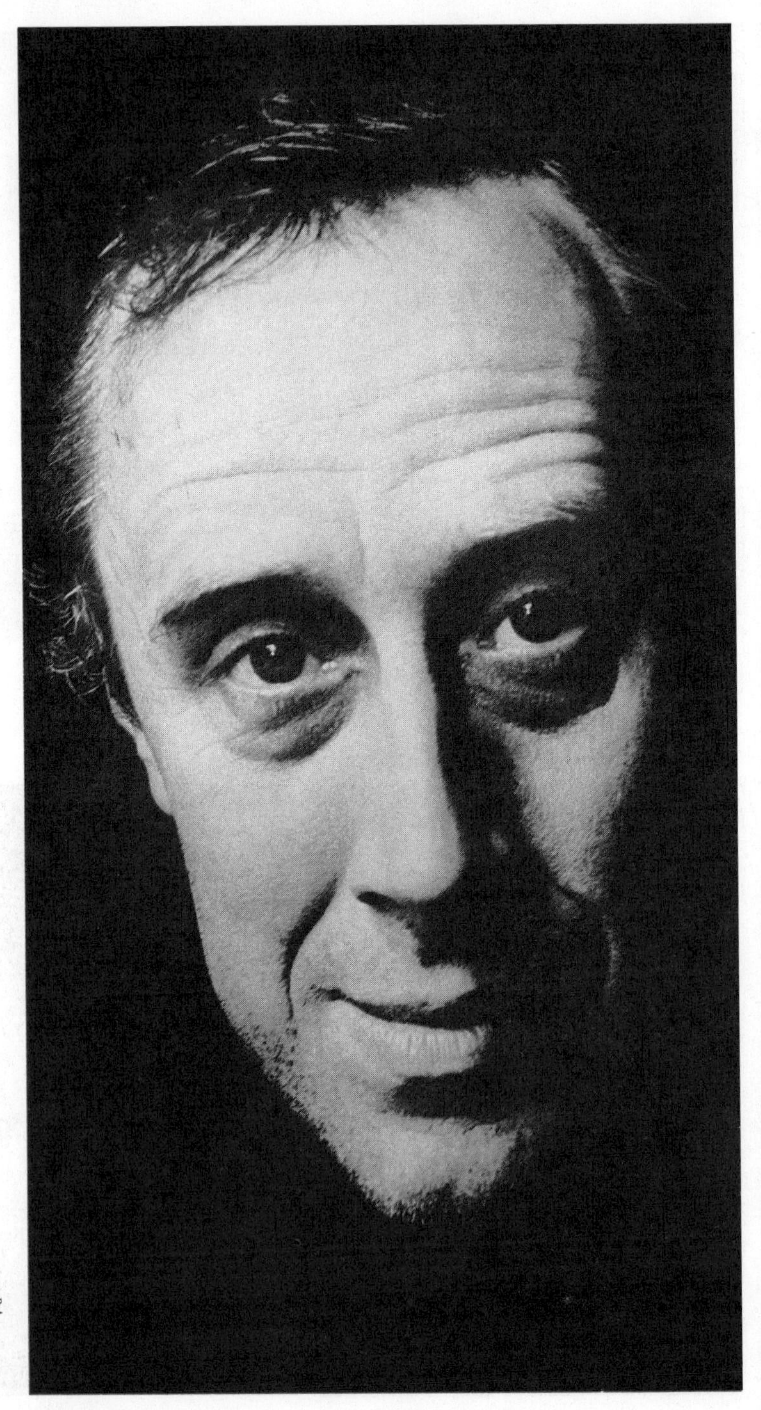

**Сергей Мигицко**

Он — Сергей Мигицко,
Она — Лариса Луппиан
**«Интимная жизнь»**

Она — Анна Алексахина,
Он — Сергей Мигицко
**«Любовник»**

Осел
**«Трубадур и его друзья»**

Пичем
**«Трехгрошовая опера»**

Шариков
**«Собачье сердце»**

Мечеткин
**«Прошлым летом в Чулимске»**

С семьей

Портрет. 1983 г.

Жак — Сергей Мигицко,
Господин — Юрий Овсянко
**«Жак и его господин»**

Преображенский —
Игорь Владимиров,
Шариков — Сергей Мигицко
**«Собачье сердце»**

Лунардо — Сергей Мигицко,
Фениче — Галина Субботина
**«Самодуры»**

**Елена Попова**

Эмили
**«Наш городок»**

Луиза
**«Коварство и любовь»**

Раиса — Елена Попова,
Бальзаминов — Андрей Толубеев
**«За чем пойдешь, то и найдешь»**

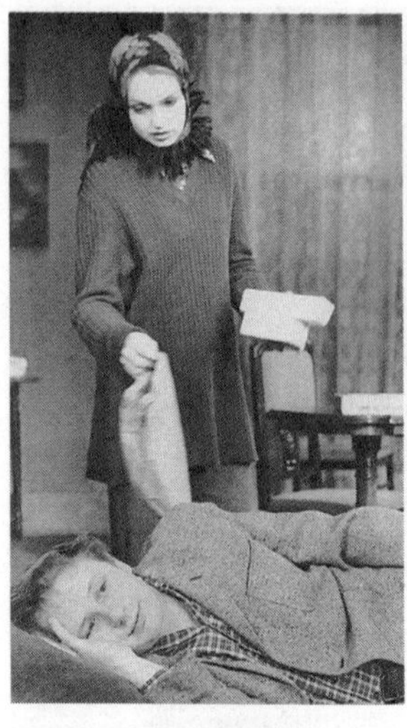

Неля — Елена Попова,
Терентий — Андрей Толубеев
**«Жестокие игры»**

Абби **«Под вязами»**

Костанца — Елена Попова,
Роберто — Изиль Заблудовский
**«Ложь на длинных ногах»**

После вручения
«Золотой маски»
и «Золотого софита». 2000 г.

90-е годы

Марина Мнишек **«Борис Годунов»**

Констанция
Вебер — Елена Попова,
Моцарт — Юрий Стоянов
**«Амадеус»**

С Алисой Фрейндлих
и Андреем Толубеевым

Лора — Елена Попова,
Аманда — Алиса Фрейндлих
**«Стеклянный зверинец»**

Леди Этеруорд
**«Дом, где разбиваются сердца»**

*Справа:*
Луиза — Елена Попова,
ротмистр Адольф — Сергей Дрейден
**«Отец»**

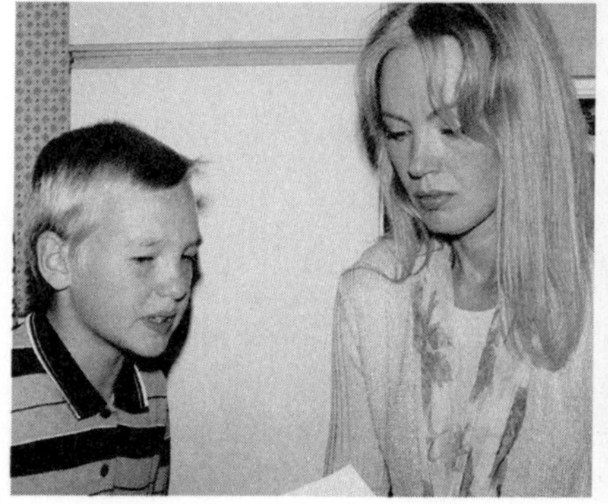

С сыном Андреем

С собакой Джеком

**Анатолий Равикович**

Аздак
**«Люди и страсти»**

Отец
**«Двери хлопают»**

Петруччо — Дмитрий Барков,
Грумио — Анатолий Равикович
**«Укрощение строптивой»**

Санчо Панса
**«Дульсинея Тобосская»**

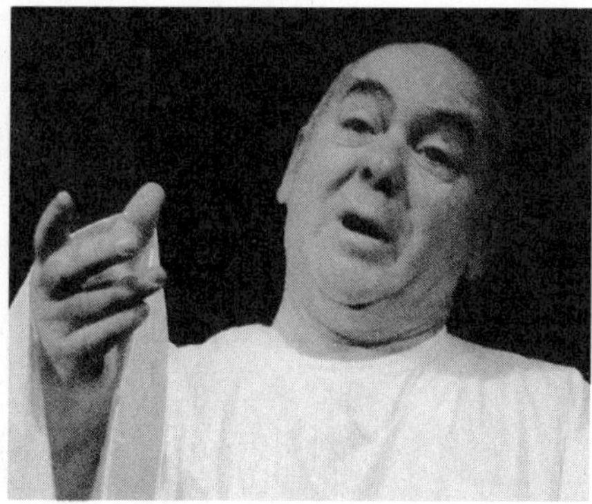

Скрипач
**«Поза эмигранта»**
Театр Антона Чехова

Малыш — Алиса Фрейндлих,
Карлсон —
Анатолий Равикович
**«Малыш и Карлсон, который живет на крыше»**

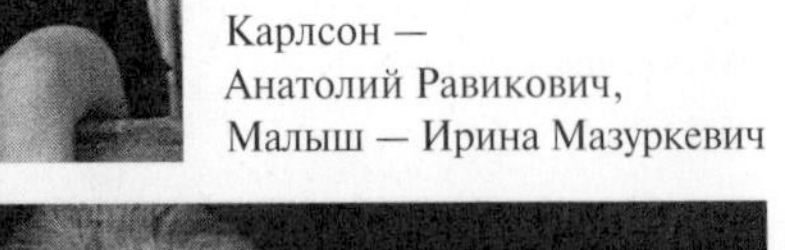

Карлсон —
Анатолий Равикович,
Малыш — Ирина Мазуркевич

На репетиции спектакля
**«Ужин с дураком»**
Театр Антона Чехова

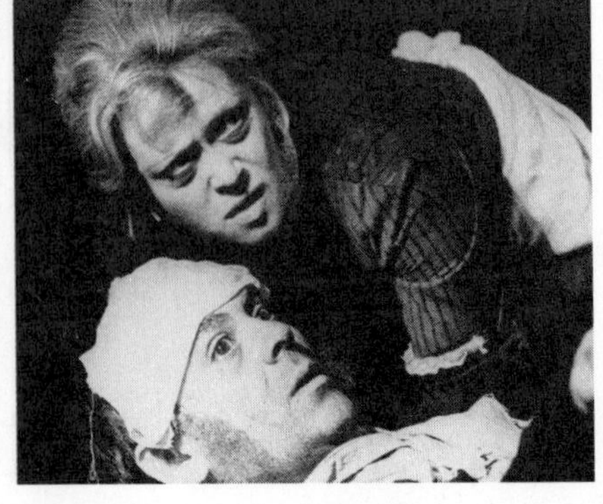

Мармеладов — Анатолий Равикович,
Катерина Ивановна — Алиса Фрейндлих
**«Преступление и наказание»**

Тартарен
**«Тартарен из Тараскона»**

Грумио — Анатолий Равикович,
Катарина — Алиса Фрейндлих
**«Укрощение строптивой»**

Паолино — Анатолий Равикович,
Перелла — Лейли Киракосян
**«Человек, животное и добродетель»**

Фирс — Анатолий Равикович,
Раневская — Алиса Фрейндлих
**«Вишневый сад»**

В центре: Тартарен — Анатолий Равикович
**«Тартарен из Тараскона»**

Клоун Бом — Анатолий Равикович,
Рита — Галина Никулина,
Карлос Бланко — Игорь Владимиров
**«Интервью в Буэнос-Айресе»**

С женой Ириной Мазуркевич

С дочерью Лизой на гастролях в Иркутске
в гриме и костюме Фирса
**«Вишневый сад»**

**Фарух Рузиматов**

Раб
**«Шехерезада»**

**«Смерть поэта»**

Базиль
**«Дон Кихот»**

**«Шехерезада»**

**«Блудный сын»**

Альберт
**«Жизель»**

*Наверху:* на репетиции

Юноша
**«Юноша и смерть»**

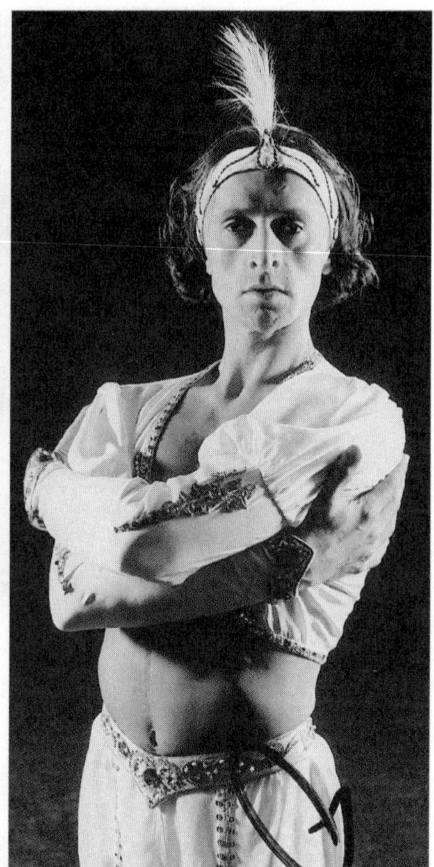

На репетиции

Солор
**«Баядерка»**

**Михаил Светин**

Турин — Михаил Светин,
Лисео — Георгий Бурков
**«Дурочка»**
Кемеровский театр

Папкин
**«Месть»**
Пензенский театр

Изнанкин
**«Страшный суд»**
Пензенский театр

Данилов
**«Странная особа»**
МДТ

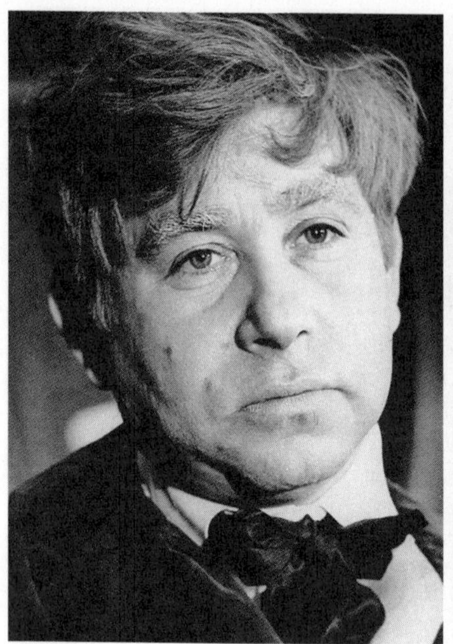

Нароков
**«Таланты и поклонники»**
МДТ

Подколесин
**«Женитьба»**
МДТ

Григорий Васильевич
**«Дон Педро»**

Плинер — Михаил Светин,
Старосельский —
Виктор Авдеев
**«Проводы»**
МДТ

Министр финансов
**«Тень»**

С Анной Самохиной

С Игорем Дмитриевым

Ветлугин
**«Синее небо, а в нем облака»**

С женой Брониславой Проскурниной на **«Золотом Остапе»**

С внучкой Анной

**Алиса Фрейндлих**

Лика
**«Мой бедный Марат»**

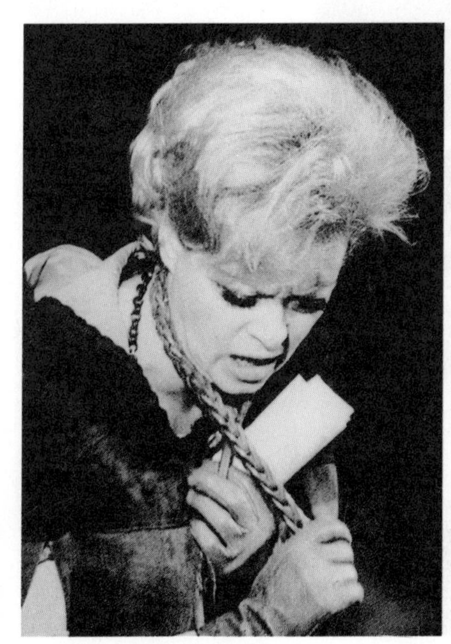

Королева Елизавета
**«Люди и страсти»**

Таня
**«Таня»**

*Наверху:*
Джульетта
**«Ромео и Джульетта»**

Элиза Дулитл
**«Пигмалион»**

Барменша
**«Барменша из дискотеки»**

Настя
**«На дне»**

Леди Милфорд — Алиса Фрейндлих,
Фердинанд — Михаил Морозов
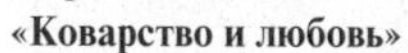
**«Коварство и любовь»**

Барни Кэшмен — Владислав Стржельчик,
Бобби Митчел — Алиса Фрейндлих
**«Этот пылкий влюбленный»**

За кулисами БДТ с отцом —
Бруно Фрейндлихом

Геннадий Богачев,
Темур Чхеидзе и Алиса Фрейндлих
на репетиции **«Макбета»**

Надежда Таршис

# Анатолий Равикович

Мне очень грустно. А вам смешно?
*А. Блок. Балаганчик*

В последние годы, словно пытаясь удержать ценности неизбежно уходящего века, театр устраивает порой поразительные «спиритические сеансы», вызывая дух сцены прошедших десятилетий. Эти опыты бывают подлинно драматичными, заставляя дрогнуть сердца театралов. Такое удалось Театру Ленсовета, который дважды попытался превозмочь ускользающую от фиксации природу сцены. К восьмидесятилетию Игоря Петровича Владимирова и вскоре после того, к 30-летнему юбилею постановки «Малыша и Карлсона», театр возвращал на свои подмостки прежние образы и прежних актеров.

К «Малышу» (вернее, к Карлсону) мы еще вернемся.

У первого же вечера были две кульминации, лирическая и комедийная, принадлежавшие Алисе Фрейндлих и Анатолию Равиковичу. Обе эти цитаты из славной истории театра были, в сущности, драгоценным моментом саморефлексии театра! Если Алиса Фрейндлих, воплощая самое душу театра, пела стихотворение Гейне «Она угасла» (из спектакля «Люди и страсти»), — то в маленьком эпизоде из «Человека и джентльмена» Эдуардо Де Филиппо, с неподражаемой «осью» Анатолий Равикович — Нора Райхштейн, разыгрывалась бурлескная сцена репетиции, самой нелепой, в самых неподходящих обстоятельствах. Актер, вызывая неудержимый хохот в зале, играл, по сути дела, целую поэму о театре жизни и о жизни театра. Нота высокой лирики была и тут, в этом невероятно смешном эпизоде.

Крупный рисунок, лирический план комического эпизода из очень старого спектакля (1968) стали явственнее, кажется, именно с годами. Но сложность эмоционального спектра — очевидное качество актерских работ Равиковича, залог их разнообразия и одновременно индивидуальной неповторимости. И все же: вынесенная в эпиграф последняя реплика Пьеро из блоковского «Балаганчика» — не слишком ли она далека от современного актера?

Скорее всего, за Анатолием Равиковичем и не было вовсе подобной тени, когда он закончил в 1958 году Ленинградский театральный институт и отправился в Комсомольск-на-Амуре набираться актерского и жизненного опыта. Но было растущее беспокойство, некое творческое неудобство: молодому комическому актеру тесно оказалось в тамошних и тогдашних рамках сценического комизма; непритязательность юмора становилась угрожающей.

Затем была волгоградская драма. Актер мастерски делал из комического эпизода — драматически значимый акцент спектакля. Он много занят в репертуаре, играет большие роли. Он стал известен — ровно настолько, чтобы как-то летом на сочинском пляже Игорь Петрович Владимиров спросил его, не знает ли он актера Равиковича и правда ли тот так хорош, как говорят...

Так в новом сезоне, 1962/1963, артист вернулся в родной город и вышел на сцену, ставшую единственно нужной. Четверть века в Театре Ленсовета — эпоха и в судьбе артиста, и в сознании зрительских поколений. Это целый пласт театральных впечатлений, как-то быстро переплавившийся в легенду. Сочинский пляж, знаменитая встреча режиссера и актера не то что без галстуков, но и, надо думать, без рубашек, выполнили роль «Славянского базара», хрестоматийного «места встречи» основателей Московского художественного театра.

Да, реальный актер Анатолий Равикович, сыгравший на этой сцене ряд конкретных ролей, оставшихся в памяти, стал отчасти мифологизированным персонажем коллективного, петербургского в первую очередь, сознания. Такое происходит не часто и уж конечно не случайно.

Театр Игоря Владимирова входил в свой золотой век. Анатолий Равикович не сразу, но довольно скоро стал одним из лидеров блестящей труппы. Попадание «в фокус» было очевидно и зрителю в самом последнем ряду, давало ощущение счастья — и ему, зрителю, и актеру. Много воды утекло с тех пор, люди и театры неминуемо «меняют кожу». Алиса Фрейндлих и Анатолий Равикович, работающие в других театрах, в интервью и выступлениях не устают благодарить судьбу за годы полной творческой отдачи, творческого самоосуществления на сцене Театра Ленсовета. Не меньшее место этот период занял в актерской судьбе Леонида Дьячкова, Ефима Каменецкого, Ларисы Леоновой, Ирины Мазуркевич, Галины Никулиной — всей прекрасной ленсоветовской труппы. Многие актеры играют на других сценах, но труппа — жива и сегодня сохраняет свое особенное лицо. Владимиров не просто собирал талантливых актеров, а настраивал ансамбль, очень своеобразный в его спектаклях, и он звучал органно — или, как писала о том же Алла Комкова, индивидуальная «краска» каждого артиста вносила незаменимую лепту в общий, единый спектр, палитру спектаклей театра (См.: *Комкова А.* Краски и лица // В конце 1980-х. На ленинградской сцене. М., 1989).

В чем секрет ленсоветовской легенды? Годы, о которых идет речь, это время продолжающейся славы «Современника», Таганки, Малой Бронной, Большого драматического. Противостояние официозу в большей или меньшей степени очевидно в спектаклях Олега Ефремова, Юрия Любимова, Анатолия Эфроса, Георгия Товстоногова. Это было настоящее искусство: эффективнее всего оно противостояло самим фактом своего существования. Театр Ленсовета занял в этой тяжбе «теленка с дубом» особую нишу, встал, по сути дела, в позицию мальчика из андерсеновского «Голого короля». Муляжности идеологического фасада эпохи, бездарности официоза противопоставлялась душевная и творческая раскрепощенность.

Демократическое искусство спектаклей Владимирова ничего общего не имело с апологией «простого советского человека» — дежурного и обезличенного персонажа официозной субкультуры. Любовь и благодарную память целого поколения театр заслужил глубиной диалога со зрителем, тем более неожиданной и непривычной, что глубина эта никак не декларировалась, не акцентировалась. Более того: если полистать старые подшивки газет, увидим, за редким исключением (см., например, глубокую и фундаментальную статью: *Громов П. П.* «Театр Ленсовета, его режиссура и его актеры» // Театр. 1973. № 11), критические окрики, упреки в легкомыслии, легковесности... Здесь можно видеть аналогию с одиозным одергиванием, скажем, Александра Володина за «мелкотемье» его пронзительно современных и долговечных пьес.

Режиссуре Владимирова было дано легкое дыхание, вопреки занудству застоя. В этом было и некое мужество. Театр не искал легких путей: цепь постановок по русской и зарубежной классике, по тому же Володину, через десятилетия обнаруживает действительный немалый масштаб. Память не обманывает артистов, обремененных в наши дни всероссийской, и не только, славой. Всплывающий сегодня, как Атлантида, архипелаг знаменитых ленсоветовских спектаклей 1970-х годов был явлением духовно значительным, сценически исключительно щедрым.

Не фрондируя, не держа «либеральную фигу» в кармане, театр отстаивал свою систему ценностей, помогая сохранить достоинство и живую душу поколениям зрителей. Театр чурался деклараций: театральная игра, сценический юмор говорили о разнообразии и неистребимости человеческого духа, живучего, как Петрушка в ярмарочном театре. В этой системе ценностей талант актера и был «живой водой», оберегом от мертвящего прессинга официальной «культуры». Фольклорные и мифологические ассоциации возникают не случайно, ведь так и родилась ленсоветовская легенда семидесятых.

Тогда же, там же берет начало артист Анатолий Равикович как живая легенда петербургского театра последних десятилетий. Некоторые спектакли, составившие его славу, засняты на пленку, их можно увидеть, они производят сильное впечатление, масштаб актерских творений очевиден. Только нет святая святых сценического искусства — непрерывного общения актера со зрителем, их единого драматического поля. А ведь своеобразнейшее амплуа артиста именно предполагает глубокое эмоциональное сотворчество с залом.

Кстати, тут, наверное, скрыта причина парадоксальной самооценки артистом своей блестящей работы в фильме «Покровские ворота». Участие в съемках этого фильма (1982) он вспоминает с горечью недовоплощения. А ведь это актерская классика! Несколько поколений зрителей успели так естественно породниться с Хоботовым, не замечая, сколь сложен коктейль, приготовленный артистом для его Льва

Евгеньевича. Лирика и клоунада столь искусно тут переплетены. Цирковые, по сути, кульбиты нескладного героя на катке — не что иное, как лирически пронзительный монолог; попытка собственно лирических объяснений — вполне клоунская эскапада! И это никакая не маска интеллигента-недотепы: штамп преодолен и отброшен. Деликатность и уступчивость персонажа из приторно-пренебрежительного клише превращаются в добровольные тяжкие доспехи, в реальный источник драматизма.

Артист остро ощущает «оттепельную» тональность, стилизованную в фильме. Не перегружая комедийную, игровую фактуру роли, актер успевает внятно представить и ее глубокий исторический, обобщающий план. Оттого, как бы давно ни состоялась ваша первая встреча с фильмом и фактически с главным его героем, — любая всплывающая в памяти деталь: детский шарфик и шапочка незадачливого конькобежца, смущенная понимающая улыбка становятся квинтэссенцией содержания, тянут за собой весь целостный образ.

Но у артиста от этой бесспорной работы осталось, повторяем, ощущение каких-то нереализованных возможностей! Актер словно был стреножен партнерством, грубо говоря, монтажных ножниц (режиссер фильма Михаил Козаков). Масштаб роли очевиден. Но зрители, знающие Равиковича по театру, счастливее: актер показывает им их самих, они соучастники его игры, свидетели непрерывной, здесь и сейчас развивающейся драматической судьбы его персонажей. Вот этого живого партнерского общения не столько с коллегами (в фильме великолепный актерский ансамбль), сколько со стороны зрителя в театральном зале актеру могло недоставать.

Были у Анатолия Равиковича и еще роли в кино. Многие вспомнят его кардинала Мазарини, плетущего интриги («Мушкетеры двадцать лет спустя»), тезку Хоботова Льва Михайловича Перельмана, запутавшегося в паутине крутых перипетий из «Русского транзита». Проходных работ у актера, по-видимому, просто не может быть. Кино, телевидение, широкие гастроли антрепризы «Театр Антона Чехова» со спектаклями «Поза эмигранта», «Ужин с дураком», «Цена» сделали всенародным достоянием огромное мастерство и особую индивидуальную «ноту» артиста. Тем более стоит обратиться к поре, которую сам он определяет как «десять лет настоящего счастья», — когда впервые зазвучала эта его «нота».

Актер, кстати, терпеть не может театроведческого логизирования: живой театр ему не поддается, нельзя лезть «с рациональным инструментом в иррациональные вещи», тогда как «критики ничего этого не понимают» (См. интервью Анатолия Равиковича, данное Андрею Семашко: Тайна черной шляпы // Персона. 2000. №3. С. 52).

Прав актер. Инструментарий наш беден, нетонок, и даже пресловутая рациональность его сомнительна... Все же продолжим попытку высказаться. Искусство Равиковича невозможно замалчивать, оно само провоцирует эту окаянную потребность искать нужные слова. «Иррациональность» оставим между строк (хорошо бы не вспугнуть).

Впрочем, адекватно передать впечатление от игры актера не получается, как уже было сказано, даже у видеокамеры.

Петербургский театр последних десятилетий непредставим без Равиковича. Это действительно его живая легенда. У Маяковского в «Мистерии-буфф» были, помнится, среди персонажей семь пар чистых, семь пар нечистых, и на их фоне — «Человек просто». Вот Анатолий Равикович в ролях самого разного плана, под любой оболочкой, умеет показать «человека просто», почти как в пантомиме, которая имеет дело с «голым человеком на голой земле». Оттого и возникает у зрителя ощущение глубокого, не только в рамках сюжета, контакта с актером.

Появление Анатолия Равиковича в труппе Театра Ленсовета — счастливый случай. Впрочем, судьба явно знала, что делала, поместив артиста сюда. Здесь состоялись его настоящие профессиональные «университеты». Репетиции Игоря Владимирова, партнерство Алисы Фрейндлих актер считает своей реальной и высокой школой. Может, и в самом деле тень Бориса Вульфовича Зона опосредованно, через замечательную партнершу усыновила молодого актера?..

Равикович идеально пришелся ко двору: незаурядный сценический юмор и обаяние были, по-видимому, быстро оценены, актер сразу вписался в сильные и своеобразные, по-владимировски терпкие ансамбли текущего репертуара. Но, главное, талант Равиковича стремительно раскрылся, от роли к роли удивляя новыми гранями, обнаруживая свой настоящий объем. Эмоциональный размах и тонкость актерской работы — признак «породы», скоро сделавший артиста признанным «капо комико» яркой труппы.

Первая большая роль — Дженнаро из «Человека и джентльмена». Спектакля давным-давно нет. Но мы помним, остался жить его «осколок». Сцена «репетиции» — образец комедийного дара Равиковича, и ведь она по-своему патетична: житейская суета сует переплавляется в донкихотскую попытку высокого искусства!

А дальше был рыжий чудак из «Малыша и Карлсона». Эта постановка Норы Райхштейн 1969 года до сих пор живет в репертуаре. Тридцатилетие спектакля живо всколыхнуло вновь ленсоветовскую легенду, объединив несколько поколений зрителей в зале и все составы исполнителей на сцене. Актеры передавали эстафету ролей друг другу по ходу спектакля: так возник некий собственно театральный, волнующий «сюжет» вечера. В финале играли Анатолий Равикович и Алиса Фрейндлих, которые первыми вдохнули жизнь в самых стойких персонажей ленсоветовской сцены.

Этот шлягер семидесятых выходил далеко за рамки утренника. Спектакль был — о первом опыте одиночества. Карлсон с грустью оставлял Малыша на пороге его взросления. Актеры играли не примитив, «утренник» с песенками, а некую притчу о юной душе. Карлсон был чудаком на границе детства, заслоняя собою, сколько было в его силах, взрослую прозу жизни от Малыша. Малыш тоже предощущал драму перехода во взрослый мир. Музыкальная канва делала возможным этот обобщенный сюжет «о душе». Кутерьма вокруг «паровой машины», полеты Привидения были и бесхитростной игрой, и попыткой творческой фантазии преодолеть одиночество. Равикович играл смешную и трогательную, потаенную душу детства, касаясь души каждого в зале.

Рыжий парик Карлсона прямо указывал на клоунскую природу персонажа, но в игре Равиковича всегда сопрягаются контрастные начала. Сиюминутный азарт игры и знание о скором расставании создавали эмоционально богатый объем роли, что было поддержано и дуэтом с Малышом, которого Алиса Фрейндлих играла также выходя далеко за рамки «травести».

Вообще мир персонажей, сыгранных Анатолием Равиковичем, поражает широтой и разнообразием. Что общего у Карлсона с Мармеладовым, у Санчо Пансы с Ромулом Великим? Мастерство перевоплощения очевидно: меняются ритм, интонационный рисунок, пластика. Но острая характерность только подчеркивает единую внутреннюю сущность творческого высказывания актера. Эта сущность на самом деле универсальна. Как большому художнику Равиковичу есть что сказать со сцены. Потому-то, преображаясь совершенно, он узнаваем всякий раз, горячо и благодарно: он понимает и говорит со сцены о человеке и жизни так, как может только он, актер Анатолий Равикович.

Глубокий слой актерского высказывания о «человеке просто» явлен, конечно, в Достоевском, в его Мармеладове. Он был — страдающая, вопрошающая душа. «Преступление и наказание» — недооцененная постановка Игоря Владимирова. Трагедийная проблемность мира Достоевского, сложность персонажей, не высветленных и не покрытых черной краской, не сводимых к «положительным» и «отрицательным», делает честь этой постановке и определяет ее место в культуре минувших десятилетий. А если вспомнить, что в спектакле, в декорациях Марта Китаева и с музыкой Валерия Гаврилина, играли Леонид Дьячков, Алиса Фрейндлих, Алексей Петренко, Ефим Каменецкий, Галина Никулина, Сергей Заморев! Это был спектакль большой силы, и Анатолий Равикович проводил свой монолог с исключительной концентрацией живой боли сломленного существа, коснувшегося дна и самих границ жизни и остро чувствующего ее трагизм. Это было предсмертное, полное экзистенциального содержания обращение к другому человеку: ответственный момент спектакля.

Острота образа, его трагикомичность связаны, пожалуй, с тем, что в парадоксальном для себя амплуа на сцене был комик. Мера взаимного доверия, творческого взаимодействия режиссера и актера очевидны уже в жанровой свободе, с какой Равикович раскрывался в ролях самого разного склада, стиля. После старика Мармеладова Равиковичем была сыграна роль Санчо Пансы.

Это была эпоха российских мюзиклов, имевших мало общего с американским эталоном. В афише спектакль, пронизанный музыкой Геннадия Гладкова, именовался «исторической комедией». Анатолий Равикович не однажды участвовал в музыкальных постановках Театра Ленсовета, прекрасно вписываясь в пластическую, ритмическую фактуру ансамбля, например, «Укрощения строптивой». Здесь, в «Дульсинее Тобосской», особая пластическая жизнь персонажа Равиковича выразительно противопоставлялась победительным, напористым массовкам тобосской «золотой молодежи», знать не знающей и не желающей знать никакой подлинной истории Дон Кихота и Санчо Пансы.

В отсутствие Дон Кихота этот Санчо Панса продолжал свое бескорыстное служение. В смешной оболочке обнаруживался мощный дух. Достоинство человечности — вот что приходится отстаивать нынешнему Дон Кихоту в обличье несуразного Санчо Пансы. Вновь крупный комизм образа имел богатые обертоны: патетика, горечь, лирика составляли драматическую ауру персонажа.

Актерский дуэт Равиковича с Алисой Фрейндлих в «Дульсинее Тобосской» — один из высоких взлетов нашей сцены вообще. Звездный дуэт, — сказали бы теперь, — но в том дуэте не было ни тени самоподачи, игры на заведомом признании у публики, что неизбежно сопровождает спектакли, построенные на звездных именах. Была огромная художническая самоотдача, сильный драматический нерв, — этот «мюзикл» с ругаными-переругаными песенными текстами Б. Рацера и В. Константинова можно было смотреть множество раз, и спектакль продолжал волновать.

Володинское преломление классического комедийного образа — это ключ притчи, оказавшийся для Равиковича счастливым. И Санчо Панса, и последовавший за ним деревенский чудак Аздак были настоящими сценическими шедеврами Анатолия Равиковича. Притчевый ход, заложенный в самом материале, особенно благодарен для актера. Щедрая музыкальная «оснастка» этих спектаклей стала для него также дружественной стихией. В его актерских работах сопрягаются ярчайшая характерность и крупное сообщение — во многом благодаря музыке, которая имеет свойство чрезвычайно уплотнять сценическое время, совершать самые рискованные арки и каскады в сюжете, преодолевая его эмпирическую повествовательность.

Брехтовская роль из «Кавказского мелового круга» (в постановке Игоря Владимирова «Люди и страсти» по немецкой классике, 1974) — как раз такой случай. Колоритный персонаж притчи о Кавказском меловом круге, лукавый деревенский судья был в то же время библейски прост и значителен, художественно мощен. Человек испытывается на прочность на ветрах истории, и весь виден, как на юру: вот тема того знаменитого спектакля. Равикович, играя своего обаятельнейшего Аздака, давал весь философский объем коллизии, единой для спектакля в целом.

В сущности, за каждой ролью Равиковича чудится план притчи, простой и глубокой. Мудрость, человечность, юмор Аздака — родовые свойства сценического существования этого актера вообще. Каждая реплика персонажа звучит веско, афористично, и столь же рельефен пластический рисунок роли. Невозможно забыть, например, сцену из давнего спектакля «Вы чье, старичье?» по Борису Васильеву. Молодая героиня (ее играла Татьяна Рассказова) ставила перед героем, брошенным стариком, тарелку супа. Эпизод был — огромного удельного веса, он поражал, врезался в память той самой глубокой простотой.

Эта неповторимая нота была счастливо востребована театром, звенела в аккорде с Алисой Фрейндлих, Леонидом Дьячковым, Ефимом Каменецким и еще многими мастерами той труппы. «Десять лет счастья» между тем иссякали. Рано или поздно всякая театральная легенда именно становится легендой, пережив собственно сценический взлет. В Театре Ленсовета началась другая история, и связанная с прежним этапом, и совсем новая.

Анатолий Равикович вместе с Ириной Мазуркевич перешли в Театр комедии, решительно сменив колею. Лев Стукалов поставил с ними «Биографию» Макса Фриша — о попытке переиграть свою жизнь. Но жизнь упорно показывала герою его собственное лицо, снова и снова. Фактически это был вариант монодрамы, притом что спектакль был и вполне населен, и многозвучен.

Господин Кюрман хотел свободы самоосуществления — и всякий раз оказывался в клетке самого себя, принимая ответственность за то, что было совершено им ранее. Постоянные спутники драматического эксперимента, предложенного персонажу драматургом, — жена Антуанетта (Ирина Мазуркевич) и Регистратор (Александр Демьяненко) — это были голоса сознания самого Кюрмана, его памяти и совести. Драматическая маета персонажа, попытка сбросить давящий груз жизни, тщетность усилий обойти свои «ошибки» — в игре Равиковича на первый план выходило экзистенциальное начало. В отличие от пьесы швейцарского builder-иониста, где тяжба героя с собственным досье — это попытка подчистить неприглядную биографию, персонаж в спектакле не суетен, напротив. Варианты жизненного пути проигрываются на сцене, делая зрителей свидетелями некой Репетиции. Актер проводит своего героя через эпизоды этой репетиции, как через чистилище...

Анатолий Равикович не увлекся историей поздно спохватившегося конформиста, он показывает внутреннюю ситуацию, касающуюся каждого. И в другой постановке Льва Стукалова, «Ромуле Великом», Равикович играет императора обреченного Рима еще более «просто человеком», чем предложено в пьесе-притче Фридриха Дюрренматта. Сарказмы драматурга снова остаются в тени. Актер не сатирик, он лирический комик, и спектакль живет острой печалью героя о суетности людей и целых народов перед лицом грозной эпохи. Также и в «Тартарене из Тараскона» колкости Альфонса Доде по отношению к герою, французскому Манилову в доспехах Дон Кихота, упразднены. Актер сочувствует незадачливому персонажу, героически отрешенному от окружающей пошлости, визионерски погруженному в фантастический мир благородного рыцарства (режиссер Дмитрий Астрахан).

Анатолий Равикович, мы видим, определяет жанровую тональность спектакля. Уйдя в Театр комедии, актер предлагает здесь свой строй титульного жанра. Смех не отменяется, актер в этом смысле неистощим! — но общение со зрителем всегда задевает глубокие струны, всякая комедийная коллизия словно отбрасывает лирическую тень. Самое время вспомнить: «Мне очень грустно. А вам смешно?» Равикович и здесь, в Театре комедии, выигрывает там, где есть хоть какая-то возможность выстроить роль в ключе притчи. Взрослая сказка, притча, выражающая некую философию жизни, — вот мифологизирующая природа мюзикла, через искушение которым актер прошел в Театре Ленсовета. Он и учитывал, и преодолевал ее, в итоге на месте лапидарности — мудрая простота человечности. Ромул Великий и Тартарен сделали переход актера в новый театр плавным, его легенда здесь максимально «узнаваема». Хуже дело обстояло с «Зойкиной квартирой». Аметистов был колоритен, но булгаковский пошловатый приживала воплощал именно комедийную суету, иного игрового пространства в постановке Юрия Аксенова не имел.

Другое дело Журден из «Мещанина во дворянстве» (спектакль «Страсти по Мольеру»). Встреча с Мольером хоть проходила и не в идеальных условиях (режиссер Виктор Крамер, мастер «Фарсов», здесь был не вполне в родной стихии), но все же была принципиальной. Просто «очеловечить» героя, показать его жертвой знатных негодяев театр уже пробовал, да и мелкой эта задача была бы как для великого комедиографа, так и для нашего актера. Равикович играет попытку вырваться, взлететь, резко сменить колею! Играет попытку иной жизни, донкихотски бескорыстную. Последнюю попытку поэзии в мире между засаленными буднями маслобойки и цинизмом великосветских франтов. Интонации вопрошания, высокого недоумения, характерные для многих героев актера, здесь звучат тем пронзительнее, что поэтические поползновения персонажа обречены, причем это сознает сам Журден; комедийный азарт спектакля словно надтреснут...

У большого актера все роли связаны, помимо его и нашей воли, в единое, развивающееся целое, с единой судьбой... Что сказать о персонаже лирической комедии Нила Саймона «Хочу сниматься в кино» (режиссер Татьяна Казакова)? Актер мастерски строит роль на контрастах, внутренне подвижен, но формула-образ спектакля — долгий план: сидящий спиной к зрителям актер. Эта мизансцена стоит монолога, она выразительнее, чем предполагает бродвейский шлягер американского драматурга, и не улетучивается из сознания зрителя со спасительным возвращением брошенной и счастливо обретенной дочери. Драматизм преодоления усталости и разочарования — вот что делает эту работу откровением, тем зрительским счастьем, что потом претворяется в театральную легенду. Легенду по имени Анатолий Равикович.

Игорь Ступников

# Фарух Рузиматов

Его имя сейчас известно всему балетному миру. Оно не сходит со страниц российских и зарубежных газет и журналов с первого выступления юного ленинградского танцовщика в 1984 году на Международном конкурсе артистов балета в Париже, где Фарух Рузиматов завоевал специальную премию парижской Академии танца. На заключительном концерте он, единственный из всех участников, дважды бисировал вариацию из балета «Корсар», ошеломив мастерством искушенных парижан. Авторитетные французские критики назвали недавнего выпускника Ленинградского хореографического училища им. А.Я. Вагановой «лучшим артистом конкурса», «подлинным алмазом в этом блистательном состязании».

Впервые я услышал имя Фаруха от его педагога, профессора Академии им. Вагановой (как она сейчас называется) Геннадия Наумовича Селюцкого:

— Приходите ко мне в класс на урок, у нас такой талантливый юноша растет.

— Всего один?

— Нет, конечно. Другие тоже одарены. Но этот... Фарух Рузиматов из Ташкента.

Он действительно выделялся среди сверстников. «Нельзя было не залюбоваться, — рассказывала выдающаяся балерина Кировского театра Наталья Дудинская, — как артистично, вдохновенно проделывал совсем юный Фарух обычные «рабочие» движения экзерсиса у палки, как красивы, гармоничны и танцевальны были эти, казалось бы, такие будничные упражнения».

Фарух родился в семье музыкантов. Его мать — преподаватель национального пения, отец — теоретик-композитор, дядя — довольно известный в Средней Азии композитор. Родители Фаруха много работали, и мальчик часто оставался на попечении русской женщины, жившей по соседству. Видимо, поэтому позже у него не было проблем с русским языком.

В те давние времена из Вагановского училища направлялись комиссии, целью которых был поиск талантливых детей по всей стране. Найдя одаренного мальчика или девочку, Комиссия связывалась с родителями и, если те были согласны, направляла детей на учебу в Ленинград. Благодаря этим «экспедициям» искусство балета обрело многих знаменитостей нынешнего дня. Среди них и Фарух Рузиматов.

Попав в 1970-х в Ленинград, он был ошеломлен его красотой и торжественностью. И улица Зодчего Росси, эта «застывшая музыка», словно исподволь приучавшая юных неофитов к гармонии и строгому благородству линий.

Годы напряженного труда (для балета это — не пустая формула) принесли Фаруху Рузиматову заслуженный успех, его искусство обогащалось новыми красками, обретало характерные черты, позволяющие говорить о столь редком в балетном театре явлении, как яркая художественная индивидуальность. Это и блистательная виртуозность, сочетающаяся со строгостью формы и красотой линий, свойственных петербургской школе, и романтическое изящество пластической интонации, и совершенное владение телом, каждое движение которого имеет свой смысл и окрашено определенным настроением... Это редкое сценическое обаяние, широкий диапазон дарования, это гармоническое сочетание темперамента, экспрессии и динамики танца с предельной его утонченностью и изысканностью.

На сцену Кировского театра Фарух вышел еще учеником младших классов. Был солистом в па-де-труа из «Щелкунчика». В пятом классе исполнил главную роль в балете «Мальчиш-Кибальчиш». На выпускном спектакле с юной страстностью, азартом и увлеченностью танцевал виртуозное па-де-де из «Дон Кихота», и это исполнение стало многообещающей заявкой на грядущую карьеру танцовщика-виртуоза.

В отличие от хореографического училища, театр, куда Фаруха приняли безоговорочно, — совершенно иная ипостась и творчества, и повседневного бытия. Тут нужно тотчас найти свою нишу, обрести свой репертуар, доказать право исполнять его. Здесь нужно, наконец, умение вписаться в огромный и сложный коллектив, где партии так просто не уступают и бездумно не раздают.

В Кировском театре Рузиматов, как и положено, прошел всю школу кордебалета, танцевал многие партии, классические и характерные, а все свободное время проводил в репетиционном зале со своим наставником Геннадием Селюцким. Работали порой до полного изнеможения, добиваясь того, чтобы все стало подвластно и доступно и на земле, и в воздухе. Но странная вещь: поначалу Рузиматова считали скорее характерным танцовщиком, нежели чистым классиком. Потому в его послужной список первыми вошли венгерский танец из «Лебединого озера», индусский — из «Баядерки», цыганский — из «Дон Кихота». И неизвестно, как бы сложилась его судьба в театре, если бы не педагог, который верил в своего ученика и непрестанно доказывал тогдашнему художественному руководителю балета Олегу Виноградову, что его подопечный — танцовщик героического склада, что он может и должен исполнять ведущие партии классического репертуара.

«Счастливый билет Фарух вытянул тогда, когда внезапно Алтынай Асылмуратова, на которую театр делал ставку, осталась без партнера, — вспоминает друг Рузиматова, мать его сына Станислава, актриса, поэтесса и продюсер Ольга Обуховская. — Асылмуратова была заявлена на Первый международный конкурс артистов балета в Париже, и Фарух срочно заменил юношу, который должен был ехать с Алтынай. Случился парадокс: Алтынай слетела с третьего тура, а Фаруха избрали лучшим танцовщиком конкурса. Поскольку он шел в паре, срочным образом для него придумали специальную премию». На этом же конкурсе Рузиматов впервые встретился с легендарным Рудольфом Нуреевым, тоже, как известно, воспитанником Вагановского училища.

Первой ведущей, «полнометражной» партией Рузиматова на сцене Кировского театра стал цирюльник Базиль в «Дон Кихоте»: танцовщик завоевал право на главные роли мужского репертуара. Роль Базиля в исполнении Рузиматова удивляла в первую очередь отсутствием шаблонов, стереотипов, столь легко подхватываемых молодыми танцовщиками и переносимых затем из спектакля в спектакль. Базиль Рузиматова словно прошел чистилище и, освободившись от традиционных напластований, превратился из псевдоиспанского «хвата», каким его чаще всего изображали, в веселого и остроумного предшественника Фигаро. Танцевал Фарух эту партию легко и уверенно, дуэтные танцы с Китри казались непринужденной игрой, которая прерывается горячей перебранкой с отцом возлюбленной, чтобы смениться веселыми шутками с друзьями, заигрыванием с цветочницами. В Базиле — Рузиматове нет премьерской исключительности. Он возникает на сцене как «один из народа», простой, общительный, веселый. Ему привольно живется среди этой шумной толпы, среди бубнов, кастаньет, кинжалов, вееров, плащей. Плоть от плоти народа — вот основа, на которой зиждется образ Базиля, созданный Рузиматовым.

Танец классический перемежается с характерным, они дополняют друг друга, создавая пеструю хореографическую сюиту. Рузиматов отлично чувствует стиль испанского танца с кастаньетами, классическая «подоснова» придает движениям графическую законченность, сдержанный темперамент танцовщика освещает изнутри каждую танцевальную фразу. Во всем — чувство стиля, безошибочный выбор нужных красок. Это особенно важно в таком спектакле, как «Дон Кихот», где весьма приблизительно очерченные контуры драматургического материала дают простор фантазии исполнителя: хоть на мгновение потеряй чувство меры, и веселая шутка обернется банальностью, а то и пошлостью.

В финальном дуэте Рузиматов достигает широты танца, безупречности линий, свободного, радостного общения с партнершей. Он не торопит ритм адажио, тщательно «выпевает» каждую позу, чеканит рисунок. Резкой противоположностью медленному «запеву» обрушивается полный силы и энергии водопад пируэтов, которым он венчает танцевальную сюиту.

Уже первые спектакли «Дон Кихота» показали, что Рузиматов стремится не только к блестящему владению техникой классического танца, но и к преодолению привычного канона, традиционного образа классического танцовщика-кавалера. Он выступает как равный в дуэте, утверждая силу, красоту и выразительность мужского танца.

В 1980-е годы в репертуар Кировского балета все чаще стали проникать балеты современных композиторов и хореографов, давая возможность молодым исполнителям испробовать силы в неизведанных и доселе незнакомых пластических решениях. В 1984 году Рузиматов исполнил ведущую партию Юноши в балете Олега Виноградова «Асият» на музыку Мурада Кажлаева. Роль далась легко и радостно: здесь не нужно было мудрствовать лукаво — и возраст героя, и его психологический склад полностью совпадали с натурой самого Рузиматова.

Гораздо более сложная задача была поставлена перед молодым танцовщиком в другом балете Олега Виноградова — «Витязь в тигровой шкуре» на музыку Алексея Мачавариани. Здесь танцевальная пластика изобиловала необычностью поз и жестов. Дуэтный танец включал элементы почти акробатические, неожиданные, но выразительные и эмоционально насыщенные. Партия Тариэла пришлась Рузиматову как нельзя к лицу. Точная и безупречная фразировка движений, легкий полетный прыжок, энергия вращений — все это делало героя Рузиматова человеком волевым и ярким, отнюдь не рабом страстей. А витязем, мужественно преодолевающим невзгоды. Для артиста в этом балете важны были не только отдельные хореографические «слова» или «фразы», но прежде всего — музыкально-пластическая мысль, подчиняющая и оправдывающая логику движений. Его монологи, исполненные то отчаяния и горя, то ликующей радости, — наиболее выразительная часть хореографической партитуры. Нескончаемым потоком нежности лились, струились тягучие, терпкие движения Тариэла — Рузиматова. В танце был почти отчаянный вызов судьбе и людям, посягнувшим на любовь и красоту. Любовь и подвижничество, подвиг духа — вот что танцевал в этом балете Фарух.

Роли в балетах современных хореографов удачно сочетались в репертуаре Рузиматова с партиями в классических произведениях: Юноша в «Шопениане», крестьянское па-де-де в «Жизели». Только теперь понимаешь, что они были своеобразным подходом к большим классическим партиям. Таким, как образ Солора в «Баядерке», с которым танцовщик не расстается вот уже много лет. Эта партия оказалась очень близка индивидуальности актера, романтической по складу и стилю. Романтичен уже сам облик героя — светлая чалма обрамляет смуглое, красивое и тонкое лицо с огромными, горящими глазами. Уже первый выход Солора — Рузиматова говорит об энергии и силе героя: неслышная, пружинистая поступь, стремительность движений, уверенность и элегантность поддержек. Он — опытный охотник, бесстрашный воин. Пантомимная экспозиция предвещает интересное танцевальное решение. Актер снял всю наносную позировку роли, ее подчеркнутую псевдоиндийскую декоративность. И сразу же зазвучала человеческая тема образа, отчетливо заострилась социальность трактовки: Солору и Никии не найти счастья в мире, где правят Раджа и Брамин... Смелый солдат, Солор оказывался наивным и беспомощным в единоборстве с кастовыми предрассудками, хитростью и обманом.

Второй акт балета содержит первоклассный хореографический материал. Стихия танца захватывает исполнителя, так же как в свое время она захватила, покорила и своего создателя — Вахтанга Чабукиани.

...Торжественно, неторопливо, предвещая всю красоту и роскошь классического танца, начинается гран-па. Вариации солистов перемежаются танцами Солора и Гамзатти. Женский танец полон блеска, виртуозности и очарования; мужской — полетности, экспрессии, силы. Они соревнуются, соперничают, дополняют друг друга, составляя единое целое, удивительное по красоте и совершенству. Танец Рузиматова здесь обретает метафоричность, доступную лишь балетному театру: в нем и мощь молодого воина, и ловкость опытного охотника, и элегантность кавалера, и пылкость влюбленного юноши. В бравурной коде, венчающей сюиту, Солор — Рузиматов распластывается в прыжках по кругу, нагнетая темп, взвивается в воздух и замирает в чеканной позе. Так заканчивается погоня за диким зверем, когда острым копьем воин Солор пригвождает его к земле.

Встреча влюбленных возможна лишь в царстве теней, где Никия возникает как несбывшаяся мечта о счастье. И если в дивертисменте второго акта танец Солора отмечен национальным колоритом, здесь он окрашен в тона чистой, рафинированной классики. Встреча-дуэт влюбленных лишена конкретных примет эпохи, танец льется словно грустная песнь о несостоявшейся любви. Акт теней, эта жемчужина в творческом наследии Петипа, покорил мир своей хореографией, чистотой и изяществом рисунка. Фарух Рузиматов исполняет партию Солора в этом фрагменте во многих странах мира, его Солор по праву получил признание самых взыскательных судей танца.

Как важен опытный надежный партнер в дуэтном танце, да и в спектакле в целом, знают лишь артисты балета. Такие дуэты в былые времена складывались годами: Галина Уланова и Константин Сергеев, Наталья Дудинская и Вахтанг Чабукиани, а позднее — Наталья Дудинская и Константин Сергеев. Нынче эта система несколько расшаталась. И все-таки дуэт Диана Вишнева — Фарух Рузиматов очень часто возникает на Мариинской сцене, и зрители с нетерпением ждут именно этого сочетания звезд в каком-либо спектакле. В «Баядерке» Никия — Вишнева и Солор — Рузиматов — идеальное сочетание. Здесь сливаются воедино индивидуальности исполнителей: темперамент, актерское мастерство, технические возможности, рост, внешние данные.

«Хотя я танцую с Фарухом уже много лет, — признается Диана Вишнева, — я всегда волнуюсь: он танцовщик в чем-то непредсказуемый, в каждом спектакле обязательно возникнут неожиданные нюансы, неведомые мне до сих пор вспышки темперамента, на которые я обязательно должна отреагировать. В танце Фарух буквально электризует партнершу, танцуя с ним, нельзя оставаться просто хорошим профессионалом, он требует от тебя душевного взлета, полной отдачи, и я счастлива всякий раз, когда нам доводится танцевать в одном спектакле».

Сродни Солору и другая партия в репертуаре Рузиматова — Али в балете «Корсар». Эта роль не центральная, но она насыщена такой танцевальной экспрессией и хореографическими трудностями, что справиться с ней может только танцовщик-виртуоз. Танец Рузиматова реагирует здесь на едва уловимые оттенки душевного состояния Али, отражает смену настроений, трепет и нетерпение сердца.

Мягкая пластика позволяет танцовщику органично сливаться с томительно-певучими мелодиями адажио, а прекрасное мастерство классического кавалера дает возможность безупречно проводить сложнейшие дуэтные сцены. Каждая поза, прекрасная по своей завершенности, овеяна страстью и рыцарским благоговением перед прекрасной Медорой.

Судьбоносными оказались для Рузиматова встречи с зарубежными хореографами. Он буквально день и ночь готов был работать с Морисом Бежаром, когда тот приехал со своей труппой в 1987 году в наш город, а позже согласился поставить несколько номеров для танцовщиков Кировского театра. Для Фаруха Рузиматова и Алтынай Асылмуратовой он создал три замечательных номера, которые долгое время сохранялись в репертуаре — «Адам и Ева», «Гелиогабал» и «Бахти». Разные стили, эпохи, этнические группы. Работа с Бежаром стала для Рузиматова своего рода прорывом в современную хореографию, в новую эстетику и пластику.

К счастью, все эти номера запечатлены в телефильме «Гран-па в белую ночь». Совсем недавно для своего творческого вечера восстановил экзотический, пряный, повосточному изысканный номер «Бахти» на индийскую народную музыку, где его партнершей на этот раз стала Диана Вишнева. Рузиматов и Бежар сохраняют дружеские отношения до сих пор. В 1987 году труппа Бежара в полном составе бывала по вечерам в доме Рузиматова. Танцовщики приходили с массой видеозаписей, благодаря чему Фарух всегда был в курсе новейших достижений современного балета. От бежаровцев в доме остался тяжеленный альбом Родена с дарственной надписью.

Между тем классические роли входили в репертуар Рузиматова одна за другой. Партия Джеймса в балете «Сильфида» тоже стала своего рода откровением для Рузиматова. Восстановленная на сцене Кировского театра шведской танцовщицей и балетмейстером Эльзой-Марианной фон Розен, «Сильфида» впервые познакомила наших танцовщиков со стилем классика датской хореографии Августа Бурнонвиля. Рузиматов органично постиг романтическую стилистику старинного балета, основанного на мелкой технике разнообразных виртуозных заносок, воздушных прыжков с непринужденными приземлениями в разные балетные позиции. Танцовщик исполнял эти сложные филигранные движения с завидной легкостью и точностью. Устремленность к непостижимому идеалу, разлад между мечтой, завладевшей Джеймсом, и действительностью, погубившей эту мечту, составляют конфликт образа, переданный Рузиматовым трепетно и проникновенно.

Образ Альберта в балете «Жизель» меняется у Рузиматова с каждым годом: появляются новые нюансы, иные психологические акценты. Не будем забывать, что партия Альберта — это многогранный, сложный образ, над которым подлинные мастера балета работают всю жизнь. Перед глазами Рузиматова-ученика прошли многие исполнители партии Альберта, у которых все было взвешено, рассчитано, учтено. Как легко вылепить копию, имея перед собой совершенные оригиналы. Некоторые танцовщики так и поступали. Но Рузиматов искал свое решение образа Альберта. Знакомый рисунок роли он расцветил своим узором. В его Альберте не было, пожалуй, чрезмерной пульсации интеллекта, не было отточенно-блестящих манер аристократа. Сословная принадлежность скорее обозначалась, нежели воплощалась. Зато была молодость, горячая, неуемная, пылкая, а с ней — беспечность, легкомыслие, бездумье, поиски самого себя, просчеты и ошибки.

Альберт Рузиматова не готовил продуманного плана обмануть Жизель. Зачем?! Приволокнуться за хорошенькой поселяночкой было в манере двора, давно вписано в моральный кодекс. Герой Рузиматова стремится к встрече с доверчивой Жизелью, не подозревая, что встреча окажется роковой не только для крестьянской девушки, но и для него, графа, надежно защищенного, казалось бы, от всех жизненных невзгод титулом и положением в свете. Смерть Жизели — трагедия для него, внезапное осознание легкомысленно совершенной ошибки: Альберт Рузиматова, в отличие от окружающих его придворных, испытывает раскаяние и ужас при виде гибнущей девушки. Их равнодушные лица-маски и его полные отчаяния глаза — вот что более всего запоминается в этой сцене. Со смертью Жизели для него обрывалась юность, терялось ощущение радости жизни...

Раскаяние и горе Альберта, воплощаемые Рузиматовым в пантомиме финала первого акта, находят пластическое разрешение в танце второго акта. Высокие прыжки и динамичные вращения передают всю боль утраты, мучения юношеской души. Волнение Альберта — Рузиматова всегда передается зрителю: как он мог так бездумно сгубить Жизель, образ которой с такой трогательной простотой и нежностью создает Диана Вишнева.

...Снова и снова в повелительном жесте поднимается рука жестокой Мирты, предводительницы вилис, требующей смерти Альберта. В стремительном темпе делает Рузиматов знаменитую диагональ прыжков, а затем повторяет ее. Взгляд надежды устремлен к Жизели — Вишневой: лишь она одна способна простить, понять и возродить к жизни. Но неумолимы законы царства мертвых — вилисы жаждут мести. В высоких прыжках-кабриолях взвивается его тело, как язык погребального колокола, рассекают воздух ноги, руки молят о пощаде... Еще прыжок — и Альберт в изнеможении падает на землю. Блестящая танцевальная техника артиста укрупняет образ, мучения совести обретают зримое, пластическое выражение.

У Рузиматова множество поклонников во всем мире, но среди них особенно выделяются японские ценители таланта петербургского танцовщика. В Японии — культ Рузиматова. Зрители готовы смотреть его в «Лебедином озере» или «Жизели» бессчетное количество раз. Романтически настроенные девушки следуют за Рузиматовым во время гастролей из города в город, при встрече с ним от смущения закрывают лицо руками и шлют ему забавные открытки, подкрепляя написанное гигантскими букетами роз. Женщины посмелее поднимались на тот этаж отеля, где останавливался Рузиматов, и оставляли под дверью его номера букеты немыслимых сиреневых цветов. Как потом выяснилось, эти цветы обозначают пожелание спокойной жизни, умиротворения и достатка.

Однако покой и умиротворение не свойственны бурной натуре Рузиматова. В 1990-е годы началась перестройка, артистам была дана относительная свобода, и на Рузиматова посыпались предложения выступать то в одной стране, то в другой. В 1990 году танцовщик принимает приглашение Американского театра балета (АБТ), который нередко выступает на сцене знаменитой «Метрополитен-опера», но в основном занимается гастрольной деятельностью внутри США. Здесь Рузиматов исполнил партии, ему хорошо знакомые, но идущие в редакции наших соотечественников Михаила Барышникова и Натальи Макаровой, — в балетах «Жизель» и «Баядерка». В Америке ему довелось впервые исполнить партию Ромео в балете Сергея Прокофьева «Ромео и Джульетта» в постановке английского хореографа Кеннета Макмиллана, на которого, по его признанию, большое влияние оказала версия балета Леонида Лавровского.

Были встречи и с совершенно незнакомой хореографией: в балете Джорджа Баланчина «Концерт для скрипки» Рузиматов исполнил ведущую сольную партию; в жанровом балете-комедии «Парижское веселье» Леонида Мясина станцевал и сыграл роль Перуанца. Партию Принца в «Спящей красавице» Рузиматов исполнял и в редакции Кеннета Макмиллана. Работа в Американском театре балета дала опыт, умение быстро приноравливаться к незнакомой хореографии и быстро осваивать ее. Через год Рузиматов вернулся в родной театр. Многие были удивлены его возвращению. В ту пору ведущий популярной телепрограммы «600 секунд» Александр Невзоров спрашивал у Фаруха, как это в то время, когда все бегут из России, он в нее прибежал.

Принц Дезире — одна из любимых партий Рузиматова в классическом репертуаре. Образ героя был во многом переосмыслен в режиссерской редакции, сделанной Константином Сергеевым в 1952 году. Из элегически грустного, хореографически бледного персонажа он превращен в волевого, умного юношу, полного стремления завоевать свою любовь, отстоять ее, сохранить. Вариация принца во втором акте — самая энергичная и наиболее технически сложная из всех танцевальных характеристик этого акта.

...В багрянец осени одет лес. Элегантный камзол принца, словно впитав отблески листвы, золотится в лучах неяркого солнца. Закончились танцы придворных, чинные, чуть жеманные, построенные на пластике персонажей старинных французских гобеленов. Наступает черед принца. Дезире легко прорезает пространство сцены в чеканных турах, невесомых прыжках. Острые, предельно вытянутые подъемы ног сверлят воздух, неслышно приземляется принц на осеннюю листву. Его вариация-монолог резко контрастирует с несколько тяжеловатыми танцами свиты и логически связывает второй акт балета, где принц появляется впервые, с дальнейшими событиями, в значительной степени предваряя подвиг отважного юноши. Именно принц, самый мужественный в своем королевстве, смог прорваться сквозь дремучий лес, преодолеть злые чары волшебницы и пробудить Аврору страстным поцелуем для долгой жизни и счастья. Рузиматов сумел проникнуть в глубину создаваемого образа, наполнить волшебную сказку подлинным ощущением современности: перед нами не утомленный развлечениями аристократ, а ищущий идеала, пылкий юноша, идущий навстречу препятствиям и опасностям, которые подстерегают его на пути.

Как ни странно, балет Юрия Григоровича «Легенда о любви» довольно поздно вошел в репертуар Рузиматова, а ведь это ЕГО балет и по содержанию, и по пластике. Рузиматов решает образ Ферхада как трагедию яркой личности, попавшей в сети судьбы и пытающейся эти сети разорвать. Этот Ферхад-рисовальщик — бунтарь, гордец и одиночка. Путь его к людям нелегок. Уступать он не умеет. Даже лирическому дуэту Рузиматов придает драматичность. И любовь его к нежной Ширин исполнена какой-то наступательно-повелевающей силы. В знаменитом трио, когда сцена погружается во тьму и лучи света выхватывают из мрака лишь фигуры трех протагонистов — Мехмене-Бану, Ширин и Ферхада, — Рузиматов достигает в танце необычайной психологической свободы и мощи. При том, что сам танец остается утонченным и живописным, Рузиматов подвергает образ Ферхада сложному исследованию в глубину, испытывая характер героя на прочность. Его герой не колеблется и не раздваивается, искусство и любовь для него понятия одного ряда, единое целое, разрушить которое не в состоянии ни власть, ни тупая физическая сила.

«Восточные» герои, в каких бы балетах они ни появлялись — классических или современных, — чрезвычайно удаются Рузиматову. Среди них — пылко влюбленный в Раймонду сарацинский рыцарь Абдерахман, художник Гойя в одноактном балете «Гойя-дивертисмент», поставленном испанским хореографом Хосе Антонио, Золотой раб из фокинской «Шехерезады» — воплощение мужественности и силы, человек, готовый за любовь или призрак любви расплатиться жизнью. И конечно, Хозе в балете Ролана Пети «Кармен». В танце Хозе — Рузиматова — воля к жизни и любви, несгибаемая бескомпромиссность, исступленный драматизм. Его «Хабанера» (а именно этому герою отдал хореограф мелодию знаменитой песни любви) — трагический монолог души возвышенной и стойкой. Здесь танец Рузиматова суров и аскетичен, а пластика полна напряжения и жгучего, опаляющего темперамента.

Среди работ Рузиматова последних лет — роли в балетах столь разных балетмейстеров, как Ролан Пети и Джордж Баланчин. Балет «Юноша и смерть» сочинен Роланом Пети в 1946 году. Это диалог-поединок между Юношей-художником и загадочной Девушкой, то ли бесстрастной соблазнительницей, то ли призраком. Он — ищущий любви, понимания, жаждущий обрести красоту и гармонию. Она — холодная, отстраненная, дразнящая и неуловимая соблазнительница. Человек и судьба. Жертва и Палач. Хореография балета чрезвычайно сложна, она сочетает классику с акробатикой, бытовым жестом, необычной пластикой. Юноша в исполнении Рузиматова — блестящая работа ведущего солиста труппы. Танцовщик-актер еще раз доказал, что ему подвластны все жанры хореографического искусства — от изысканной классики до непредсказуемой лексики современного танца. Акробатические стойки на руках, падения на планшет, почти гимнастические поддержки партнерши в головокружительных турах — все это Рузиматов делает легко, с азартом и с темпераментом. Его танец-игра с черноволосой незнакомкой, чей приход вселил в его душу смятение и страх, — поистине борьба не на жизнь, а насмерть.

Рузиматов не раз встречался с хореографией Джорджа Баланчина. В его «Теме с вариациями» он блистал классической формой, безукоризненной фразировкой танца, изысканными арабесками, был элегантным партнером в дуэтном танце. В «Блудном сыне», поставленном хореографом в 1929 году, все иное — свободная, раскрепощенная пластика, исполненные негодования и протеста монологи Сына, замедленная, почти кружевная вязь дуэтов. Как известно, большинство балетов Баланчина бессюжетны, танец в них трактует музыку, а не фабулу. «Блудный сын» —

исключение. Здесь балетмейстер ищет соотношение между танцем и словом, почти скрупулезно следуя евангельской притче. Блудный сын Рузиматова — воплощение непокорности и своеволия, желания вырваться за пределы повседневной жизни. Он весь устремлен в неизвестное, готов к приключениям, исход которых не может и не хочет предугадать. Он глух к знакам надвигающейся беды. Рузиматов резко меняет тональность образа во второй картине: обворованный бандой бритоголовых грабителей, утративший друзей, обманутый коварной Сиреной, он превращается в робкого отрока, перед которым впервые в жизни разверзлась пропасть человеческой подлости и низости...

Бенефис — событие, замечательное тем, что в нем исчезает обычная в общении танцовщика со зрителем преграда — конкретная роль, которую он исполняет в спектакле. Главный герой бенефиса — сам танцовщик, и между ним и зрителем возникает диалог напрямую. Бенефис — своего рода проявитель истинной величины дарования художника и его возможностей. Бенефисы (или, если хотите, творческие вечера) — нередкое явление в жизни Рузиматова. К ним он всегда готовится тщательно, продумывая каждую деталь, выстраивая внутреннюю драматургию, готовя сюрпризы, отбирая «изюминки». Рузиматов любит удивлять: наряду со знакомыми вариациями из классических балетов танцовщик включал в свои бенефисы, например, несколько танго на музыку Пьяццоллы или живописные композиции Бориса Эйфмана, философскую притчу «Странник», поставленную балетмейстером Олегом Тимуршиным, или «джазовые вариации», где нервная пульсация музыки словно вторит внутренней взрывной эмоциональности артиста.

А рядом — в другом отделении — изысканнейшее по хореографии и настроению «Видение розы» Михаила Фокина, где артисту удалась искусная пластическая имитация цветка. Тонкое, изящное тело на редкость красиво смотрится в бордовом костюме, голова чуть склонена к плечу, глаза опущены долу, руки свиваются в экзотическом узоре: возникает призрачный, таинственный образ оживающей розы. Танцовщик внутренне закрыт, сосредоточен, он словно всматривается в себя, и потому загадочен, как загадочна красота плотно свитых в бутон и постепенно раскрывающихся лепестков...

Творчески Рузиматов всегда тянется к новым идеям, его волнуют спектакли, где танец сливается с драматическим действием. Недавно они с Дианой Вишневой снялись в фильме «Кроткая» по Достоевскому, где Фарух сыграл роль главного героя, разжалованного офицера, ныне ростовщика.

Десять лет назад Ольга Обуховская задумала создать синтетический спектакль, где не просто говорят и танцуют, а танец и драма сосуществовали бы, дополняя и продолжая друг друга. Так родился спектакль «Трагедия русского фавна», основанный на дневниках великого русского танцовщика Вацлава Нижинского. Со временем спектакль менялся, в него пришли новые балетмейстеры и исполнители, и постановка сменила название — «Вацлав Нижинский. Повенчанный с Богом». Роль гениального танцовщика сыграл артист Малого драматического театра — Театра Европы Сергей Бехтерев. Роль его танцующего двойника с блеском исполнил Фарух Рузиматов.

Более двадцати лет прошло с тех пор, как ученик Ленинградского хореографического училища (ныне: Академия русского балета) впервые ступил на Кировскую сцену (ныне: Мариинский театр). Более двадцати лет он беззаветно служит искусству танца. Теперь о нем самом слагают легенды. Творческий путь балетного артиста стал почти притчей о кратковременности сценической жизни. Артист балета, словно спринтер, бегун на короткие дистанции: та же интенсивная отдача сил, та же стремительность темпа. Однако Рузиматов с легкостью вырвался за временной барьер, установленный природой для танцовщиков. Он и сегодня полон сил, энергии, творческих замыслов. Рузиматова называют серьезным танцовщиком-мастером. Нужно добавить, что он к тому же — думающий актер, отчетливо ощущающий разные миры, ритмы и мировосприятия своих героев, подмечающий их духовный склад, человеческую сущность. В беспрестанном поиске своего «я» на трудной ниве балетного искусства — залог дальнейших побед Фаруха Рузиматова.

Елена Алексеева

# Михаил Светин

Актеры, особенно народные любимцы — комики, кажутся нам воплощением молодости, веселья и энергии. В какой-то мере так оно и есть. Но в один прекрасный день выясняется, что у этих весельчаков помимо чувства юмора и неотразимого обаяния есть еще и возраст, который требует не только восхищения, но и почтительного отношения. А также — подведения хотя бы предварительных итогов.

Вот так и со Светиным. Все хохмит, балагурит, смешит до слез на кино- и телеэкране, а оказывается, он уже народный артист России давным-давно, 70-летие отпраздновал, внуков уже двое. Так что хватит хихикать! Пора остепениться. А театроведам самое время энциклопедию составлять. Называться она могла бы «Светин от А до Я».

Откроем наугад несколько ее страничек.

**А. Амбиции**

Это для каждого артиста — ахиллесова пята. Плох тот артист, который не хочет стать народным. Миша Светин в детстве про «народных» ничего не слышал. Зато на вопрос, кем ты станешь, когда вырастешь, с трех лет отвечал твердо: «Чарли Чаплином!» Мама ставила малыша на стул, и он бойко распевал песенки и читал басни. О существовании театра и не догадывался, зато обожал кино. Все фильмы смотрел по пять — десять раз. Сколько было сеансов в летнем киевском кинотеатре, столько и смотрел. Ходил в кино, разумеется, «зайцем». Перелезал через забор или просил кого-нибудь из взрослых, чтобы взяли за руку и провели. А там усаживался прямо на землю перед первым рядом и с головой уходил в происходящее на экране. Там-то и нашел он своих кумиров — Бориса Бабочкина и Алексея Грибова, Михаила Яншина и Эраста Гарина. Больше, конечно, ценил комиков. Чувствовал в них родственную душу.

Позже, учась в школе, продолжал готовиться к карьере артиста. Был в своем классе — на радость одноклассникам и на горе учителям — главным комиком. Любил усесться на первую парту, повернуться спиной к педагогу и начать травить анекдоты. Аплодисментов не срывал, зато хохот публики был ему лучшей наградой. Учителям, однако, не всегда хватало терпения и чувства юмора. «Выйди из класса!» — эта реплика звучала постоянно. И расценивалась будущим артистом как команда: «На выход!» Он и ее использовал для комических мизансцен и диалогов с педагогическим составом, тем более что знал: учителя питают к нему тайную слабость. Стоило Мише прочесть стихотворение или выступить в концерте школьной самодеятельности, как учительница, казавшаяся по будням настоящей мегерой, таяла от умиления. «Мишенька, быть тебе артистом!» Учитывая задатки неутомимого комедианта, директор школы в один прекрасный день привел всеобщего любимца в свой кабинет, достал чистый бланк табеля за восьмой класс и досрочно выставил в нем отметки. Со словами: «Очень тебя прошу, не появляйся больше в школе!» — вручил свидетельство о неполном среднем образовании и выставил за дверь.

Как же после такого дебюта не чувствовать себя Чаплином?!

Вскоре выяснилось, что среднее образование необходимо даже гениальному комику. Надо было думать о поступлении в театральный институт! Выход в конце концов нашелся. Миша узнал, что музыкальное училище дает помимо специального образования еще и аттестат зрелости. И пошел поступать на дирижерско-хоровое отделение. На экзамене выяснилось, что будущему дирижеру требуется стаж по избранной специальности. «Где вы стажировались?» — поинтересовались музыканты из солидной экзаменационной комиссии. «Перед радиоприемником!» — бодро ответил им абитуриент. За что опять, в который уж раз, был вознагражден дружным хохотом. Между тем абитуриент не шутил: он действительно любил слушать музыку по радио, знал наизусть все оперные и симфонические произведения, которые звучали в эфире, и, часами простаивая у репродуктора, дирижировал, красиво размахивая руками в такт музыке. Ему льстило, что лучшие оркестры Советского Союза подчиняются движениям воображаемой дирижерской палочки, которую он прямо-таки чувствовал в своих пальцах, — и, что было особенно приятно, никогда не фальшивят.

Музыкантом Миша все-таки стал. Его приняли учиться по классу гобоя. Что касается фортепиано, то играть на нем он научился от отца, который не знал нот, но имел абсолютный слух. Впрочем, по отцовской линии он унаследовал и амбиции: отец тоже всегда был в центре внимания, любил смех, аплодисменты и прочие знаки поклонения.

**Б. Без школы**

На Киевском музыкальном училище образование Михаила Светина закончилось. Он попытался было поступить в какой-нибудь московский театральный вуз, но никуда не попал. Одни педагоги были шокированы его чудовищным украинским акцентом. Другие обращали внимание на дикцию, совершенствованию которой мешали широко поставленные передние зубы. Взлелеянные друзьями и родными амбиции получили мощную затрещину. Неизвестно, как оправился бы доморощенный гений, но судьбе было угодно забросить его в провинцию. Туда он тоже попал не без приключений. На актерской бирже, существовавшей тогда в Москве в Саду им. Баумана, недавно демобилизовавшегося из армии молодого человека спросили: «Какие роли вы играли?» — «Шмагу играл!» — ответил он. Что было истинной правдой. В Музыкальном училище был свой любительский драмкружок, где ставили «Без вины виноватых» Островского. Там-то Миша и сыграл Шмагу, которого потом всю жизнь хотел сыграть снова, но до сих пор так и не сумел. Документа о музыкальном образовании и этого «послужного списка» вполне хватило, чтобы юного киевлянина пригласили в театр города Камышина. Здесь-то и начались для Светина настоящие театральные университеты. В 1954 году он и не подозревал, что сорок лет спустя его портрет будет украшать фойе этого первого в его жизни профессионального театра.

**В. Водевиль**

Водевиль относится к числу любимых жанров Михаила Светина. Но, увы, блистать в этих комедиях с переодеваниями и куплетами ему приходится нечасто. Кажется, всем понятно, что Светин — прирожденный исполнитель водевильных ролей. Лев Гурыч Синичкин просто по нему плачет! Но так уж складывается актерская судьба, что подобные роли артист играл главным образом в кино. Недаром его популярность неотрывна от фильма «Чародеи», где персонаж Светина — Брыль — распевает куплеты «Главное, чтобы костюмчик сидел». На грани водевиля существуют и другие киногерои: комедия Леонида Гайдая «Не может быть!» по рассказам Михаила Зощенко построена по принципам этого старинного жанра. Артист и играет по-водевильному, не углубляясь в дебри психологии советского мещанина, а довольствуясь типическим характером.

Недаром он по Шмаге так тоскует. В этом герое старой пьесы А.Н. Островского, посвященной нравам жителей провинции и провинциальных Актер Актерычей, сконцентрированы огромные возможности. Буквально двумя выходами и несколькими «пулевыми» репликами Шмага добивается такого эффекта, который герою с судьбой и развернутыми монологами и не снится. А его второе появление — алле, гоп! — трезвым и в новом пальто — чистый водевиль. Тем паче, что трезвого поведения хватает минут на пять.

На ТВ была программа «Кабаре «Околесица». Там артист Светин и большая выдумщица режиссер Клара Фатова широко пользовались водевильными приемами. Всяческая путаница, превращения, розыгрыши, мгновенные перемены — страсть Светина. Он и в начале своей карьеры не мог никак обойтись без занавеса, даже на экзаменационных испытаниях ему надо было выйти хоть из-за ситцевой занавесочки, хоть из-за дверцы шкафа, но момент неожиданности непременно присутствовать должен.

**К. Кино**

Решающую роль в жизни Михаила Светина сыграл Леонид Гайдай. Казалось бы, появлялся артист в его фильмах не так уж часто, но школу прошел великолепную. Из дебютанта в зрелого мастера превратился, именно работая с Гайдаем. Да и на улицах его узнавать стали только после появления на экранах картины «Не может быть!». Эта лента в личной фильмографии Михаила Светина значится под пунктом пять.

До этого проработавший двенадцать лет в провинции комик успел обосноваться в Ленинграде и попасть в труппу тогда еще никому не известного Ленинградского областного Малого драматического театра. В театре играл много, в кино только-только дебютировал (в возрасте сорока четырех лет!) на Киевской студии им. И. Довженко. Тогда-то на один из спектаклей МДТ заглянула помощница Элема Климова по кастингу. Режиссер в тот момент набирал актеров для фильма «Агония», где Светин в конце концов и сыграл роль Терехова. Причем вовсе не комедийную, а вполне драматическую, — филера, неотлучно состоявшего при Распутине.

В тот год на актера был повышенный спрос. Георгий Данелия пригласил на небольшую роль в фильме «Афоня», Динара Асанова позвала на «Ленфильм» сняться в картине «Не болит голова у дятла». А тут еще и Леонид Гайдай прислал из Москвы сценарий по рассказам Михаила Зощенко. Это сейчас понятно, как повезло безвестному провинциалу. Столько предложений — и все от режиссеров первой величины, работать с которыми мечтали все столичные знаменитости. Но новичку Светину поначалу было все равно, у кого сниматься. Главное, что сбывалась его мечта о кино.

Между тем все эти предложения не были случайны: экран постоянно нуждается в новых лицах. Он, словно молох, перемалывает сотни имен, физиономий, типажей. Любит пользоваться штампами, стереотипами, лицами и репутациями известных актеров. Но и без нового сырья обойтись не может. В начале 1970-х советский кинематограф открыл для себя артиста Светина и в упоении принялся использовать свежий имидж. Менее чем за десять лет артист снялся более чем в двадцати картинах. Половина канула в Лету, зато другую половину по телевизору показывают в режиме «нон стоп».

Дебют артиста в кино прошел успешно. Однако постоянных контактов с режиссерами, можно сказать, не завязалось. Светин не стал лирическим героем ни для одного из великих мастеров. С Эльдаром Рязановым вышла даже весьма драматическая история. Мастер несколько раз примеривался к артисту, да все как-то не складывалось. Однажды все-таки нашел для него роль, пригласил сниматься в фильме «Служебный роман». В сценарии была большая роль — мужа секретарши Верочки, которую потом сыграла Лия Ахеджакова. Пробы прошли нормально, артист уже начал примериваться к новому герою, привыкать к будущей «жене», с которой надо ссориться-мириться, сходиться-разводиться. Но однажды, случайно встретив Эльдара Рязанова в одном из питерских театров, Светин узнал, что героя его постигла печальная участь. Его аккуратно вырезали из сценария. «Ничего! — утешил Рязанов. — Не расстраивайтесь! Придумаем еще что-нибудь!» И, действительно, через некоторое время позвал на кинопробы фильма «Гараж». На этой стадии все и закончилось: из двух претендентов на роль художественный совет выбрал Семена Фараду, сочтя, что Светин стилистически не совпадает с остальными персонажами. У артиста даже сохранилось письмо режиссера:

*«Дорогой Миша! Не хочется огорчать Вас в Новогодние дни, но, к сожалению, придется. Мы посмотрели все кинопробы вместе, и Ваш кусочек, увы, выпадает из ансамбля. Несмотря на то, что сцена с Вами смешная, все-таки она из другого фильма. Я сам этим огорчен, но... Надеюсь, что судьба еще сведет нас. Всего Вам самого доброго. Будьте здоровы, счастливы. И не обижайтесь.*

Искренне Ваш<br>Эльдар Рязанов. 28 дек. 78 г.».

Судьба их не свела. Даже, пожалуй, разводила, как могла. Альянса не возникло еще и оттого, что при Рязанове всегда было несколько «придворных» комиков, которые лишнему места не оставляли.

Один Леонид Гайдай, у которого тоже, между прочим, не возникало недостатка в комедийных артистах (чего стоит хотя бы троица Никулин — Вицин — Моргунов), не забыл однажды найденного актера. И через все свое творчество протянул эту ниточку, приглашая Светина время от времени в свои фильмы.

Начало было положено картиной «Не может быть!», за которую, как вспоминает Михаил Светин, мастер еще остался должен ему бутылку коньяка. Да и другие актеры рассказывают, как строилась работа на съемочной площадке.

Режиссер любил импровизации и поощрял творческую команду на всевозможные выдумки. Фильм снимал эпизодами, причем любил завершенные формы. Эпизод должен был завершаться ударной репликой.

И вот в одной из сцен, где были заняты Вячеслав Невинный и Михаил Светин, финал никак не вытанцовывался. Не было репризы, которая послужила бы точкой. Бились-бились, но перейти к следующей сцене никак не могли. Реплика пришла в голову, точнее, на язык Светину. Простая какая-то фраза, но абсолютно совпадавшая по стилю с текстом Зощенко. Наверное, в тот момент и выяснилось, что артист и режиссер нашли друг друга и говорят на одном языке. Представление об эксцентрике у них было общее. Оба не боялись ярких красок, резких контрастов, доходящего до клоунады гротеска.

Приглашал Гайдай Светина участвовать в нескольких «Ералашах». Один из сюжетов публика особенно любит. Тот, где героиня Нины Руслановой продает своего мужа (его играет, разумеется, Михаил Светин) на птичьем рынке. В этой небольшой работе артист не только показал героя, словно подсмотренного в жизни, но и нашел достойную партнершу, с которой потом встречались не раз. И до сих пор мечтают о том, чтобы сыграть вместе на сцене.

Следующая встреча с Гайдаем должна была произойти вскоре после «Не может быть!»: режиссер пригласил артиста на роль Бобчинского в экранизацию «Ревизора», которая вышла на экраны под названием «Инкогнито из Петербурга». Но артист заболел, слег с ангиной, а съемки откладывать было нельзя. Роль перешла к Олегу Анофриеву.

А в конце 1980-х, когда оба уже были признанными «звездами», Леонид Гайдай снял Светина в не самом лучшем своем фильме — «Частный детектив, или Операция «Кооперация». Там у него была роль отца героини и сцена, когда папа с дочкой «героически» тонули в новом кооперативном клозете. Светин висел из последних сил на каком-то крюке, а дочка спрашивала его: «Папа! Что будем делать?» — «Надо прощаться!» — философски отвечал герой Светина.

В последнем гайдаевском фильме «На Дерибасовской хорошая погода...» тоже была роль для артиста. Он был как раз на гастролях в Москве, и ему в гостиницу принесли читать сценарий. Персонаж, которого выбрал для него Гайдай, актеру не понравился. Главарь русской мафии в Нью-Йорке показался ему фигурой опереточной. К тому же реплики его перекликались с фразами из предыдущего фильма. Герой по фамилии Кац, оказавшись в окружении то ли полицейских, то ли бандитов, на вопрос: «Что будем делать?» — изрекает: «Надо сдаваться!»

Прочитав сценарий, артист тут же кинулся звонить режиссеру: «Сколько можно?! Почему вы меня держите на одних и тех же репликах? Мне уже стыдно повторяться! Из фильма в фильм один характер! Почему я должен сидеть на штампах?» — «И какую же роль вы хотите, Миша?» Здесь артист растерялся и сумел только пробормотать: «Надо подумать». — «Ладно, — холодно ответил Гайдай, — тогда простимся до лучших времен». И тут же нашел другого исполнителя на эту роль — Армена Джигарханяна.

Этот тандем при более благоприятных условиях мог бы состояться. Но Гайдаю, который уже был сформировавшимся и очень специфическим режиссером, нужен был Светин как краска, как актер совершенно определенного типа. Специально подстраиваться под кого бы то ни было из «звезд» он не желал.

А со стороны Светина все было несколько сложней. За четверть века в кинематографе где он только не снимался! Поступки, которые Фаина Раневская называла «плевок в вечность», совершал неоднократно. Пытался избежать штампов и тут же попадал в ловко расставленные мастерами киношной «макулатуры» силки. Из-за пустяков портил отношения с серьезными режиссерами и снисходительно соглашался участвовать в откровенной халтуре. В чем, в чем, а в прагматичности этого артиста не заподозришь. Даже к семидесяти годам не научился просчитывать все «за» и «против». Бывает, спорит с режиссером до потери пульса, а позже оказывается, что именно в этой картине добился неожиданного результата... Так было, скажем, с фильмом Сергея Сельянова «Время печали еще не пришло», где Светин сыграл роль простого деревенского мужика, татарина к тому ж. И сценарий Михаил Ковальчук написал необычный, и актерский ансамбль подобрался прекрасный.

Получилась притча про то, какими путями идут герои к счастью и как все время проходят мимо.

Так, впрочем, и сам Светин. Все время сражается с судьбою, с амплуа комика. А зрители любят его как раз за «чистую комедию».

Когда-то художественный руководитель Ленинградского цирка Алексей Сонин уговаривал его: «Миша! Бросай свой театр, иди ко мне! Посмотри на себя в зеркало, ты же прирожденный клоун! Я для тебя специальные программы делать буду. Весь мир объедешь!» Эти речи Светина только обижали. Ему казалось, что он занимается высоким искусством, в театре работает, а клоун — это низкое, недостойное его таланта занятие.

**Л. Любимые роли**

Любимые — это несыгранные. Словно несостоявшиеся романы. Шмага из «Без вины виноватых», Иосиф Швейк, Расплюев из «Свадьбы Кречинского». С идеей сыграть Расплюева артист носится вот уже несколько лет, но в театре неизменно слышит: «У нас в городе нет Кречинского!»

Понятно, что привлекает артиста в персонаже Сухово-Кобылина. Расплюев — из породы униженных и оскорбленных, хотя чаще его принято трактовать как унижающего и оскорбляющего. Светина притягивает в нем гремучая смесь (есть что играть!) авантюриста и враля, льстеца и нахлебника, любителя сладкой жизни, способного в случае чего довольствоваться и корочкой хлеба. В представлении артиста это постаревший Хлестаков, еще не облагороженный Петербургом. Смешной? Конечно! Но этот пройдоха не может не вызвать сочувствия.

К любимым относятся и герои Чехова, хотя в больших пьесах великого драматурга Михаилу Семеновичу так еще ни разу и не довелось играть. Зато с рассказами Антоши Чехонте ему повезло. В фильме «Сапоги всмятку» (1978) играл фортепианного настройщика Муркина, смешного чудака, пострадавшего от провинциального трагика в исполнении знаменитого Бориса Андреева. А в телевизионной работе Игоря Масленникова «Театр ЧехонТВ» снялся в двух «пестрых» рассказах: «Сирена» и «Психопаты», идеально вписавшись в отменный ансамбль артистов БДТ. Рядом с опытными интерпретаторами драматургии Чехова — Евгением Лебедевым, Олегом Басилашвили, Всеволодом Кузнецовым — Светин не только не потерялся, но и проявил свои лучшие качества — чувство юмора и сдержанность. Ему достались забавные персонажи, главное свойство которых — безудержная болтливость. Первого — из рассказа «Сирена» — он представил как вдохновенного поэта гастрономии, второго — как обывателя, начитавшегося газет.

Обидно, что ни Епиходова, ни Вафлю, ни Медведенко сыграть артисту не довелось. А мог бы предстать и очень необычным Чебутыкиным...

Но в Театре комедии Чехова давненько не ставили. Видно, не считают его хорошим комедиографом.

**М. Маленький человек**

Избрав в детстве идеалом Чарли Чаплина, Светин хотел не просто смешить. Ему нравилось быть трогательным до слез. С возрастом эта потребность не ослабевала. И в театре, и в кино он старается выбирать именно такие роли — маленького человека. Диапазон этого амплуа достаточно широк. Маленьким кажется неудачник Виктор Михайлович из фильма «Любимая женщина механика Гаврилова». Смешной толстячок, с ходу влюбившийся в эффектную героиню Людмилы Гурченко, на минуту замечтался, ему померещилось несбыточное счастье. И все свои нахлынувшие чувства он вкладывает во взмах медных тарелок — бах!

В удар колокола на перроне железнодорожного вокзала и в шпрехшталмейстерский выкрик: «Скорый дизельный поезд Бухарест — Синай!» (точь-в-точь как в цирке, с подачей, объявляются самые эффектные аттракционы) вкладывает свои амбиции маленький начальник станции из фильма «Безымянная звезда». Он тоже — факир на час. Ему даны мгновения всеобщего внимания, когда он кажется самому себе хозяином положения и миропорядка. А потом его настигает проза: появляется склочная ревнивая жена и начинает его тиранить. Герой снова сникает. Становится чуть ли не меньше ростом и под супружеские тумаки и окрики уныло влезает на велосипед и катит в свою семейную обитель.

Из разряда маленьких и Одноглазый в оперетте «Вольный ветер», и граф Эккенберг в «Сильве». Светин с восторгом лепит разные варианты роли запуганного мужа-подкаблучника, который пользуется малейшей возможностью хлопнуть рюмку-другую за спиной у грозной супруги. Фраза «Ты на меня не сердишься? Хочешь конфетку?» сочинена задолго до фильма, поставлённого Яном Фридом. Ее повторяли на разные лады все исполнители роли графа в постановках знаменитой оперетты Кальмана. Но в народ реплика пошла, только сорвавшись с языка светинского героя. Именно с его интонацией теперь и цитируется. Да и сам он, доставая из кармана запрещенную ему врачами конфетку, обычно прикрывается именно этой фразой: «Ты на меня не сердишься?..»

Надо сказать, что в фильмах Фрида Михаил Светин — словно рыба в воде. Недаром когда-то думал о карьере опереточного артиста и даже дебютировал с большим успехом в маленькой роли спектакля «Севастопольский вальс». Но роман с Киевским театром оперетты не сложился, руководство театра сочло, что начинающий артист слишком уж «тянет на себя одеяло», отнимая аплодисменты у признанных премьеров. Зато в фильмах с крепко сколоченной драматургией, энергичным диалогом, сильным ансамблем исполнителей персонажи Светина соразмерны и жанру, и его актерским наклонностям.

Еще один вариант маленького человека — Шестой из фильма Константина Ершова «Не было бы счастья». В этом герое зрители узнавали и самих себя, и соседа по блочному дому. Человек в клетчатой рубашке и джинсах выходит во двор вроде бы выбросить мусор, но на самом деле ему просто одиноко. Он дожидается, когда в лифте соберется пять человек и в последний момент вскакивает в кабину — шестым. В лифте он подпрыгивает, потому что знает маленький секрет этого механизма: достаточно подпрыгнуть, чтобы лифт застрял. Но если всех пассажиров происшествие огорчает, то Шестой — счастлив. Наконец-то ему есть с кем поговорить...

Вот именно такие люди — одинокие, потерянные и вечно лишние — получаются у Михаила Светина «как живые». Он их видел, знает, помнит по картинам детства, прошедшего близ киевского рынка Бессарабка. Он наблюдал их в провинции, которую исколесил вместе с гастрольными спектаклями театров Камышина, Кемерова, Петропавловска, Иркутска, Пензы, Петрозаводска. Да и сейчас, проживая на Фонтанке близ Сенного рынка, видит таких людей ежедневно. Конечно, это не просто портрет с натуры. Это обобщение. Но обобщение выстраданное. В этот образ артист добавил и чуточку собственной души, тоже постоянно раздираемой противоречиями между желаемым и достижимым.

**П. Партнеры**

Впервые Светин понял, что такое настоящий партнер, познакомившись и подружившись с Георгием Бурковым. Вместе они играли в Кемеровском драматическом театре, начав с «Дурочки» Лопе де Вега. Бурков играл главного героя — Лисео, а Светин его слугу — Турина. Все четыре года, пока артисты служили в Кемерове, «Дурочка» шла с неизменным успехом. Вместе играли и в очень популярной тогда пьесе Леонида Малюгина «Старые друзья». В тот момент, казалось, сложилась идеальная пара. Оба были артистами характерными, но настолько не походили друг на друга, что не соперничали, а дополняли один другого. Однако судьбе было угодно развести их по разным театрам: Буркова взяли в Московский театр им. К.С. Станиславского, а Светин, сменив несколько провинциальных трупп, попал в конце концов в Питер. Они встречались, перезванивались, снимались у одних режиссеров. Но дуэт распался...

В кино были счастливые союзы. С Алексеем Петренко, с которым снимался в «Агонии». С Вячеславом Невинным, партнером по комедии «Не может быть!» Неплохую пару — по контрасту — составили Светин и Эммануил Виторган в «Чародеях». Хорошо смотрелся маленький домовитый мужичок Николай Васильевич рядом с Евгением Сидихиным — огромным славянским богатырем — в фильме «Дети чугунных богов».

В театре с партнерами не слишком везло. Светин предпочитал солировать, а не быть чьей-то половинкой (как это было с Бурковым). Легче было найти партнершу или даже нескольких. Как это случилось в специально для него поставленном спектакле «Синее небо, а в нем облака». Главный герой пьесы Владимира Арро отставной дирижер-хоровик, который на склоне лет вспоминает своих подруг, находя в каждой лишь одну черточку, годящуюся для портрета идеальной женщины. Все они когда-то пели в его хоре, но одна была хороша собой, другая — хорошая хозяйка, третья — умница... Перебрав их образы в памяти, Ветлугин понимает, что больше всех любил первую. В этом сценическом «хоре» Светин не слишком ладил с Еленой Юнгер, которая на склоне лет играла его первую любовь. Зато с остальными, особенно Верой Карповой и Светланой Карпинской, дуэты складывались.

Одно время казалось, что артист обрел свою вторую половинку в Игоре Дмитриеве. Они вместе играли в театре и кино, устраивали всевозможные телевизионные розыгрыши. Словно два клоуна — белый и рыжий — дополняли друг друга. «Если «да» говорил один, «нет» говорил другой», — как поется в старой песенке. Один грустил, другой смеялся, один говорил прописные истины, другой высказывал оригинальные суждения, пространные монологи одного прерывались метким словом из уст другого. На сцене Театра комедии они, можно сказать, не встречались. Играли, как правило, в разных спектаклях. Наверное, потому, что одного бенефицианта на один вечер было предостаточно. Зато на антрепризной сцене сделали общий проект.

Режиссер Татьяна Казакова, которой Михаил Светин приглянулся еще до того, как она возглавила Театр комедии, поставила спектакль «Трудные люди», в котором комику досталась столь ценимая им партия маленького человека. Светин сыграл сапожника Бени, влюбленного в главную героиню. Он был так трогателен в своем отношении к старой деве, которую брат никак не может сбыть с рук, что и зрителям она начинала казаться молодой и красивой. Как нигде, звучали в «Трудных людях» чаплинские мотивы. Артист с такой нежностью отнесся к своему герою-неудачнику, что нельзя было не сострадать его неизбывному одиночеству.

Зная возможности Михаила Светина, Казакова и для антрепризной постановки взяла пьесу питерского драматурга Сергея Носова, где была выигрышная роль для него и не менее эффектная — для Игоря Дмитриева. Спектакль

«Дон Педро», собственно, и состоит из дуэта двух персонажей. Два петербургских пенсионера, старые соседи, превращающиеся почти в друзей. Аристократ Антон Антонович и люмпен Григорий Васильевич. Один подчеркнуто вежлив, воспитан, начитан, другой грубоват, чтобы не сказать жлобоват, подозрителен и прижимист. Дуэт их существует в развитии. В трудную минуту выясняется, что оба — одиноки, оба — неисправимые романтики, у обоих душа может настроиться на поэтический лад. Когда ближе к финалу разбивалась в пух и прах мечта Григория Васильевича о Бразилии, куда он вознамерился поехать, обнаружив в своей хохлацкой родословной латиноамериканских предков, герой Михаила Светина едва сдерживал рыдания. В зале же дамы украдкой вытирали набежавшую слезу. Насмеявшись вдоволь, зрители получали возможность сострадать этим двум невыдуманным судьбам, так схожим с судьбами нормальных, ничем не знаменитых ленинградцев-петербуржцев.

Увы, спектакль «Дон Педро» с участием Дмитриева и Светина просуществовал недолго. Пикировка, которую артисты устраивали напоказ, на публику, вдруг нарушила и их человеческие взаимоотношения. Произошло то, что описано еще у Гоголя в повести о том, как Иван Иваныч поссорился с Иваном Никифоровичем. Каждый пошел своим путем. А в творческой жизни обоих образовалось пустота, до сих пор ничем и никем не заполненная.

Залатать подобную дыру оказалось не по силам даже Александру Демьяненко, который ненадолго стал партнером Светина, играя в «Доне Педро» милейшего Антона Антоновича. Может быть, они и образовали бы пару. Контраст был, конечно, не столь разительный, как в предыдущем варианте, но Демьяненко с его репутацией вечного интеллигентного очкарика оттенял маску простака, необходимую в этой роли Светину. Демьяненко, только в зрелые годы приохотившийся к театру, был любимым партнером и для Зинаиды Шарко. Он только-только разыгрался, почувствовал вкус к сцене. Увы, до настоящих театральных триумфов артист не дожил...

Сейчас Михаил Светин играет «Дона Педро» в паре с народным артистом России Николаем Мартоном. Этот дуэт тоже сложился, ему помогает не только разность актерских индивидуальностей, но и даже, как это ни парадоксально, общие украинские корни. Светин постоянно существует в борьбе с «музычно-драматичной» школой, к которой он никогда и не принадлежал, только мог наблюдать в юности как зритель Театра им. Ивана Франко. Мартон, напротив, не забывает о напевности украинской речи, о патетической основе актерского существования. За годы работы в Александринке он несколько остудил романтическую манеру питерской строгостью и расчетливостью, но вовсе избавляться от фундамента, заложенного в юности, не собирается.

**Р. Режиссеры**

Из имен режиссеров, с которыми довелось сотрудничать и дружить Михаилу Светину, можно сложить краткую историю советского театра. Марк Захаров, Андрей Гончаров, Ефим Падве, Лев Додин, Петр Фоменко, Роман Виктюк. Казалось бы, чего еще желать? Однако счастливым артист Светин себя не считает. И все время ищет «своего» режиссера. То ли по свойству натуры, требовательной и рефлексивной, то ли потому, что начинал в провинции, где роль режиссера была подсобной, как в домхатовские времена, но отношения с постановщиками у Светина складываются негладко.

Однажды артист участвовал в экзамене студента режиссерского факультета ЛГИТМиКа Вячеслава Гвоздкова. Это сегодня он — театральный генерал, художественный руководитель Самарского академического театра, а тогда был недавним товарищем Светина по сцене МДТ, учеником Г.А. Товстоногова. Их отрывок — по рассказу Шукшина — шел в начале зачета. Но сидевший за столом экзаменатора Георгий Александрович так увлекся, что однокашники Гвоздкова так и не дождались в тот день своей очереди.

Товстоногов предлагал Светину попробовать то один, то другой поворот характера, подкидывал все новые и новые варианты для импровизации. У артиста фантазия тоже била через край, пот со лба катился градом. Режиссер не отставал, разгорячившись, снял фирменный кожаный пиджак, повесил на спинку стула. Хохотал до слез. Эта незапланированная репетиция, внезапно вспыхнувший роман между актером и режиссером продлились два с лишним часа. Расстались они чрезвычайно друг другом довольные. И, естественно, возник вопрос о переходе в БДТ. Но Светин с сожалением отказался: «Нет, я не могу! У вас в труппе уже есть комик – Трофимов».

Приход в Театр комедии Юрия Аксенова, режиссера, двадцать лет проработавшего у Товстоногова очередным, для Светина был подарком судьбы. Счастье длилось недолго, но за те несколько лет, пока Аксенов был у руля, в репертуаре артиста появились спектакли, с которыми он потом долго не расставался. «Синее небо и в нем облака», возобновленная акимовская «Тень», где Светин сыграл Министра финансов, «Двенадцатая ночь», в которой артисту достался милейший сэр Тоби... Эти спектакли и ныне имеют зрительский успех, но поскольку за ними никто толком не присматривает, а состав исполнителей постоянно меняется, то они, что называется, развалились. Если б их капитально возобновили, то, несомненно, Светин с радостью бы играл этих персонажей и впредь. Но, увы, сейчас работает Светин без режиссера.

Иногда сокрушается, что не пошел к Марку Захарову, когда тот уговаривал его перейти в «Ленком». С нежностью вспоминает и Андрея Гончарова, предлагавшего сыграть в «Закате» Бабеля. Жалеет, что ушел от Льва Додина, с которым так хорошо было репетировать «Назначение». Но поскольку уходил к самому Петру Фоменко, то грех жаловаться и сокрушаться. При Фоменко играл в свое удовольствие. Ефима Пьяных в шукшинских «Характерах», Герцога в «Сказках Арденского леса», Победоносикова в «Бане», в «Теркине на том свете», в «Льстеце» (поставленном Романом Виктюком).

В те годы казалось, что всегда так и будет — хороший театр, блестящая труппа, режиссер-лидер... На самом деле сезоны Петра Фоменко пролетели как один день. Не оттого ли сегодня Светина все чаще тянет в антрепризу, где можно при случае и без режиссера обойтись...

**Э. Эстрада**

Светин любит театр. Он так рвался на сцену! Был так счастлив, когда на сборе труппы в Камышинском драмтеатре его представили: «Это наш новый артист!» И проработал в театре почти полвека. Но если бы судьба его повернулась чуть иначе, думаю, из него получился бы замечательный артист эстрады. Потому что по природе своей он — солист. Он обожает монологи. Он любит общаться с залом. Он заводится, зажигается от зала. Там очень существенный источник его вдохновения. На партнеров он надеяться не привык. Партнер может забыть текст или мизансцену, подать не ту реплику, прервать паузу, которая для Светина всегда очень важна. Он любит замолчать на сцене, сбить ритм диалога, затянуть момент тишины. Причем совсем не обязательно для того, чтобы в зале все умерли со смеху. Иногда и слезу вышибет этим самым долгим-долгим молчанием. И ужасно сердится на партнеров, которые не дают насладиться этой минутой власти над залом.

Зрители всегда встречают его аплодисментами. Сколь бы скромна ни была роль артиста в спектакле, его всегда заметят и отметят. Бывали в жизни Светина казусы, когда он вдруг натыкался на стену молчания. Читал однажды рассказ Зощенко, а публика безмолвствует. Только стоящие в дверях официанты прыскают. Неужели не смешно, думает. И поддает еще жару. Так бился, что чуть до инфаркта себя не довел. Оказалось, в зале (а было это в правительственной резиденции К-2 на Крестовском острове, куда артиста пригласил тогдашний мэр Петербурга Анатолий Собчак) — сплошные иностранцы, ни слова не понимавшие по-русски. Хорошо еще, что мэр демонстративно громко стал хлопать, показывая зарубежным гостям, как следует реагировать... После этого пришлось хлопнуть рюмку водки, чтобы успокоиться.

Собственно, эстрадная природа существования на сцене, которая у Светина в крови, драматическому искусству не помеха. Тем же даром обладал Андрей Миронов, который умел и из серьезной роли соорудить маленький скетч. А уж когда дело доходит до эстрадного концерта, то Михаил Светин попадает в родную стихию. Больше всего любит читать рассказы Михаила Зощенко. Их герои, которых принято считать типичными представителями советского мещанства, у Светина вовсе не агрессивны. В них много простодушия, наивности, беспомощной растерянности перед натиском жизни. Они лишь приспосабливаются к обстоятельствам, пытаются выплыть, удержаться на поверхности бурного потока. Эти люди похожи на провинциалов, заблудившихся в большом городе.

Они не сопротивляются, не пытаются подчинить движение толпы, лишь барахтаются, округлив от ужаса глаза, судорожно хватают воздух ртом.

Правда, провинциал провинциалу рознь. С некоторых пор Светин подвизается в программе «Кышкин дом», которую ведет на «НТВ» Елена Степаненко. Ему отвели роль этакого ревизора, специалиста по менеджменту, присланного из Петербурга. И надо сказать, столичные артисты выглядят на фоне этого скромного провинциала довольно бледно. Или излишне ярко. Светин же сумел попасть в тон, и они со Степаненко составляют неплохой дуэт — словно всю жизнь вместе на эстраде выступали...

Понятно, почему Светин так любит героев Зощенко. Он и сам в общем-то не чувствует себя комфортно в большом городе. Вот уже тридцать лет живет в городе на Неве, но ни вальяжности, ни уверенности петербуржца не обрел. Всеобщий любимец, он не идет навстречу славе и почестям. Выходя из дому, нахлобучивает шапку поглубже, а летом темными очками закрывается, чтобы не узнали. К нему кидаются с распростертыми объятиями, тискают, словно плюшевого мишку, просят сфотографироваться вместе. Но народная любовь, кажется, только пугает артиста. С годами он, конечно, привык к чрезмерному вниманию, научился давать автографы на каждом шагу. И все же, как никто, понимает он чеховскую героиню, провинциальную актрису Аркадину, которая говорила: «Хорошо с вами, друзья, приятно вас слушать, но... сидеть у себя в номере и учить роль — куда лучше!»

Елена Горфункель

# Алиса Фрейндлих

Она — актриса и играла все — комедии, мюзиклы, мелодрамы, трагедии. От мальчиков-подростков до королев, от студенток до бюрократок. Снималась в авангардном и популярном кино, в сказках, фантастике, приключениях, драмах. Ее обожают зрители, почитают коллеги, боготворят режиссеры. Критики восхваляют ее тонкость, глубину, ум. У нее превосходная репутация и непререкаемый авторитет в профессиональной среде. При этом она немногословна, корректна, сдержанна. Не появляется без дела на экране, избегает публичных выступлений. Очень самокритична. Одновременно доступна и недосягаема. Сосредоточена на театре (в крайнем случае, на кино), не делает попыток стать писательницей или еще кем-то, например, телеведущей. Жизнь и любимое искусство, которому она была предназначена с детства, в полном согласии между собой радовали ее. Судьба катилась по ровной дороге.

Так кажется со стороны, так кажется благодарному зрителю, не увидевшему на ее лице страданий и не услышавшему ни одной жалобы. Но все это — невзгоды и трудности — было и в жизни актрисы, и в жизни ее персонажей. Для тех, кто исповедует жизненный героизм, не обязательно показывать его на сцене. Ее девиз «замкну уста, а ключ возьму с собой». Для историков театра сохранится замечательная фотография: руки в варежках Таня, миловидная молодая женщина, прижала к лицу, по которому текут, хочется сказать, горючие слезы. Широко раскрытые, светлые глаза как будто глядят прямо на вас. В них неподдельное горе. Как могла появиться такая фотография? Ведь на сцене ни Таня, ни какая другая театральная героиня Фрейндлих не позволит себе открытых слез.

Во всяком случае, это редчайший документ. Он скажет о том, о чем умолчит сама актриса. Ведь профессиональная ее жизнь не была гладкой никогда. Не все жанры ей поддавались. В кино было всего несколько настоящих удач, хотя большинство зрителей знает ее по кино, а не по театру. Не только сдержанна, но и замкнута. Публичности, по-видимому, боится. От ее творчества возникает впечатление узости, а не всеядности. Наконец, критики не знают, что о ней сказать, кроме комплиментов и описаний ее игры в деталях и «кружевных» подробностях. «А свойства, свойства?» — хочется иной раз повторить настойчивую даму из одного знаменитого русского романа.

Свойства легко увидеть и нелегко назвать. Она, как никто, чувствует комедию, но никогда не доигрывает ее до конца, до смехового апофеоза, до фарса. Она, как никто, приближается к трагедии, но никогда не переступает черты, за которой женская фигура становится изваянием. Она иногда экономит на внешнем, чтобы донести внутреннее, но иногда, напротив, расточительна и кокетлива. Фрейндлих — актриса доминирующего подтекста. По этой причине и еще потому, что ей, как художнику, близки будни, обычная жизнь, можно сказать, что она — идеальная чеховская актриса, но вот незадача: у Чехова она играла только Раневскую да Шарлотту (в разных «Вишневых садах») и сама признавалась, что первая ей не совсем удалась. И дома, в Театре Ленсовета, и в гостях, в Московском театре «Современник», Раневская, по словам актрисы, как бы «обманывала» ее.

Фрейндлих звездной болезнью не страдает и готова к любым испытаниям, потому что театр для нее — работа, понятие, равносильное понятию «жизнь». Однажды в БДТ Товстоногов предложил ей, всесоюзной знаменитости, эпизод, роль одной из «дочурок» в опере-фарсе «Смерть Тарелкина» — и она послушно репетировала, пока режиссер не решил: «это стрельба из пушек по воробьям». Несмотря на это, место ее в театре — особое, отдельное. В ансамбле она никому не уступает, но... бледнеет в сравнении с собою же. В «На дне», последней премьере Товстоногова, где она играла Настю среди лучших актеров БДТ (Евгений Лебедев, Владислав Стржельчик, Эмилия Попова, Олег Басилашвили,

Николай Трофимов, Всеволод Кузнецов, Юрий Демич, Валерий Ивченко), ей недоставало внимания зала, которое делилось поровну на всех. А ведь в лучших ролях она забирает все внимание на себя как магнит железо. Кажется, будто Алиса существует вне правил. И современный театр, оценив такой естественный эгоцентризм, принимает ее без возражений, как должное.

Задумаемся еще вот над чем: в театре Алисы Фрейндлих нет следа общественного темперамента. Она никого не призывала, не учила, скорей, делилась. Правда, мечтала о роли Жанны д' Арк, добавляя, что ее трактовка наверняка многих удивила бы. Героини Фрейндлих — обывательницы (да, да, даже не буду говорить, что использую это слово в каком-то специальном смысле). Им нет дела до того, что «мир рушится», и это не бунт. Просто они не заметят, что мир рушится. Они живут другим, сфера Фрейндлих — этика чувств. Вне времени, полагаете? Опять загадка, потому что территория Фрейндлих — современность. При избытке костюмных, исторических ролей, скорее вспомнишь не Джульетту или леди Макбет, а Таню, Гелю, Лику, а также — Элизу Дулитл, Селию Пичем, Аманду Уингфельд и трех американок из «Пылкого влюбленного» — Элейн Новаццо, Бобби Митчел, Дженет Фишер. В современности Фрейндлих чувствует себя увереннней. Она знает ее, как знает себя.

Выпуская ее в 1958 году из ленинградского Театрального института, педагоги обозначили амплуа молодой актрисы как «острохарактерное». Она, конечно, его оправдала, хотя характерность Фрейндлих своеобразна. Маленькие и большие роли, маленьких (буквально мальчиков и девочек) и взрослых людей она всегда изображала (особенно поначалу) с помощью разного рода не то чтобы недостатков, но простительных и милых изъянов. В наивности своих светлых детей она искала следы судьбы. И находила их прежде всего в речи — всегда искаженной скрытыми драмами детства. К жалостливо-блатному тону Кости из спектакля «Светите, звезды» (1957) добавлялось пришепетывание. Оленька («Дом на одной из улиц», 1959) — гундосила. Элиза Дулитл («Пигмалион», 1962) вопила, бранилась, выла. Из польского акцента Гелены («Варшавская мелодия», 1967)

Фрейндлих сделала целую мелодию судьбы. У Малыша («Малыш и Карлсон»,1969) детский лепет сбивался на грусть и меланхолию. Настя в «На дне» (1987) — по провинциальному просторечна, она так и остается чужой в ночлежке. У немки Шарлотты («Вишневый сад», 1991) плохой русский — знак ее отверженности. Неправильная речь дважды нужна актрисе: это ширма, за которой прячется душа, и это сценический юмор, радостная краска театра. Ее лирика комедийна, и язык со всеми вполне бытовыми особенностями — одна из комедийных отметин.

Вершиной «острого характера» была Селия Пичем в «Трехгрошовой опере» (1966). Здесь молодая Фрейндлих играла возраст и порок. Разбитую и испитую миссис, тело которой уже подобно заржавленному механизму, и сверху, для благообразия, прикрыто тряпками, шляпкой, боа не первой свежести. Она опиралась на зонтик, выползая на сцену и меряя ее неверными, медленными шагами. Она пела, пела на немецком, «чужом» языке, — хрипя, ухмыляясь, обращая в зал мутный взор, но вдруг зонг, музыкальное наставление потомству, возносился куда-то в счастливое прошлое этой алкоголички, голос очищался и звенел несколько мгновений. Потом она сникала еще больше, исчерпав вдохновение от порции виски и запас воспоминаний. Селия Пичем ко всему гротескному набору была грациозна. Эта актриса вообще грациозна, независимо от того, защищает (почти всегда) или обвиняет (очень редко) героиню. Шарм, чувство меры, стиль создают форму. Когда попадались проходные роли, их выдавала мастеровитость, в то время как удачи артистичны без всякого принуждения. Тут не сразу разглядишь, из чего сделана «вещь».

Не так давно (уже, впрочем, давно — в 1987-м!) Фрейндлих сыграла в спектакле Темура Чхеидзе «Коварство и любовь». Роль леди Мильфорд сложилась как открытый урок сценического портрета в два сеанса — у героини всего две сцены. Она все время помнит о своей дурной репутации и заранее обороняется от оскорблений, которые чудятся ей в каждом взгляде и каждом слове. Тревога леди Мильфорд, умело скрываемая и неприятная ей самой, выражается в манере вести диалог, предвосхищая реплики партнера, в легкой иронии ответов, в каком-то почти истерическом кокетстве. Но эта гранд-дама держит свои комплексы в руках, ее хватает на то, чтобы быть с Фердинандом нежной, а с Луизой — высокомерной.

Два поражения — Фердинанд отказывается вступить в брак с куртизанкой, а Луиза отказывается отдать его сопернице — заставляют леди Мильфорд изменить всю игру. Она вынуждена признать, что все двусмысленно в гордыне брошенной любовницы, в страсти пленницы, в благородстве карьеристки. Вторая сцена состоит из двух параллельных действий: леди Мильфорд снимает с себя драгоценности — серьги, ожерелье, кольца, а Алиса начинает как бы убирать «орнамент» — «масочки», приспособления, игру молниеносных перемен в позе, в мимике, череду умелых улыбок и т. д. Постепенно на портрете возникает эскиз совсем другой женщины — искренней и человечной.

Внешний рисунок роли так увлекателен, что полнота замысла, его «урок» осознаются не сразу. Удовольствие от чистоты формы совпадает с какими-то другими чувствами, понемногу завладевающими зрительской душой. Эти чувства проникают в нас, пока мы неотрывно следим за каждым ее отделанным до музыки движением. Таким неординарным путем Фрейндлих общается с нами. Уровень общения зависит не только от того, насколько податлива и хороша публика. Ей самой, то есть художнику, надо верить в себя. Сомнения делают игру холостой, формальной. В биографии Фрейндлих такие казусы случались. Однажды, на исходе ее ленсоветовского периода (то есть двадцати с лишним лет, которые она провела в театре на Владимирском проспекте, с 1962 по 1983-й), она сыграла роль женщины переходного возраста в пьесе А. Арбузова «Нечаянный свидетель». От нее, Любови Георгиевны, уходит муж. Потом появляется молодой поклонник, но это не облегчает ее потери. Единственное сильное ощущение, оставшееся от этого спектакля, было то, что Фрейндлих не нравится в нем играть — ни роль, ни спектакль ее по-настоящему не вдохновляли. В это время Фрейндлих покидала театр, где на ней поставили крест, ее личная жизнь с Игорем Владимировым разладилась. Но другая причина, пожалуй, для этой актрисы еще важнее — Любовь Георгиевна, врач по профессии, была слабой копией Тани из одноименной пьесы А.Арбузова.

Насколько первая Таня была настоящей, настолько же вторая, Лжетаня, искусственной. (В портфеле театра лежала еще одна вариация сюжета, самим драматургом названная «антиТаня» — пьеса «Победительница». К счастью, Алиса не успела ее сыграть, эта роль досталась Елене Соловей, которую пригласили в Театр Ленсовета с плохо скрываемой целью заменить Фрейндлих.)

Первая, настоящая Таня, появилась в 1963 году. Таней Фрейндлих сравнялась с великой актрисой Марией Ивановной Бабановой, для которой Арбузов и написал пьесу еще до войны. С Таней Алиса перешла из амплуа острохарактерных, милых подростков к драматическим ролям. Правда, драматические ноты она и раньше извлекала из любого материала. В мальчике Гоге («Человек с портфелем» А. Файко, 1957) чувствовалось одиночество и страдание. Потом театр попытался задержать актрису на совсем других лицах — простых, милых девушек, и они ей тоже удались. В одинаково трогательных юных женщинах Кате («Раскрытое окно» Э. Брагинского, 1958), Маше («Время любить» Б. Ласкина, 1960), Вере («Случайные встречи», 1961), с которых она начинала в Театре им. В. Комиссаржевской, что-то пело и волновалось, что-то ожидало событий и перемен. Одна из них напевала песенку, которая долго оставалась городским шлягером: «Что-то очень непонятное происходит в мире. Что-то очень непонятное носится в эфире. У людей сердца стучат. Почему ж они молчат? Ведь это так интересно!»

Лучшее десятилетие, шестидесятые годы, началось Элизой Дулитл (1962), в которой сразу были и клоунская почти характерность, и воспитание души. От начала к концу спектакля на наших глазах уличная дикарка превращалась в настоящую женщину, и воспитал ее не профессор Хиггинс, а опыт чувства. Алиса показывала ступени этого опыта — вот Элиза только отмытая от грязи девчонка, вот она нелепая ученица на испытании в светском салоне миссис Хиггинс, вот она леди — сначала немного томная, а потом — уязвленная, разъяренная (как кошка, говорит профессор Хиггинс). В средней части, во время приема у миссис Хиггинс, держа в отставленной руке чашечку кофе и нарочито вежливым голосом отвечая на вопросы гостей заученными фразами, она, сбитая с толку случайными репликами, вдруг забывалась и, все еще сохраняя правильную осанку, заговаривала «от себя», на том уличном языке, который был частью ее прошлого. Если в творчестве актера можно выделить минуты гениальности, то у Фрейндлих одной из таких минут было выпадение Элизы из обстоятельств светской беседы. В аккуратной шляпке с белым цветком, в костюмчике «от Шанель», с перчатками, небрежно брошенными на колени, она без всякого этикета, озабоченно, по-простонародному задумавшись, вспоминала тетку, у которой «шляпку сперли», конечно же, те негодяи, которые «тетку кокнули».

В «Тане» от комедии почти ничего не осталось, хотя героиня шутила, и ее счастье было окрашено милым юмором. А за ним она прятала ожидание — оно стало невеселым. Мария Бабанова когда-то играла историю несбывшейся мечты. Первый акт, звучавший у нее холодным хрусталем иллюзии, у Тани — Фрейндлих был наполнен необычными звуками жизни: ломкими мелодиями тревоги, печальными усмешками сомнений, подавленными слезами обиды. В первом акте Таня шестидесятых годов дрожала над каждым мгновеньем со своим Германом, как будто точно знала, что все они сосчитаны и что вот-вот ее «кукольный дом» должен рухнуть. (Да, да, ибсеновские символы тут были бы на месте. Таня — это наша Нора, и как жаль, что Алиса не играла Ибсена.) Я бы еще осмелилась сравнить эту Таню с Жизелью — умершей в первом акте и воскресшей во втором, чтобы простить неверного возлюбленного, потому что Фрейндлих второй акт играла Таню взрослую и мертвую. Конечно, по сюжету тут начиналось выздоровление, а по спектаклю новая Таня словно похоронила себя, ту бедняжку, которая предчувствиями навлекла беду. К этому времени ни один спектакль не обходился без песенок («песенок настроения», наподобие тех, что пела Шульженко); в «Тане», на мелодию Бетховена, звучали прямо-таки программные строки: «Милее всех был Джемми, мой Джемми любимый... Одним пороком он страдал, он сердца женского не знал». Мол, это не шуточный порок, он-то и есть причина Таниной смерти.

Алиса Фрейндлих — ленинградка. Она здесь родилась, здесь застала ее война и блокада, здесь она окончила школу и Театральный институт, здесь были все ее театры. Это факты. Кроме них, есть печать города во всем, что она делает. Нечто неуловимое и устойчивое — то, что до сих пор жители других городов связывают с Ленинградом. Может быть, сдержанность в соединении с недоступностью; или скромность, чуть отдающая высокомерием; или неистребимый скептицизм пополам со стоицизмом; словом, какой-то северный стиль всего: одежды, поведения, искусства. Алексей Арбузов, автор пьесы «Мой бедный Марат» — москвич, и современница Алисы — Ольга Яковлева, которая тоже играла и Таню, и Лику, — московская актриса. «Марата» потом много играли за границей, где понятия о ленинградской блокаде не имели. Когда сегодня ставят «Моего бедного Марата» (пьеса возвращается из далеких шестидесятых на современную сцену), то этого, «ленинградского», что было в спектакле Театра им. Ленсовета 1965 года, уже нет. Забыто. Не скажу, что Фрейндлих была самой достоверной из Лик в самой правдивой картине военного тыла, но правда и Ленинград существовали на сцене. При этом никаких блокадных мук из небытия не вызывали. Спектакль Игоря Владимирова светился оптимизмом. Снова было счастье — тот светлый миг, с которого начинаются все театральные истории Алисы Фрейндлих. В Лике повторилось одно из условий такого счастья — детскость. На расстоянии всего нескольких лет инфантильные девочки и мальчики из спектаклей Театра имени В.Ф. Комиссаржевской стали казаться чудесными игрушками. В театре Фрейндлих взросление — грустная тема. Будь возможным для человека навсегда остаться в детстве, Алисе не пришлось бы переходить от трогательных подростков к женской драме. В «Моем бедном Марате» актриса проходила весь положенный путь — шестнадцатилетие, тридцать, сорок лет. Ее любовь и ее жалость медленно сжигали ее, истощали хуже блокады. Так и получилось в спектакле, что 1941 год для Лики — время веселое, а 1965-й (примерно) — мучительное, скучное. Партнеры ее — Леонид Дьячков и Дмитрий Барков — оставили для повзрослевших Леонидика и Марата мальчишеский романтизм, а Фрейндлих для Лики ничего не сохранила. Была смешная девочка в шерстяном платке, валенках и ватнике, лукавая, кокетливая, нежная, разговорчивая, а стала молчаливая, усталая женщина в шлепанцах и домашнем халатике, в которые она облачается после работы и среди семейного покоя несет свой крест. Ход жизни успел ее перебороть, она переросла душой и Марата, и Леонидика. Потом она спохватывается, хочет вернуться к любви и оставить жалость, начинает новую жизнь с Героем Советского Союза, ее «бедным Маратом», но этот хороший конец Фрейндлих тоже играла как своего рода повинность сюжета. Если бы Арбузов написал специально для нее четвертый акт, боюсь, он очень походил бы на второй, с ошибкой Лики.

В современницах, которых она играла, ничего не было героического. Рядом с нею на сценах тех лет появлялись сильные женщины, хозяйки своей судьбы, командирши с мужской хваткой, упоительные красавицы. Вспомним одну из них, Татьяну Доронину в БДТ, актерскую параллель Фрейндлих в шестидесятые годы, тоже ленинградку, но с московским характером. Доронина умела из обыкновенной какой-нибудь Нади Резаевой, тоже блокадной сироты, устроить восхождение на высоту жизненного подвига (в «Моей старшей сестре» А. Володина). Какой уверенной красотой сияла ее Лушка из «Поднятой целины». Какой недоступной была Софья в «Горе от ума». Как смело бросалась навстречу призрачному счастью Маша из «Трех сестер». А женщины Фрейндлих жили в какой-то вечной прозе и буднях, не решаясь расправиться с ними, жили своей трагической жизнью, часто неведомой окружающим. Общественно-полезный труд для них — сюжетная фикция. Формально она приняла участие в «эпохе» производственной драматургии, сыграла инженера Щеголеву в «Человеке со стороны» (1971), судью Ковалеву в «Ковалевой из провинции» (1973). При этом законница и гуманистка Ковалева интересной была не в зале заседания, а после работы, в кулуарах. Не удивительно, что домашняя хозяйка в комедии «Двери хлопают» М. Фермо неожиданно поместилась в первом ряду ее созданий. Фрейндлих сделала из этой «женщины в халате» апофеоз частной жизни. Вокруг героини семейство, озабоченное поиском успехов, масштабными событиями внешнего мира, исторической суетой, а в центре — она, ничем, кроме семьи, не обремененная. Но только ее жизнь кажется по-настоящему наполненной.

Чем же? Так, пустяками, мнительностью, гордостью, обидами, защитой семейных нравов. Житейским сором. Теперь, спустя четверть века, понятно, за что так любили эту актрису — за кристальную чистоту сердца во времена надуманных и навязанных идеалов, за несуетливость.

Однажды реальность напрямую вторглась в ее актерский мир. Театр имени Ленсовета вслед за многими театрами страны поставил «Варшавскую мелодию» Леонида Зорина. Современной молодежи трудно объяснить, как из постановления партии и правительства можно извлечь любовную драму, а тогда, в 1967-м, все знали, что было такое постановление, по которому брак с иностранцами для советского человека запрещен. Вот и польская студентка Гелена, которая учится в Московской консерватории, полюбила русского юношу по имени Виктор, да замуж за него не вышла. Опять в сюжете имелся разбег времени, большой — в двадцать лет. Каждый акт — встреча; первая — знакомство в концертном зале, вторая — через десять лет после разлуки, третья — еще через десять лет. Время не развеивает, а конденсирует драму Гели — также было с Элизой, Таней, Ликой. Геля по сюжету певица; одаренной актрисой ее делали Юлия Борисова в Москве и Ада Роговцева в Киеве. И Алиса Фрейндлих в историю Гели включает много музыки и пения; она поет все те же «песенки настроения» на польском языке. Но для нее, ленинградской Гелены, талант — нечто второстепенное, фон.

Другие играли победительниц. Юлия Борисова в третьем действии, то есть на третье свидание с Виктором, являлась этакой принцессой Турандот — в блеске славы, возбужденная успехом, она стояла на верхней ступеньке лестницы, концертное платье на ней шуршало и переливалось, глаза сияли. Искусством она превозмогла роковое препятствие. И Ада Роговцева изображала преодоление, душевный покой, обретенный в творчестве, примирение с собой и жизнью. Как ни верти, а такие трактовки были соглашательскими — советское «все хорошо, что хорошо кончается».

Гелена — Фрейндлих так ничего и не приобрела и ни с чем не рассталась. Ее Геля со своими песенками-монологами стала известной, во втором действии, то есть у себя на родине, куда в командировку приезжает Виктор, ее узнают посетители кафе, а в третьем — триумфальные гастроли в СССР — за сценой был слышен шквал аплодисментов. Несмотря на все это, Геля безразлична к искусству и не живет им. Успеха она не замечает, он ее не утешает. Искусство заглушало боль, она забывалась, пока стояла на сцене. Это было полное поражение. Душа ее компромиссов не понимает, есть необходимость в таком законе или нет, ей тоже не интересно.

Тут мы подошли к очень важному моменту в театре Фрейндлих. Во всякой роли у нее есть момент — минута, не больше, когда все прикрытия, насмешливые интонации, кокетство, пикантная или острая характерность — все сразу снимается. В зале наступала абсолютная тишина. В эти секунды у Алисы (Элизы, Тани, Лики, Гели) должны были появиться слезы — должны, но мы-то их так и не увидим, только услышим дрогнувший голос. Такая мелодраматическая кульминация — все, что позволяет себе актриса из арсенала патетики. Потом она возвращается к внешне беззаботной театральности: шутит, поддразнивает собеседника, переводит разговор на пустяки, как будто ничего не произошло. На самом деле все произошло — в момент полной откровенности актриса могла шептать, говорить почти беззвучно, проглатывая слова, но ее все слышали. Так и Геля посреди дружеской беседы, когда казалось, что ее нисколько не тревожит встреча с Виктором, когда легкая грусть только слабой тенью падала на беспечные вопросы и ответы, когда третье свидание выглядело тратой слов и этикетом воспоминаний, она вдруг «брала» паузу и выдыхала из себя: «Ты будешь смеяться, но я все еще тебя люблю». Была ли эта реплика у других Гелен? Была, и только у Фрейндлих она звучала как подавленное рыдание.

Когда Эльдар Рязанов снимал «Служебный роман», он исполнял свое собственное заветное желание — сделать фильм с Алисой Фрейндлих, к которой он подступал несколько раз, и каждый раз его останавливало опасение, что экран упростит театральную манеру актрисы. Опасения совершенно справедливые, кино так и этак использовало ее, чтобы передать в кадре то, что запросто могли получить ленинградские театралы на каждом спектакле. У Элема Климова в «Похождениях зубного врача», у Резо Эсадзе во «Фро» (это первые кинороли) Маша и Наташа — роли небольшие, и, может быть, поэтому экран схватывал музыкальную манеру Алисы, ее сценическую мелодику. Андрей Тарковский потом доверил ей небольшую, но выразительную роль в «Сталкере» — жены Сталкера, женщины, несущей свой крест. Киновариаций предостаточно, однако кино подводило ее: «Анна и Командор» (режиссер Е. Хринюк, 1976) из таких провалов. В конце концов Рязанов нашел идеальный для Алисы сюжет — Золушка, и организовал идеальные условия съемки — роль собиралась в театральном порядке, последовательно от начала к концу. От немолодой, некрасивой советской служащей, «грымзы», к счастливой и прекрасной женщине. Словно специально для Фрейндлих тут было много юмора, трансформаций, лирики. После «Служебного романа» кинематограф мог считать свой роман с Фрейндлих состоявшимся. Однако, строго говоря, кино удовольствовалось сказочной фабулой, которую Фрейндлих, на сцене всегда играет без чудес и наоборот — от конца к началу, от счастья к несчастью. Они все Золушки — Элизы, Тани, Лики, Гели. Их счастье пугливо и тревожно, а несчастье — непоправимо, несмотря на приметы удачи — замужество, или славу.

В театре Алиса Фрейндлих много лет работала с режиссером, который понял ее творческую природу. Игорь Владимиров не просто ставил для нее спектакли, он создал климат, при котором ее дар использовался бережно, по назначению. В шестидесятые годы именно в Театре Ленсовета она стала большой современной актрисой. В следующее десятилетие, в семидесятые годы, Владимиров изменяет курс. Он был режиссером, чутко и быстро реагировавшим на новые веяния. Он чуть ли не первым взялся за мюзиклы. Алиса, с ее небольшим певческим голосом и безусловной музыкальной культурой, стала его единомышленницей. На фотографии, подаренной Алисе Фрейндлих Борисом Вульфовичем Зоном, ее институтским учителем, выдающимся театральным педагогом, написано: «Милая Алиса! Вы не смеете оставить втуне ни одну из Ваших склонностей: играть, читать, петь, танцевать. Только в таком случае Вы повсюду успеете и будете счастливы». Она успела. Начиная с Катарины («Укрощение строптивой», 1970), она с полной отдачей играла в мюзиклах. (Дульсинею в «Дульсинее Тобосской» А. Володина, 1973; сразу несколько ролей в спектакле-концерте «Люди и страсти», 1974; Марту в «Интервью в Буэнос-Айресе», 1976). Она начинает петь в микрофон, и это разрушает камерную атмосферу ее театра. Она не поет, а надрывается. Надрыв слышался во всех ее спектаклях семидесятых годов. Между напеванием, песенками, зонгами в драматическом спектакле и монологами мюзикла дистанция очевидна. Жанр требовал брутальности, резкости, внешней энергии. Каждая работа Фрейндлих встречалась с воодушевлением, но она форсировала себя прежнюю, ничего не прибавляя по существу и нещадно эксплуатируя голос. В театре она пела как на стадионе, хотя это была все та же сценическая площадка, все тот же Театр Ленсовета. Фрейндлих самоотверженно шла в ногу со временем, и все же теряла в поединке самое себя.

Это был кризис. С конца семидесятых годов Алиса Фрейндлих чувствовала его приближение. Он был вызван не только внутренним переломом актрисы, не только ощущением возраста и раздорами внутри Театра Ленсовета. Приметы кризиса окружали ее чуть ли не на каждом шагу: подорван был интерес к театру обыкновенных людей, к камерности сценического общения, к скромной душе и частной жизни. Успех громких музыкальных спектаклей тоже был знаком времени. Вообще театр переполнился криком, а это не музыка Фрейндлих. То, что впоследствии назвали застоем, задело ее актерскую биографию очень сильно. Ведь она была частью того времени, в котором шли июльские дожди, считали дни одного года, искали жаворонков, любили студенток и стюардесс, любовались польками, москвичками, ленинградками — словом, театр Фрейндлих, с виду далекий от общих путей искусства, в момент кризиса обнаружил свое родство с ними. Как только потянуло в глубину, в подполье, в абсурд, — тончайший реализм личных переживаний обесценился. Больнее всего ударило то, что театр, в котором она работала почти четверть века, перестал в нее верить. Это довершило разрыв с Игорем Владимировым, тянувшийся годами.

Хотя Товстоногов приглашал ее в БДТ еще в начале семидесятых, она решилась на переход туда только в 1983 году. Ее принял театр, где не полагались ни премьеры, ни премьерши. Вопрос репертуара в БДТ — более мировоззренческий, чем спекулятивно-театральный. Камерность тут не принята, а кокетство считалось не понятием поэтики, а плохой богемной привычкой. Мелодрамы в БДТ не ставились, опера-фарс «Смерть Тарелкина» (как раз во время ее репетиций Фрейндлих и вливалась в коллектив) ничего общего с обычными мюзиклами не имела. Между прочим, предложенная Алисе «ролька» — дочурки Брандахлыстовой — показывала, что Товстоногов ценит в ней характерность и искусство острого комедийного рисунка. В 1984 году Алиса Фрейндлих выступила первый раз на сцене Большого драматического в роли Ирины («Киноповесть с одним антрактом» Александра Володина). Это была женская история, материал точный, но «воскрешения» не произошло. Алиса играла судорожно, наверстывая пустые годы. Пьеса «не читалась», и актриса давно переросла шестидесятницу Ирину.

Следующий совместный шаг они сделали через полтора года. Товстоногов — в этом не было сомнений — отступил на почву бульварного театра. Он принял предложение Алисы и поставил «Пылкого влюбленного» Нила Саймона. В самых благожелательных отзывах на спектакль сквозила снисходительность: мастерство исполнителей не подлежит сомнению, но пьеса ... Она искупала свои грехи только тем, что предлагала Фрейндлих сразу три роли. Ради них и было предпринято это падение с высот мировой классики и современной публицистики. В череде товстоноговских постановок начала восьмидесятых (а для Товстоногова это последнее десятилетие, осложненное собственным кризисом) «Пылкий влюбленный» необычен и недооценен. Он сошел со сцены сразу после смерти Владислава Стржельчика. Стржельчик великодушно подыгрывал партнерше, такова была тактика режиссуры. Фрейндлих же щедро возвратила все, что было потрачено на нее из арсенала БДТ. Товстоногов не побоялся испортить репутацию своего театра, Фрейндлих не побоялась вернуться к собственным истокам. Она почувствовала себя «дома».

Говоря об узости творчества Фрейндлих, не принижаем ли мы его? Алиса не мыслила мировыми масштабами. Можно приписать такой масштаб той или иной роли и даже связать ее со злобой дня, но напрямую такой связи нет. Я думаю, что, играя Гелену, другая актриса нашла бы способ выразить свое личное и гражданское отношение к абсурду власти. Кто знает, не будут ли сегодня именно так играть «Варшавскую мелодию», не будут ли смеяться над тем, чего боялись полвека назад? В шестидесятые годы, через двадцать лет после войны, которая полна была схожих историй (о них молчали, держали в домашнем архиве, за закрытыми дверями), актриса, не вторгаясь в высшие сферы, просто усилила человеческую долю во всемирном горестном сюжете. Подобным же образом Фрейндлих поступала в каждой значительной роли: ее героини поднимаются вровень со временем только потому, что не сомневаются в суверенности личности — такой, какова она есть.

Итак, Алиса сама принесла пьесу «Этот пылкий влюбленный» в театр. Ремарка Саймона предлагала три главные роли одной актрисе. Фрейндлих привлек этот технический на первый взгляд фокус. И для зрителей заманчиво окунуться в секреты лицедейства, совершаемые на глазах. Но потом техника отступает, и среди тонкого, свободного юмора, игры в каждую вещь (на одном спектакле у героини рассыпались бусы, и надо было видеть, как Стржельчик и Фрейндлих обыграли эту накладку!), ожидаемых и ошеломляющих превращений вдруг начинают накапливаться жалость и ужас. Главный герой мечтает стать «пылким влюбленным» и как-то развеять скуку затянувшегося супружества. Он, Барни Кэшмен, в поисках любовного развлечения как будто выглянул на улицу из своего сытого домка и увидел за окном страдания, безумие, заблуждения. Рядом с умирающей Эллен, глупенькой наркоманкой Бобби и запутавшейся в дебрях психоанализа Дженет Барни — обыкновенный мещанин. А три его временные пассии с их запутанными, до конца не проясненными историями вносят в спектакль смуту фрейндлиховской женщины. Барни Кэшмен в исполнении Стржельчика — объект сатиры, в то время как для героинь Фрейндлих наступает время откровения. Три их истории взяты из жизни со всеми ее мытарствами, печалью и недобрыми концами. Так актриса вернулась к своей настоящей теме.

Но жизнь не стояла на месте. Когда не стало Товстоногова, Фрейндлих не покинула БДТ, она работает с теми режиссерами, которые приходят сюда, чтобы сохранить жизнеспособность некогда лучшего театра страны. Она работает, как принято сейчас, и «на стороне». Так, не избежав участи многих известных актрис, попадавших в паутину Романа Виктюка, Фрейндлих сыграла в мелодраме И. Сургучева «Осенние скрипки». Если бы не роскошная, по обычаю Виктюка, режиссерская рамка с катанием на коньках, загадочными черными фигурами и прочим, то драма последней любви в исполнении Фрейндлих могла бы быть центром спектакля. От этого центра осталось немного, а в немногом внезапная смерть героини, похожая на краткий, странный танец, который лишь напоминает о возможностях актрисы.

Что касается БДТ, то нынешний период для Фрейндлих пока проходит под знаком сословия — в «Коварстве и любви» и «Макбете» Темура Чхеидзе, в «Аркадии» Эльмо Нюганена она играет леди Мильфорд, леди Макбет и леди Крум. Героини Фрейндлих изменились не только по социальному признаку. Они свободны от иллюзий и надежд. Однажды избегнув «антиТани», Фрейндлих сама пришла к ней. В творчестве актрисы появились новые, жесткие интонации; новые, суровые судьбы. Кстати, кино выразило эти перемены резче, подарив Фрейндлих интереснейшие роли: Арсеньеву в «Успехе» Константина Худякова и Ирину Дмитриевну в «Подмосковных вечерах» П. Тодоровского. Обе — талантливые женщины, в чем Фрейндлих по-разному их обвиняет. Арсеньеву, актрису (читай — Аркадину), только упрекает: ее прагматизм от профессиональной расчетливости большого таланта, от положения, которое обязывает, от возраста, что «пережил свои желанья». Арсеньева — некий беспощадный автопортрет. С Ириной Дмитриевной, писательницей, Фрейндлих расправляется (глагол непривычный для нее) без сожаления. Творчество Ирины Дмитриевны — интеллектуальный «пуф», требующий для себя безоговорочного поклонения. Ни теплоты, ни обаяния ей не дано. Эти «незнакомки» из кино — лучшее свидетельство того, что мы и теперь, когда более сорока лет следим за каждым ее шагом, знаем об Алисе Фрейндлих далеко не все.

Наверное, не случайно актриса от родителей, совсем, как известно, не чуждых театру, получила имя Алисы — оно для них и для нас освящено историей театра. Стать второй Алисой Коонен — подарок немалый и в нашем случае, к счастью, несостоявшийся. Современная Алиса чужда театральной патетике. Две Алисы — противостоящие полюса женской природы и художественного языка. Был и еще один соблазн судьбы — стать второй Марией Бабановой, благо Фрейндлих буквально получила в наследство и Гогу из «Человека с портфелем», и, конечно же, Таню. К Бабановой Фрейндлих ближе и женственностью без сильных красок, и сценической всеядностью, музыкальностью, и тайной вечного одиночества. Однако Алиса Фрейндлих с ее пронзительным лиризмом, затаенным, да еще взятым в тиски характера, да еще оттененным иронией, с ее способностью быть на грани и всегда обновляться, с ее единственной неутолимой страстью — играть на сцене, с ее требовательным мастерством, порой безжалостным, ни на кого не похожа. А это и есть мера актерской гениальности.

Содержание

Серия «Выдающиеся мастера»

**Звезды петербургской сцены**

Литературно-художественное издание

Составитель
**Е.С. Алексеева**

Ответственный редактор серии
**Т.М. Деревянко**

Редактор
**Б.М. Поюровский**

Дизайн серии
**А.В. Копалина**

Художественное редактирование,
макет вкладки, обложка
**Е.Н. Урусова**

Корректор
**О.А. Левина**

Компьютерная верстка
**Д.П. Кузминой**

---

З-43 **Звезды** петербургской сцены / Авт.-сост. Е.С. Алексеева; Под ред. Б.М. Поюровского. — М.: АСТ-ПРЕСС КНИГА, 2003. — 256 с.: ил. — (Выдающиеся мастера).

ISBN 5-7805-0996-4

«Звезды петербургской сцены» посвящены жизни и творчеству актеров разных театров северной столицы — драматических и музыкальных. Здесь вас ожидают встречи с Алисой Фрейндлих, Кириллом Лавровым, Олегом Басилашвили, Галиной Короткевич, Михаилом Светиным, Ульяной Лопаткиной и другими.

Книга адресована широкому кругу читателей.

**УДК 792**
**ББК 85.334.3(2)6**

---

ИД №04467 от 09.04.2001.

Подписано в печать 06.11.2002.

Формат 60×90/16.

Гарнитура «Ньютон». Печать офсетная.

Бумага офсетная. Печ. л. 16+5, 5 п.л. вклейка.

Тираж 5000 экз. Зак. № 3595. С-005.

ООО «АСТ-ПРЕСС КНИГА».
107078, Москва, Рязанский пер., д. 3.
При участии ООО «АСТ-ПРЕСС СКД».

Отпечатано с готовых диапозитивов на ФГУП Тверской ордена Трудового Красного Знамени полиграфкомбинат детской литературы им. 50-летия СССР Министерства Российской Федерации по делам печати, телерадиовещания и средств массовых коммуникаций.
170040, г. Тверь, проспект 50-летия Октября, 46.